HENRI LAFON

Espaces romanesques du XVIIIe siècle 1670-1820

DE MADAME DE VILLEDIEU
A NODIER

Presses Universitaires de France

ISBN 2 13 048239 2
ISSN 1242-482 X

Dépôt légal — 1re édition : 1997, juin

108, boulevard Saint-Germain, 75006 Paris

AVANT-PROPOS

Qu'est-ce qui fait qu'on ne peut pas prendre *Mademoiselle de Clermont* pour une « nouvelle historique » de la fin du XVIIe siècle ? Certainement pas la structure de l'histoire, qui en ferait plutôt un exemplaire de plus dans la série des « malheurs de l'amour » ou des « amours tragiques ». Le récit donc, le discours narratif sans doute ; mais dans les traits qui le distinguent des autres, il y aura je pense la façon dont est traité l'espace représenté[1]. Ce livre voudrait être une façon d'assurer cette intuition de lecteur, de mieux répondre à la question : qu'est-ce qui a changé dans la façon de représenter l'espace entre *Mademoiselle de Clermont*, que Mme de Genlis publie en 1803, et ses évidents modèles narratifs, et qui contribue à dater un tel récit ?

Accepter la question implique qu'on considère l'espace représenté dans un récit comme autre chose qu'un accessoire ou qu'un thème parmi d'autres, qu'on admette aussi que l'espace ne soit pas envisagé dans le cadre de telle(s) ou telle(s) œuvre(s), mais systématiquement en écho et comparaison, comme similitude et variation, comme si plusieurs espaces traversaient les romans de cette période, à la fois plastiques et résistants.

Est-il encore nécessaire de se justifier d'étudier l'espace romanesque[2] ? Longtemps la notion d'espace a dû participer de quelque chose de matériel et salissant, d'impur, par rapport à son traditionnel jumeau, le temps, noble spirituel et philosophique par excellence, et cela a pu

1. « L'espace-fiction », dit Henri Mitterand dans « Le lieu et le sens : l'espace parisien dans *Ferragus* de Balzac », 192 (voir bibliographie).
2. Surtout après les travaux de Denis Bertrand, Henri Mitterand, Jean Weisberger, dont les ouvrages ont été pour moi une impulsion décisive (voir bibliographie).

déteindre sur les études littéraires : l'espace ne faisait pas partie de ses outils traditionnels de lecture, sauf sous la dénomination restrictive de « décor ». Les « modernes » ont souvent perpétué le soupçon, se défiant du « thématisme » et d'une « illusion référentielle » abandonnée aux naïfs. L'analyse de l'espace s'est donc nourrie de ce qui venait d'ailleurs : la phénoménologie, la linguistique, les sémiotiques, la psychologie, la psychiatrie, la psychanalyse, l'étude des mythes et des religions, plusieurs secteurs de l'histoire. Aujourd'hui il est ainsi devenu banal de dire que la singularité d'une œuvre se lit aussi dans ce qu'elle nous fait imaginer d'espace. Cette approche repose sur un socle de présupposés convergents que pour ma propre gouverne, et conscient de l'outrageuse simplification que je fais subir à toutes les disciplines sus-citées, je vais résumer comme suit. Le sujet humain, dans sa relation avec les autres, se constitue en même temps que cette catégorie mentale de la perception du monde ; on peut en suivre la genèse chez l'enfant, les troubles, les dérèglements dans les pathologies mentales, en établir la nécessité dans l'exploration de l'inconscient[1]. On peut aussi voir que l'espace structure l'imaginaire humain à l'œuvre dans les mythes et les religions. Les hommes font l'histoire en modifiant l'espace (du plus quotidien au plus lointain) qui les entoure, lequel en retour modifie leur façon de penser et d'imaginer, d'agir. S'il y a de l'espace dans la langue, il doit bien y en avoir aussi dans le sens de tout ce qui se fabrique avec les mots, comme par exemple ces récits qui veulent nous faire croire aux actions d'acteurs anthropomorphes dans un espace se référant à un monde humain possible, soit les romans. Le souci de comprendre le rapport du tout et des parties, de structure, qui donne à chaque élément du texte sa dignité signifiante, a rendu impossible de parler du « décor », de la « nature » comme d'éléments seconds qui intéresseraient avant tout les historiens des idées ou des mentalités à titre documentaire, impossible aussi d'en parler en les isolant de l'œuvre.

Même si l'on en reste là, le champ de recherches[2] ainsi ouvert est assez vaste, par la variété des interprétations possibles, pour qu'il soit nécessaire d'y situer le canton plus réduit qui est le mien. Ce ne sera ni celui d'une théorie ni celui d'une collection d'espaces particuliers. A

1. « ... il semble... que, du point de vue de l'inconscient, seul l'espace soit imaginable » (Sami-Ali, *L'Espace imaginaire,* 242).
2. Elles ont surtout porté, pour la littérature française, sur le roman « réaliste » et « naturaliste » (voir bibliographie).

quel niveau va se situer mon discours, et quelle est la légitimité de mon propos ? Elle repose d'abord sur l'existence de configurations narratives récurrentes. Même si je n'ai pas procédé à un relevé systématique des topos spatiaux[1], mon propos sur l'espace romanesque se situe dans ce qui se répète d'une œuvre à l'autre en se modifiant[2].

Mais quiconque aurait rêvé de dresser ainsi un cadastre de l'espace romanesque du XVIIIe siècle s'apercevrait vite que c'est impossible car plusieurs espaces coexistent. Cette pluralité ne tient pas tant aux espaces auxquels ils se réfèrent qu'à leur manière d'être dans le roman. Comment appréhender cette manière, ce « style » ? De deux façons : d'abord dans des « configurations » constituées autour de propositions de syntaxe narrative où se marque le rapport de l'espace aux personnages et à leur action, ensuite dans la description de « types ».

La cohérence qui soutient la première partie est donc celle de « configurations », en réponse à l'injonction, venue de tous côtés[3], de ne pas séparer le sujet de l'objet, le perçu du percevant, le personnage d'un espace qui n'existe que lié au sujet par l'action, par le verbe. Les espaces romanesques y seront saisis dans les rapports que les personnages ont à la fois entre eux et avec l'espace, dans une syntaxe, autour de trois noyaux verbaux : aimer, imposer sa volonté, s'assurer de la vérité, où l'espace est représentation et action[4].

Mais ce déploiement de configurations spatiales regroupées autour de : amour, guerre, et vérité, a révélé aussi bien des différences à l'intérieur d'une même configuration, que des similitudes entre espaces figurant dans des configurations tout à fait différentes. Ainsi s'est imposée la nécessité d'une autre sorte de cohérence, venue de regroupements qui dénouent quelque peu la logique actantielle pour laisser les espaces s'affilier selon d'autres caractéristiques, constituant ainsi les « types » de la

1. Rappelons que c'est l'objectif de la SATOR, pour l'ensemble des topos du roman français avant la Révolution.
2. Cela implique que chaque affirmation s'appuie en principe sur des références multiples, ou bien sur l'intuition du déjà-lu, inévitable tant que l'utopie de la machine-qui-a-tout-en-mémoire ne sera pas réalisée.
3. Merleau-Ponty fait « apparaître comme la condition de la spatialité, la fixation du sujet dans un milieu et finalement son inhérence au monde » (*Phénoménologie de la perception,* 325) ; l'espace se « construit au fur et à mesure des actes et déplacements du personnage », écrit Henri Mitterand préfaçant *L'espace et le sens* de Denis Bertrand ; et Jacques Bellemin-Noël : « préférer en chaque occasion des mots-phrases » (Textanalyse et psychanalyse, *Interlignes,* Lille, 1988, 26).
4. On retrouve ici les trois principales modalités dont la sémiotique narrative a fait ses piliers : vouloir, pouvoir, savoir.

deuxième partie. Ces types se définissent par des caractéristiques qui lient le contenu et la forme de la représentation de l'espace. Et l'espace d'un roman n'est jamais la réalisation d'un seul de ces modèles idéaux, mais en voit au contraire toujours plusieurs se mêler ou se superposer.

Cette enquête croisée (configurations et types battant parfois les mêmes cartes) porte avant tout sur le roman du XVIIIe siècle ; elle se greffe sur un ouvrage antérieur qui restait dans les limites traditionnelles des Lumières, *Les Décors et les choses dans le roman français du XVIIIe siècle*[1]. Mais j'ai très vite été entraîné hors de ces frontières, d'ailleurs discutées, du XVIIIe siècle français, vers l'amont et vers l'aval, comme en témoigne la bibliographie. Une cohérence m'a paru sensible à l'intérieur d'une période qu'on peut approximativement borner entre 1670 et 1820, entre les romans de Mme de Villedieu et ceux de Charles Nodier, où, dans les espaces romanesques, tout change sans devenir méconnaissable[2]. Et comment, en outre, ne pas adosser cet essai à quelques œuvres encore antérieures, de ce roman du premier XVIIe siècle, encore tellement lu au XVIIIe ? Les dix-septièmistes et dix-neuvièmistes diront la pertinence de mes incursions.

Essayer de saisir ces espaces qui se représentent dans les romans, dans des formes à la fois fixes et souples, qui voyagent d'une œuvre à l'autre, c'est chaque fois, à chaque étape, voir se profiler l'ombre d'un homme, dans ses rapports avec le monde matériel et les autres hommes. L'espace paraît la dimension où se projette naturellement la rencontre du sujet avec l'autre, sa loi, ses interdits. Il est un terrain un peu sauvage, car la théorie de l'époque l'ignore en plus grande partie, où le roman définit sa spécificité dans ce qu'il laisse imaginer des rapports des hommes entre eux et avec les choses, l'inanimé. Plutôt que d'interprétation, je préférerai dire que traiter de l'espace romanesque déclenche une rêverie anthropologico-historique, une sorte de « roman » dont je ne me suis pas privé, pensant qu'il prolonge légitimement la lecture des romans, s'il n'est pas peut-être, même, sa finalité.

1. *Studies on Voltaire and the Eighteenth Century*, n° 297, 1992.
2. 1660-1830 sont les limites d'un « Eighteenth century », qui n'est pas, il est vrai, exclusivement français, celui de la revue *Eighteenth Century Fiction*.

Première partie

CONFIGURATIONS

CHAPITRE I

DÉSIRS

Il faut commencer par le désir de raconter. En passant par la confidence, il nous conduira naturellement à la solitude des amants, et de là aux « trajectoires », « approches », et finalement « champs clos » de l'amour. En effet, un siècle après Huet, Diderot un peu agacé doit l'admettre : l'amour est encore « le principal sujet du roman », « toujours des contes d'amour... en vérité cela est merveilleux »[1].

L'espace y sera fait de mouvements et de cloisonnements : mouvement du ballet qui éloigne ou rapproche les personnages, cloisonnement qui crée la séparation ou l'intimité. Dans ces tracés se liront les rapports du désir avec ce qui lui fait obstacle, ceux de l'intériorité et de l'extériorité, de l'intime avec le public.

RÉCITS

Au commencement donc est le désir d'écrire un roman, et on peut supposer qu'une fois écrit, l'espace qu'il représente en garde la marque, traces croisées de la parole et de l'écrit, du plaisir et de la faute.

Le plaisir est celui de raconter à ceux que l'on a choisis, qui sont là et vous écoutent dans un bonheur partagé et protégé. Pour cela, il faut un espace retiré, et confortable, puisqu'en général les récits ne sont pas brefs...

1. *Jacques le Fataliste,* 238 ; Angelica Gooden lui fait écho : « Some novels of the period admittedly, are barely concerned with this central emotion, but they are rare... » (*The Complete lover. Eros, nature, and artifice in the eighteenth-century French novel,* Oxford, 1989, 1).

La version noble, parce qu'elle emprunte ses éléments au « lieu aimable », suscite l'ironie d'un personnage de Fromaget, en 1736 : « C'est dommage, me dit mon ami, que nous ne soyons pas assis sur le tendre gazon d'une prairie émaillée de mille fleurs, ou sur les bords de quelque ruisseau qui, avec un doux murmure, roule ses eaux cristallines sur le sable doré ; cela rendrait le lieu de la scène plus propre à la confidence importante que j'ai à te faire, et plus conforme à l'usage du temps de Cyrus, Polexandre et autres grands personnages ; mais comme tu n'es pas un héros de la volée du grand Artamène, tu te contenteras de t'étendre sur l'herbe avec la simplicité d'un héros aussi subalterne que tu l'es. Effectivement nous nous assîmes au pied d'un gros arbre dont l'épais feuillage nous empêchait d'être incommodé du soleil ; et là, Dubois, après avoir toussé gravement deux ou trois fois comme un écuyer de roman, commença... »[1] Il ne faudrait pas croire que le roman « héroïque » s'est enfermé dans ce topos élémentaire. Il peut donner à ses espaces de narration le même éclat luxueux qu'à ses palais : « La princesse les conduisit lors dans un cabinet ouvert des quatre côtés dont les murailles n'étaient que des vitres de cristal de haut en bas, afin que la vue en fût plus libre. Là, après qu'ils se furent assis sur des sièges d'ébène, garnis de brocatelle incarnate et argent, le Marquis commença... »[2] La nature demeure nécessaire, au moins sa « vue ». Lorsque les personnages sont descendus d'un petit cran vers l'ordinaire, la nature socialisée des jardins suffit, réduite au nécessaire : « Ils entrèrent ensuite tous deux dans le jardin, et après avoir fait le choix d'un lieu commode pour s'asseoir, le gentilhomme commença ainsi l'histoire de cette belle malade... »[3], ou bien : « La Marquise et la Comtesse... passèrent dans le jardin, et s'assirent sous une petite treille de muscat, où il y avait des bancs (...) Eh bien ! ne m'apprendrez-vous point quelle a été votre fortune depuis que nous nous sommes quittées... ? »[4] S'ensuivent des récits qui peuvent prendre plusieurs centaines de pages.

L'équivalent de cette intimité végétale sera, à la Cour, le « petit cabinet »[5], et en ville, la « chambre » qui réunit les auditeurs, peut-être plus propice à la discussion qui suivra. Challe est attentif au choix de

1. *La Promenade de Saint-Cloud,* I, 112.
2. Mlle de Scudéry, *Ibrahim,* II, II, 108.
3. Subligny, *La Fausse Clélie,* 15.
4. Mme de Villeneuve, *La Jardinière de Vincennes,* IV, 1.
5. Bernard, *Inès de Cordoue,* 347.

la demeure, de la pièce où réunir ceux qui écoutent chacune des sept histoires de ses *Illustres françaises.* Par exemple, de cet espace plutôt amical et joyeux est exclu de façon significative le trop sombre Des Prez, qui doit, pour raconter son histoire tragique, entraîner son auditeur au bois de Vincennes.

Ceux des romans qui ne craignent pas, dans les rencontres de hasard, de mêler un peu les conditions, au moins pour le décor, pourront loger les narrations dans la chambre d'auberge. Ce seront plutôt de longues confidences, comme celle faite par Des Grieux à Renoncour au « Lion d'Or », sans débat final. Jacques et son Maître le réintroduisent, échauffés par le champagne bu en écoutant l'Hôtesse ; cependant les bruits de l'auberge arrivent jusque dans la chambre, autant d'interruptions qui altèrent l'intimité.

Les nouveaux espaces publics, comme ceux des cafés, peuvent aussi loger des narrations (assez rarement dans le roman) : « J'étais avant-hier, selon mon usage, au café de Guillaume. Après avoir épuisé la conversation sur différentes matières (...) on en vint à parler de philosophie... » et un « gros homme » qui fume sa pipe et demande une bouteille de vin de Porto, va raconter l'histoire très édifiante d'un de ses compatriotes, Sydney, image de la bienfaisance et de l'amitié active ; le cercle du « public » a remplacé celui des amis et, à la fin, l' « applaudissement général » remplace le débat courtois mais passionné de la bonne compagnie réunie pour écouter[1]. Qu'il s'agisse d'un coin de bois, de jardin, d'une chambre ou d'un café, ces lieux sont empruntés à la scène sociale ou « naturelle ». Sade en revanche, outre qu'il renforce jusqu'au délire la mise à l'écart que toute narration, apparemment, requiert, va disposer autour de ses « historiennes » de Silling un espace fonctionnel, artificiel, agencé pour elles. Après la Révolution, on pourrait croire que revient la confidence racontée sous arbre et sur gazon, lorsqu'on lit que le récit de René à Chactas et au P. Souël se fait « sur le gazon, au pied de l'arbre », mais c'est un « sassafras, au bord du Meschacebé » (148).

Écrire, dans un roman, c'est avant tout écrire une lettre. Il existe un espace de l' « épistolarité »[2], car la lettre, comme objet, entraîne l'évocation des circonstances dans lesquelles elle est écrite, parvenue, reçue, ouverte, lue. Écrire et lire une lettre demande un espace intime, la soli-

1. Baculard d'Arnaud, *Sydney et Volsan,* 1-5.
2. Ronald C. Rosbottom, Motifs in epistolary fiction : Analysis of a narrative subgenre, *Esprit créateur,* 17, 1977.

tude, puisque la communication épistolaire se caractérise par le secret : la chambre, le cabinet, et le bois, tous endroits écartés encore une fois[1], où l'écriture et la lecture sont mises en scène dans leur décor, leur petit outillage : plume, papier, écritoire, ou leurs substituts, avec parfois même un gros plan sur l'espace de la page écrite, les caractères, le papier mouillé de larmes. L'intimité est requise parce que l'émotion que déclenche l'intrusion de la lettre rend vulnérable et indécent : pâleur, rougeur, tremblement, larmes bien sûr. Elle peut d'ailleurs devenir un rituel de communication avec l'absent(e), qui prend un caractère érotique : « Votre portrait sur ma table, vos lettres éparses dans mon sein, sur mes genoux ; le tiroir renversé, le portefeuille ouvert... »[2], « Je crois te voir, te toucher, te presser contre mon sein... »[3], « ... je me suis vu réduit à baiser toute la nuit plus de mille fois chacune de tes lettres. Enfin le jour s'est levé pour éclairer ma faiblesse et j'ai rougi. Anéanti, fatigué, consumé par une flamme, je viens de rentrer dans mon appartement... »[4] Il faut du secret pour ces émois troubles. Cette intimité précaire, menacée, est toujours susceptible d'être interrompue : « Ciel, qu'entends-je ? Quelqu'un vient... Ah serrons, cachons mon trésor... un importun !... maudit soit le cruel qui vient troubler des transports si doux !... »[5], « Je viens d'essuyer une peur dont je ne suis pas encore bien remise. J'étais à vous écrire lorsque Périclès est inopinément entré dans mon cabinet... »[6] L'espace est donc à double fond, contient des cachettes où voyagent, ou stationnent, les lettres hors du regard des autres. Les tiroirs, les cassettes sont faits pour cela, non les livres, les bouteilles, sacs à ouvrage, instruments de musique, etc., longue série d'objets détournés, aux effets parfois burlesques. Une menace et une culpabilité flottent sur l'espace épistolaire[7].

1. « J'allais tous les jours dans quelque endroit écarté des bois ; là, je relisais cette lettre... » (Tencin, *Mémoires du comte de Comminge,* 87 ; aussi 51).
2. Riccoboni, *Lettres de Mistriss Fanni Butlerd,* LXXVIII.
3. Rousseau, *Julie,* II, XVI.
4. Mlle de Saint-Léger, *Lettres du Chevalier de Saint-Alme,* XXIX.
5. Rousseau, *Julie,* II, 22.
6. Crébillon, *Lettres athéniennes,* X.
7. Comme sur celui de la lecture des romans eux-mêmes. A la lecture orale, celle du patriarche au coin du feu, celle que fait Edmond à la cuisinière chez les Parangon (*Le Paysan perverti,* II), ou celle que font à leur compagnie les jeunes filles des Grands dans leurs palais (Mme de Genlis, *Mademoiselle de Clermont,* 10), émouvante et honnête, s'oppose la lecture solitaire, qui n'est pas forcément « honnête », et peut être au contraire un adjuvant du désir et du plaisir (voir H. Lafon, *Les Décors et les choses...,* 215-224 ; J. Goulemot, *Ces livres qu'on ne lit que d'une main,* Alinea, 1991 ; je n'ai pas pu tenir compte des derniers travaux de la SATOR réunis dans Jan Herman, Paul Pelckmans (eds), *L'Épreuve du lecteur. Livres et lectures dans le roman d'Ancien Régime,* Peeters, Louvain, 1995).

Écrire un roman se trouve au confluent du plaisir de raconter pour plusieurs et de la faute d'écrire à un(e) seul(e). De ce malaise témoigne l'espace du manuscrit retrouvé : ce texte dont l'auteur refuse d'assumer l'énonciation a été caché, et ressurgit pourtant. L'écrit vient de loin[1], en tout cas d'ailleurs, porté par le hasard qui élude les responsabilités. Avec Mouhy, et non sans humour, il flotte sur la Seine dans un coffre salvateur auquel s'accroche l'« éditeur » sur le point de se noyer. Ses serrures forcées font apparaître une petite bibliothèque flottante, puis une « petite cassette fermée à clef », à son tour forcée[2]. Petits espaces clos du secret, armoires, malles, cassettes, tiroirs, portefeuilles, mais d'un secret finalement violé, suivi d'une divulgation.

Une forme de solitude, affichée, va sauver le narrateur, lui rendre son innocence et sa responsabilité. Retraite d'abord de la « campagne » où le parvenu (de Marivaux), le libertin repenti (de Duclos) se sont retirés pour écrire « mémoires » ou « confessions ». Elle n'est qu'une façon d'exprimer la distance nécessaire pour la réflexion, le jugement, et, on peut penser, pour tout acte d'écriture[3]. Puis à partir des années 1770 apparaissent des sous-titres comme « Lettres écrites à la campagne », à l'imitation de Rousseau. Un espace de solitude-pour-écrire, trouvé dans la « nature », est devenu critère de vérité du texte, qui légitime l'auteur. Il faut comparer, pour mesurer l'évolution, l'« avertissement » de *La Comtesse de Vergi* (1722), où La Vieuville d'Orville explique que le livre est un manuscrit trouvé et achevé par lui dans « une ennuyeuse campagne où j'ai passé six semaines », à celui des *Soirées de mélancolie* (1777) où Loaisel de Tréogate explique gravement qu'il était « à la campagne » quand il écrivit « ces petits contes moraux », « fruit de diverses impressions qui /l/'agitaient chaque soir au retour de la chasse ». L'espace est devenu comme la cause efficiente de ce qui est écrit et du même coup un signe d'authenticité. La « nature » a déculpabilisé la narration comme écriture[4]. Il faut même par-

1. « Si j'avais voulu suivre la coutume usitée depuis longtemps, j'aurais assuré avec hardiesse que cet ouvrage n'est que la traduction d'un manuscrit grec trouvé dans les ruines d'Herculanum » (Moutonnet de Clairfonds, *Les Isles fortunées,* « Avertissement »).
2. *Le Masque de fer,* 8-16.
3. Comme d'ailleurs pour s'écrire : distance spatiale (voyage, exil), ou bien distance créée par un obstacle qui motive le recours à l'écrit de la lettre : celle d'un interdit, celle simplement de la bienséance et de la modestie.
4. Et même l'écriture de la lettre : « A peine vêtue, les cheveux en désordre, mes joues sont aussi vermeilles que mes lèvres, et le trouble agite tous mes sens. L'aurore a fait place au soleil, l'herbe est brillante de rosée, le ciel est pur, les oiseaux chantent, tout semble coopérer à la volupté que je trouve à t'écrire » (Mlle de Saint-Léger, *Lettres du Chevalier de Saint-Alme,* XXXVII).

donner les déficiences d'un texte « écrit tout d'un trait » en quinze jours, s'il l'a été « sous le charme puissant des bois et des eaux », qui ont éveillé l'imagination et remué le cœur de l'auteur[1].

Les espaces où se réalise le désir de raconter sont ainsi marqués par une tension entre l'oral et l'écrit. Mme de Duras en donne une belle illustration en ouverture à *Édouard*: celui-ci n'a pas envie de se raconter au clair de lune, à l'arrière du vaisseau (comme Chactas, racontant dans la nuit à René, « assis tous deux sur la poupe de la pirogue », 75), il attendra que s'établissent avec celui qui recevra son récit les liens profonds d'une amitié frottée à la guerre et à la mort, pour, dans la chambre du blessé, lui remettre « un gros cahier d'une écriture assez fine », que le premier narrateur nous confie à son tour (64). Dans la façon dont la narration prend place dans l'espace, entre privé et public, plaisir et culpabilité, se manifeste un rapport avec le lecteur, tel que l'auteur le rêve : convivialité du petit cercle d'amis, applaudissements, confidence.

SOLITUDES

L'espace du désir est fait aussi de solitudes parce que les péripéties de la relation amoureuse sont nourries (parfois exclusivement) de séparation et de retrouvailles et que l'amoureuse ou l'amoureux sont parfois conduits à désirer se « retirer du commerce des hommes » (*Dict. de l'Acad.,* cité par M. Gilot). Ce geste touche à la poétique du roman : comme il n'y a d'histoire que dans un rapport entre personnages, le solitaire met théoriquement l'histoire en péril, attire le roman vers une de ses frontières (le récit de Xavier de Maistre est une gageure). D'autre part il sera toujours l'objet d'une évaluation, car la solitude met en jeu les rapports de l'homme avec ses semblables et avec Dieu. Est-elle bonne ou mauvaise, délices ou malédiction, redoutable ou bénéfique ? En tout cas, à son propos, il faut bien s'attendre à trouver de l'espace représenté puisque le mot « solitude », comme le rappelle Michel Gilot[2], désigne aussi bien un lieu qu'un état.

1. Mme Cottin, *Claire d'Albe,* préface.
2. Quelques aspects du sentiment de la solitude au XVIIIe siècle, *Langue, littérature du XVIIIe siècle. Mélanges offerts à Frédéric Deloffre,* SEDES, 1990.

Se retirer « du commerce des hommes » peut avoir plus ou moins de portée dans le temps et dans l'espace.

Les maisons et jardins de la bonne société offrent ce qu'il faut pour le pas de côté de celui qui veut se mettre momentanément à l'écart du jeu social. Celle ou celui qui veut dissimuler par exemple une émotion, heureuse ou malheureuse (il s'agit très souvent de lire une lettre), trouvera le « cabinet », la « chambre » où se retirer, la simple embrasure de fenêtre, le « cabinet de verdure » ou la « charmille », recoins d'un ensemble trop peuplé d'appartements et de jardins : « Je me retirai dans un cabinet où je me livrai longtemps au trouble qui prenait l'ascendant sur toutes mes réflexions. »[1] Moins mondain, plus farouche, le « bois » accueille l'insupportable « désordre » du sentiment : « Je sortis de la chambre dans un désordre que je ne puis exprimer ; ... ne me connaissant pas moi-même, j'allai m'enfoncer dans un bois qui faisait partie de mon clos. »[2] Très brèves scansions nécessaires à la respiration du récit, mouvement d'esquive pour échapper au poids du regard et de la présence de l'autre.

Le mot de retraite implique plus de portée.

Elle peut être initiale, cadre de l'écriture du roman, ou finale, lieu de sanction, ou bien une épreuve plus ou moins longue. Comme, parmi les gens de qualité, elle se définit essentiellement par rapport au « monde », elle a ses versions factices, dont on se moque : dans la conversation mondaine des *Égarements* passe Mme de ***, « dévote deux fois », qui s'est « retirée du monde avec éclat », et y « rentre » en « prenant » le « petit de *** »[3]. La « retraite », comme la « solitude », est un geste et un lieu, elle n'est pas forcément la solitude radicale.

En effet la tradition offre plusieurs modèles d'espaces qui ont chacun une couleur idéologique suivant leur origine. L'institution religieuse (catholique) ouvre l'ermitage, le cloître, le couvent. La petite maison à la campagne se réfère à un modèle antique de sagesse païenne et laïque. La « Nature » enfin, aménagée ou non, propose divers sites, dont par exemple la « grotte ». Celle de Julie dans l'*Histoire d'Hypolite* de Mme d'Aulnoy est caractéristique d'une solitude qui n'a nul besoin de « sauvage » et s'accommode au contraire fort bien des « commodités » : « Elle n'était pas moins agréable par sa fraîcheur

1. Prévost, *Histoire d'une Grecque moderne,* 176.
2. Challe, *Les Illustres Françaises,* 418.
3. Éd. Dagen, 155.

que par plusieurs rocailles et de très belles statues qui l'embellissaient dans des enfoncements qu'on y avait aménagés. On trouvait de petits lits de mousse et de gazon dont la fraîcheur se conservait aisément parce qu'ils n'étaient point exposés aux rayons du soleil, une charmante obscurité régnait dans cette grotte, et c'est là que Julie s'abandonnait tout entière à ses tristes réflexions... » (I, 41). Le roman va véritablement travailler sur ces trois modèles, les combinant, les contaminant l'un par l'autre. La grotte de jardin peut devenir grotte « naturelle » et malgré cela être aménagée, comporter toutes les « commodités » d'une maison (comme Rumneyhole au début de *Cleveland*, ou la grotte de Milady B... dans ses *Mémoires*)[1]. L'ermitage (« solitude centrée » dit Bachelard[2]) peut ressembler par son petit jardin à la maisonnette du sage « philosophe », le cloître renchérir sur une nature aimable : le monastère des Hiéronymites, « retraite » rendue fameuse par un empereur, est aussi « le plus bel endroit de toute l'Espagne »[3]. L'important reste la polarité qui oppose la retraite heureuse à la retraite malheureuse. La retraite sera en effet traditionnellement qualifiée d'« aimable » ou d'« horrible » en accord avec un paysage qui l'entoure. Aimable si la nature autour est « aimable », printanière, forme un tableau d'horizontales et de rondeurs, ou bien si la nature est cultivée comme un jardin ; si figurent des objets de plaisir (livres ou tables bien garnies) ; « horrible » si la nature est faite de verticales, de monts, de précipices, si la clôture est stricte, si paraissent des signes de mort (tombeaux). Le jeune Obermann imagine, autour du mot de Chartreuse, une retraite composite réunissant « l'idée des formes alpestres à celles d'un climat d'oliviers, de citronniers »[4].

La « retraite » triste, celle de ceux qui renoncent malgré eux à l'amour, s'éloignent de la société en tant qu'espace du commerce amoureux, prend facilement une tonalité funèbre : on va, mort à l'amour, « s'ensevelir ». Dans cette direction, le roman va développer ses variations les plus sombres. Le couvent, de refuge qu'il était, devient comme le sérail, « solitude et contrainte perpétuelle »[5], et puis piège, « affreuse prison »[6], décrit comme un « affreux désert », entouré

1. Mme de La Guesnerie, *op. cit.*, I, 46.
2. *Poétique de l'espace*, 46.
3. Saint-Réal, *Dom Carlos*, 203.
4. Senancour, *Obermann*, XXI, 128.
5. Prévost, *Histoire d'une Grecque moderne*, 43.
6. Mme de Villedieu, *Mémoires d'H.-S. de Molière*, I, 38.

de montagnes et de précipices, d'un « grand circuit de murs »[1], lieu d'exercice, enfin, d'un pouvoir oppresseur (voir plus loin, « Pouvoirs »). L'« horreur » est accentuée : la grotte protectrice remplacée par une montagne qui à la fois isole et menace par ses torrents, ses gouffres, où vient facilement la pensée de la mort, comme à Meillerie[2].

Le roman invente également des espaces nouveaux pour le deuil. Ils sont privés, hors de toute institution. Il y avait déjà eu la clôture tragique et obsessionnelle de Renoncour s'enfermant avec les emblèmes de son épouse morte, il y aura à la fin du siècle les « retraites » construites autour d'un « monument », de ruines. En vérité, développant l'intuition de Prévost, l'espace de retraite devient le tombeau lui-même, la clôture du tombeau fait la « retraite » : « Il construisit une habitation de chaume et de feuillage qui communiquait aux marches du tombeau, et qui devint son seul et dernier séjour. »[3] Et il est inutile d'aller à la campagne, puisqu'il peut y avoir une « retraite » radicale en ville même, une sorte de suicide social, qu'il suffit de fermer farouchement sa porte comme Mme de La Carlière, pour s'enfermer dans une douleur peut-être folle[4]. Inversement, la fin du XVIIIe siècle, le début du XIXe ouvrent à la « retraite » des espaces lointains, exotiques : l'île de France pour le solitaire narrateur de *Paul et Virginie,* « les déserts de la Louisiane » pour René, qui va s'y « ensevelir ».

Parallèlement, le roman n'a cessé de proposer des images d'une « retraite » heureuse loin de la ville. Même si ce ne sont pas tous des cœurs blessés, il s'agit toujours cependant de prendre une certaine distance vis-à-vis d'une mondanité qui inclut un certain type de relations amoureuses. L'amitié en revanche revient au premier plan : « Une campagne peu distante de Paris, où l'on respire un air pur, où sans se borner dans un jardin, on peut s'étendre dans des dehors agréables, et où l'on peut voir ses amis du matin jusqu'au soir... »[5] On peut qualifier d'horatien cet équilibre entre nature aimable et culture, cette rupture tempérée avec le monde, et l'expression : « un juste éloignement », même s'il s'agit de la mer, est caractéristique : « Il avait bâti une simple maison, qui capable de le défendre des injures de l'air, lui parut suffisante : elle découvrait à sa gauche plusieurs vallons, et à sa droite la

1. Prévost, *Le Monde moral,* 306.
2. Rousseau, *Julie,* I, XXVI ; IV, XVII.
3. Loaisel de Tréogate, *La Comtesse d'Alibre,* 143-144.
4. Diderot, *Mme de la Carlière,* 125 ; voir aussi Balzac, *La Duchesse de Langeais,* 192.
5. Mme Durand, *Les Petits Soupers,* 8.

mer dans un juste éloignement... »[1] Parfois le roman ironise sur ce qu'est devenue la « modestie » : la « chaumière » à laquelle s'attendait Scipion après que son maître Gil Blas lui avait parlé de la « petite maison qu'Horace avait dans le pays des Sabins », est en réalité un « château » à « quatre pavillons »[2]. Les idéologies vont moduler dans cet espace type la façon de penser ou de rêver les rapports avec le monde rural et la production agricole. Il y a toujours eu un petit jardin dans le modèle horatien, que « le travail et l'industrie rendent fertile »[3]. Vers 1750, gagnée par l'agromanie, la « retraite » devient encore davantage horticole et utile : la comtesse de Maronville, en deuil de son père et de son mari, deux fois ruinée, se transforme en « jardinière » de banlieue : « ... retournons encore dans la solitude, et puisque la ville vous a été si funeste, quittons-la pour toujours » lui dit la fidèle Nicole ; et elle lui conseille d'acheter « une petite maison » qu'elle a vue, avec « un arpent de terre planté en bonnes vignes, un autre arpent de terre labourable, deux arpents de prés et autant de bois. (...) Nous y pourrions élever des vaches et de la volaille. Le jardin est de primeur, et je viendrais vendre toutes nos denrées à Paris »[4]. Candide et ses compagnons, dont une Cunégonde qui a cessé d'être un objet de désir, vont aussi subsister en vendant leurs produits à la ville voisine. Le Baron auprès duquel Valmont (celui de l'abbé Gérard) va chercher une autorité morale, dans sa « petite maison à quelques lieues de Paris », « la maison de Socrate », « donne lui-même tous les jours quelques heures à cultiver les fleurs et les fruits de son jardin »[5]. L'émigration enfin renouvellera ce personnel de sages-jardiniers, avec ses nobles convertis aux charmes de la retraite dans la vie simple : « ... l'habitation du Père Schmitt me convient, je cultiverai un petit jardin... »[6]

Ou bien le geste de la « retraite » est l'occasion pour le roman d'imaginer ce que pourrait être la vie heureuse d'un tout petit groupe, de penser l'espace de petites utopies privées. Clarens est une « retraite » aménagée pour une expérience inédite de bonheur. Mais on peut en dire autant de l'île de France dans *Paul et Virginie*, ou du vil-

1. Bourdot de Richebourg, *Évandre et Fulvie,* 27.
2. Lesage, *Histoire de Gil Blas,* X, III, 1038.
3. Bourdot de Richebourg, 27.
4. Mme de Villeneuve, *La Jardinière de Vincennes,* V, 48-49.
5. Gérard, *Le Comte de Valmont,* IV, 282-283.
6. Sénac de Meilhan, *L'Émigré,* 1644 ; voir aussi Mme de Charrière, *Lettres trouvées,* XIV.

lage où « trois femmes » sont racontées par Mme de Charrière, dont la dernière arrivée dit : « Depuis un an je parcours la Pologne et l'Allemagne, cherchant un endroit où je puisse vivre ignorée et néanmoins sans ennui. J'ai trouvé plus que je ne cherchais ; je reste. Je suis heureuse. »[1] A la fin des *Contes immoraux* du prince de Ligne, deux couples, qui ont traversé les chassés-croisés du désir et de la jalousie, « gens de bien, de plaisir et de bon goût », se retirent dans une « riante vallée » aménagée par Liebenstahl de façon extrêmement concertée : « Nous passâmes ainsi les dix plus belles années de notre vie, qui ne nous parurent que dix mois pour la durée, mais un siècle pour la quantité d'événements agréables et piquants de société, dont notre art de nous rendre heureux embellissait presque chaque journée » (164).

La solitude est souvent associée à la possibilité de « rêver », c'est à dire d'abord de s'absorber en soi-même, « méditer, réfléchir profondément ». C'est une conduite familière dans l'espace romanesque que celle du rêveur ou de la rêveuse solitaire. Furetière la confine avec ironie dans une « Historiette » qui se lit dans une « Académie bourgeoise » (992) : « Un jour que ma maîtresse passionnée était allée chercher la solitude d'un petit bois où elle confiait quelques soupirs et quelques tendresses à la discrétion des échos et des zéphyrs... ». Elle n'est pourtant pas réservée au romanesque héroïque et sentimental. Cette silhouette immobile, fixée par un élément de décor, avec ou sans le secours d'un livre, on la rencontre dans des récits aussi différents que ceux de Tristan, Challe ou Catherine Bernard : « ... j'étais appuyé contre un arbre du jardin, dans une profonde rêverie »[2], « je me promenais seul un livre à la main. Je rêvais à toutes les aventures de ma vie passée... »[3], « Il la trouva seule dans sa chambre, la tête appuyée sur une de ses mains, et dans une rêverie si profonde qu'à peine s'en tira-t-elle par le bruit qu'il fit en entrant »[4]. Elle peut évoluer dans une lente déambulation : « Il prit l'autre allée, rêvant et se promenant lentement comme un homme seul... »[5] Il lui faut un espace à la fois retiré, protecteur, et ouvert, assez vaste. Nous le retrouverons, c'est celui des rencontres, les mêmes jardins, leurs cabinets de verdure, leurs allées : « »Je m'étais retirée un jour dans un cabinet

1. *Trois Femmes,* 30.
2. Tristan l'Hermite, *Le Page disgracié,* XXXIX, 124.
3. *Les Illustres Françaises,* 555.
4. C. Bernard, *Le Comte d'Amboise,* 90.
5. Segrais, *Eugénie,* 73.

de verdure où je m'amusais à la lecture d'un livre... »[1] Le duc de Nemours, « au bout d'une allée, dans le coin le plus reculé », « une manière de cabinet ouvert de tous côtés », couché sur un banc, est tellement enseveli dans ses pensées qu'il ne voit même pas la princesse de Clèves entrer dans ce même « jardin hors des faubourgs » (400) pour être seule et rêver elle aussi. Il n'y a guère de place pour la rêverie en ville, hors de cette enclave des jardins qui offrent « la solitude et l'éloignement » convenables[2].

Selon Mlle de Scudéry la véritable rêverie est pastorale : « Pour rêver doucement (...) il faut être seul, il faut être aux champs ; (...) il faut qu'on n'entende que confusément le chant des oiseaux ou le bruit des fontaines... »[3] Et en effet un bois d'olivier « avant le soleil », les avenues d'un Château « à la pointe du jour », nourrissent les rêveurs de sensations qui peuvent étonner le lecteur prévenu, pour un début du XVIIIe : « Une fois que je n'avais pas fermé l'œil, je fus me promener à la pointe du jour dans les avenues du château, où l'odeur suave de la fraîcheur du matin et le ramage des oiseaux me plongèrent dans une douce rêverie qui me conduisit sans m'en apercevoir à plus de deux lieues... »[4]

Quant aux grèves, bien avant que le « désir du rivage » prenne les formes décrites par Alain Corbin dans *Le Territoire du vide,* elles sont un espace de rêverie où les mouvements des flots, de l'esprit, et du corps s'« entretiennent » : « Sur la fin de l'automne que les vents commencent à rendre la mer redoutable, il s'alla promener plus matin que de coutume. Il y avait eu pendant la nuit une tempête épouvantable, et la mer, qui était encore agitée, entretenait agréablement sa rêverie. »[5] L'*Ingénu* aussi se promène « vers le bord de la mer », le cœur aussi agité que les flots de la Manche (VII). Cette rêverie est d'ordinaire rompue par l'inattendu qui surgit de la mer elle-même, réservoir inépuisable.

Pour que le sujet oublie les autres, il lui faut donc soit un espace grand ouvert qui favorise un mouvement d'expansion, comme celui du bord de la mer, soit des espaces plus ou moins clos dans un mouvement de repli, de condensation. La rêverie solitaire va perdre son caractère de

1. Lambert, *Mémoires et aventures d'une dame de qualité,* 295.
2. Mme de Villeneuve, *La Jardinière de Vincennes,* 2, 57.
3. *Clélie,* IV, 891.
4. Catalde, *Le Paysan gentilhomme,* 8 ; Lussan, *Les Veillées de Thessalie,* 129.
5. Mme de La Fayette, *Zaïde,* 43.

prélude prévisible à une rencontre pour rester avant tout un havre momentané où le sujet se retrouve, qu'il s'agisse d'un modeste jardin (le héros des *Époux malheureux* de Baculard s'abandonne à une « douce rêverie » qui lui fait « oublier qu'il existât d'autres terres au-delà de son jardin » (103-104)) ou d'un parc « anglais » : « ... je suis amoureuse de deux allées droites, bien ratissées, dont plus d'un contrefaiseur de la nature a demandé la destruction. L'une de ces allées est de vieux chênes remplacés de temps en temps par de jeunes tilleuls. C'est là que marchant à l'ombre, sans peine, sans fatigue, je rêve à vous le matin et vers le milieu du jour. »[1] Lointain écho à l'ironie tendre de Fontenelle : « ... j'ai de grandes allées sombres, qui sont extrêmement dangereuses pour un amant ; elles inspirent des rêveries pernicieuses. »[2] Le dessin, chez Mme de Charrière, s'est précisé : « L'autre allée est d'un côté comme une épaisse muraille de charmes, qui intercepte tous les importuns rayons du soleil couchant. Une double rangée de peupliers est plantée vis-à-vis, et en même temps qu'elle donne entrée à l'air, elle laisse la vue se promener sur une vaste prairie... » L'ironie n'est pas absente, puisque c'est ce qui contrevient le plus aux prescriptions des amateurs de parc « à l'anglaise », les allées droites et bien ratissées, qui fait le mieux rêver, et ceci... en Angleterre.

Encore un pas dans l'imaginaire et au lieu de rêver à l'autre absent, on l'invente. Pour créer un « fantôme » il faut beaucoup d'espace, une immensité même, celle de landes bretonnes, ou des horizons pyrénéens : « C'est dans ces pays sauvages et sublimes que l'imagination s'exalte, et allume dans le cœur un feu qui ne finit pas de le dévorer ; c'est là que je me créai un fantôme auquel je me plaisais à rendre une sorte de culte. Souvent après avoir gravi une de ces hauteurs impo santes où la vue plane sur l'immensité : Elle est là, m'écriais-je, avec une douce extase... »[3]

S'égarer, errer sont autres façons de prolonger le mouvement du rêveur qui le tient à l'écart des autres.

L'amant malheureux voudrait bien trouver « aucun endroit de la terre où... vivre sans tristesse », quelque lieu où « quitter /son/ amour et /son/ souvenir » : « Mais la fidélité avait des racines trop profondes

1. Mme de Charrière, *Lettres trouvées,* XXV.
2. *Lettres diverses de M. le Chevalier d'Her***,* X, 53-54.
3. Mme Cottin, *Claire d'Albe,* XX ; Chateaubriand, *René,* 160.

pour être ébranlée, et l'inconstance ne m'était agréable qu'au changement continuel des lieux, qui donnait quelque divertissement à ma constance malheureuse. »[1] On voit que ce n'est pas l'errance affairée du picaro occupé à survivre, ni celle, plutôt heureuse malgré ses mésaventures, d'un flâneur comme d'Assoucy dans ses *Aventures.* C'est une façon d'exprimer sa souffrance, son désarroi dans une perte volontaire des repères spatiaux, un renoncement au territoire : « Je me résolus à quitter la France pour me délivrer des combats éternels où j'étais incessamment exposé »[2], sans aucun doute plutôt masculine. Les femmes ne s'égarent dans les bois que lorsqu'elles sont poursuivies, traquées ; souffrant, elles s'enfermeraient plutôt. Elle est une façon de mettre en rapport son sentiment intérieur avec l'espace des hommes et des choses. Or l'espace privilégié d'une telle errance, depuis le Moyen Age, est celui de la forêt, des bois[3]. C'est pourquoi Lysimarte, dans *Célinte,* qui est aussi « ... un malheureux qui ne cherchait que la solitude », « aimait mieux traverser des forêts que des plaines... » (142). Dans ce « contraire du jardin, espace cultivé et mesuré » peut se vivre l'expérience de « cheminer... dans un espace sur lequel on ne possède aucune maîtrise »[4]. C'est un refus délibéré de trouver à l'espace une orientation : « Je ne m'oriente point ; au contraire, je m'égare quand je puis. »[5] Cette ressource est refusée à Paul après la mort de Virginie, alors que le narrateur essaie en vain de l'« égar/er/ exprès dans les bois, les défrichés, les champs » (215) ; toute l'île étant comme aimantée par la présence de Virginie, il est impossible qu'il s'y perde.

Cette manifestation de solitude reste d'abord l'apanage du grand roman héroïque et sentimental. Il lui faut peut-être ces grands espaces, et le roman du XVIIIe siècle n'aime guère perdre longtemps ses personnages ni ses lecteurs. Il remplacera cette errance par des voyages. Peut-être, malgré l'aspect systématique du voyage, y a-t-il un fond d'errance véritable dans le *Cosmopolite* où le narrateur va de pays en pays dans la solitude de son « cœur velu » ne voyant que mal et défauts. Saint-Preux va faire l'ethnographie du Valais, puis s'embarque avec l'expédition d'Atkinson. Va-t-elle réapparaître si l'espace urbain devient un « labyrinthe » où l'on peut marcher sans savoir où,

1. Desmarets de Saint-Sorlin, *L'Ariane,* II, II, 86 ; v. aussi La Calprenède, *Cléopâtre,* 166.
2. *Les Illustres Françaises,* 424-428.
3. Zumthor, De Perceval à Don Quichotte, *Poétique,* 87, 1991.
4. Zumthor, 262.
5. *Obermann,* XII, 111.

seul dans la foule ? Marianne se sent bien un moment seule et « égarée » dans la ville qu'elle compare justement à une « forêt » (134-135), et tel séducteur puni, dans son remords, y marche au hasard[1]. Mais ces brefs segments où le désarroi est sans doute associé à l'espace de la rue, sont malgré tout orientés : Marianne va vers l'église (où elle trouvera son salut), Mirbelle erre autour de l'hôtel (où il finira par trouver le cadavre de Mme de Syrcé). Edmond, le « paysan perverti » de Rétif, aime en revanche, dans Paris, perdre son identité en se déguisant, se sentir loin de l'espace surveillé du village, mais ses promenades sont tracées par son désir, jalonnées par ses rencontres érotiques[2].

Il faut attendre René et Obermann pour que solitude et errance se combinent pour gouverner un récit à nouveau, reprendre possession de grands espaces de nature. Si la solitude des héros de Mlle de Scudéry ne dure pas, puisqu'une rencontre y met fin, celle de René, qui passe des « journées entières au fond des bois » (147), s'égare « sur de grandes bruyères terminées par des forêts » (159), pour qui la ville aussi est « labyrinthe », constitue, avec son errance, le personnage[3]. Obermann, lui, finit par se stabiliser dans l'écriture : « Je crois définitivement qu'il ne m'est donné que d'écrire » (XC, 458).

Comme la rêverie, la mélancolie garde cette séduction perverse de faire aimer l'espace qui la nourrit : « J'aime cette secrète horreur, ce lieu est propre à nourrir une douce mélancolie et j'y viens souvent seule et sans autre compagnie que mes réflexions »[4] ; « Cette demeure si sauvage me plaisait, par cela même qu'elle ajoutait encore à ma mélancolie. »[5] L'âme « inconsolable » « cherche » rochers et forêts[6]. Chaque jour, la jeune Lucile, comtesse d'Alibre, vient « nourrir » sa mélancolie dans une grotte[7]. Le berger « éprouve un charme secret à se livrer tout entier à sa profonde tristesse » (Florian, *Estelle et Mémoires,* 150) près d'une « vieille tombe ». C'est une « tristesse délicieuse » de voir un décor qui « flatte sa disposition mélancolique »[8]. C'est un rap-

1. Dorat, *Les Malheurs de l'inconstance,* II, LI.
2. Rétif de la Bretonne, *Le Paysan perverti,* I, 382 ; II, 59-60.
3. « Sa quête d'un point d'amarrage se solde par un échec » (Ph. Berthier, « René et ses espaces », 88-91).
4. Mme Lambert, *La Femme ermite,* 217.
5. Tencin, *Mémoires du comte de Comminge,* 172.
6. Dorat, *Les Malheurs de l'inconstance,* II, LII.
7. Loaisel de Tréogate, 8-9.
8. Baculard d'Arnaud, *Varbeck.*

port particulier entre sujet et espace, fait d'un narcissisme un peu complaisant : « Cette nature dure et agreste convenait à la situation de mon cœur », dit Pauliska, qui l'explique : « Ces abîmes me peignaient ceux où j'étais tombée... »[1] Nous verrons plus loin quels espaces, combinant la fermeture et l'échappée, sont complices de la mélancolie[2].

CONCLUSION

Depuis les petits coins tolérés par la vie mondaine, où les solitaires et les rêveurs prennent la pose en attendant les rencontres, jusqu'aux clôtures étroites de la définitive retraite, l'espace de la solitude varie selon la radicalité de la séparation qu'il institue, selon aussi son caractère normal, socialisé (se retirer comme pensionnaire dans un couvent, pour une veuve), ou non. Le roman disposait à l'entrée de la période d'un système simple qui opposait l'espace équilibré, mesuré de la solitude du sage à celui, tranchant et vertical, de la solitude du désespéré. Il va perdurer et évoluer dans le sens d'une intensité plus grande. Car la solitude se radicalise jusqu'à colorer l'espace principal d'une histoire dans des œuvres aussi différentes que *Voyage autour de ma chambre* et *Obermann,* jusqu'à dissoudre le sujet dans une « rêverie » plus « profonde » que jamais : miss Henley se perd dans la contemplation d'un tilleul, voit « les feuilles paraître et se déployer, les fleurs s'épanouir, une foule d'insectes voler, marcher, courir en tout sens... je me perds dans ce vaste tout si étonnant... je regarde et des heures se passent sans que j'aie pensé à moi... »[3] »; Aldomen couché au fond d'une barque se laisse dériver, son imagination le « place au sein du vaste Océan ; j'aime cette illusion qui quelquefois devient très forte ; mécontent de mon sort, mécontent de moi, je me transporte dans un autre ordre de choses... »[4]. Mais ce qui s'ajoute, c'est un détournement des espaces à coloration religieuse vers un violent pathétique funèbre : cloîtres, et tombeaux, qui font pourtant partie du paysage chrétien institutionnalisé, deviennent des lieux d'exclusion radicale. C'est aussi

1. Révéroni Saint-Cyr, *Pauliska,* 105.
2. Voir « Types », 176-178.
3. Mme de Charrière, *Lettres de Mistress Henley,* V, 118.
4. Senancour, *Aldomen,* 48.

l'affirmation, encore sporadique, d'une solitude urbaine: dans la rue, dans les salons mêmes (Desroches, dans la première page de *Madame de la Carlière,* cet homme seul auquel personne ne parle). C'est enfin comme le note Michel Gilot, associer le désert à l'« égarement transgressif»[1]. Les bannis, proscrits, criminels, révoltés vivent leur solitude dans un espace clandestin qui jouxte celui des gens de bien. Ils apparaissent, disparaissent, comme Edmond à la fin du *Paysan perverti,* ou bien Jean Sbogar, finissent par se perdre au loin, comme le Félix des *Deux amis de Bourbonne.* Le bonheur de tout petits groupes encerclés dans un espace aménagé de façon systématique (le prince de Ligne dans la « retraite » de ses *Contes immoraux* a prévu des temples de chaque religion...) paraît déjà un rêve nostalgique, une compensation de l'imaginaire. D'ailleurs, les plus lucides ne se font guère d'illusions: un cyclone (dans *Paul et Virginie*), un tremblement de terre (dans les *Contes immoraux*) mettent fin à ces paradis d'avance perdus

RENCONTRES

Certains n'ont pas à se rencontrer puisqu'ils viennent au monde romanesque dans le même espace: « La Marquise de Lursay... me voyait presque tous les jours, ou chez elle, ou chez ma mère avec qui elle était extrêmement liée. Elle me connaissait depuis longtemps. »[2] Saint-Preux n'a pas à rencontrer Julie, ni Paul Virginie, ni Félix Olivier, ils sont déjà, lorsque s'ouvre le roman, dans le même espace fictif. Ce n'est pas seulement une question d'origine sociale, mais un choix du romancier: Rousseau a fait que Julie et Saint-Preux soient déjà au début du roman sous le même toit; en revanche Saint-Preux rencontrera véritablement Julie, et dans une mise en scène spatiale hautement signifiante, lorsqu'elle sera devenue Mme de Wolmar[3]. La nécessité ou non d'une rencontre initiale pourrait servir ainsi à classer les couples et les romans. Pour les uns un espace commun déjà partagé institue entre eux comme une sorte de consanguinité « nous sommes nés voisins », dit Des Rosnais de

1. Quelques aspects du sentiment de la solitude au XVIIIe siècle, 628.
2. Crébillon, *Les Égarements,* 16.
3. *Julie,* IV, VI.

celle qu'il aime, Mlle Dupuis[1]; et Félix et Olivier vivent au village une sorte de gémellité heureuse[2]. Pour les autres il faut une rencontre, et que l'un des deux vienne d'ailleurs. Et même, certains parcours seront faits ensuite de rencontres successives : celui du paysan qui arrive de son village dans son chariot de vin, celui du Huron qui saute sur le sol breton, ou bien du séducteur des « romans-catalogues » : chaque personnage nouveau est soumis à la question de leur désir.

La rencontre amoureuse est donc une séquence capitale, à l'origine d'un grand nombre d'histoires, « scène-clé à laquelle se suspend la chaîne narrative », dit Jean Rousset[3]. Croisement de deux trajectoires, chevauchement de deux espaces, l'étendue brusquement réduite à un point où se coupent deux lignes. Or la seule mention du hasard dispense parfois d'en dire plus, comme s'il était un espace en lui-même : « Je partis donc de Saragosse, et je ne savais où aller, lorsque le hasard me fit rencontrer un vieux négociant allant à Barcelone... »[4] Il est le traditionnel ordonnateur de cette épreuve. « Comment se sont-ils rencontrés ? par hasard, comme tout le monde. » Vérité taillée sur mesure pour que le « lecteur » reste dans son rôle commode. Les ironistes, les anti-romanciers ont depuis longtemps aimé jouer les naïfs : « ... par une maudite coutume qui règne il y a longtemps dans les romans, tous les personnages sont sujets à se rencontrer inopinément dans les lieux les plus éloignés, quelque route qu'ils puissent prendre. »[5] Une facilité que Mme de La Fayette ne s'accorde pas : un moment, justement parce qu'il y a trop d'espace entre elle et le duc, la princesse de Clèves trouve « une grande peine à penser qu'il n'était plus au pouvoir du hasard de faire qu'elle le rencontrât » (383). Il s'agit donc de faire croire au hasard, à l'imprévu, et que cet imprévu soit assez prévisible pour paraître vraisemblable au lecteur, que l'arbitraire soit motivé. Or la motivation doit se frayer un chemin entre l'imprévu qui émoustille et les codes (sociaux, littéraires) qui rassurent. L'espace figuré qui contribuera à rendre la rencontre possible et vraisemblable auprès du lecteur aura également pour fonction de la qualifier suivant certaines normes sociales : rencontrer une même femme à la promenade, à l'au-

1. *Les Illustres Françaises,* 19.
2. Diderot, *Les Deux Amis de Bourbonne.*
3. *Leurs yeux se rencontrèrent,* p. 7.
4. Dulaurens, *Le Compère Mathieu,* I, 19.
5. Furetière, *Le Roman bourgeois,* dans *Romanciers du XVIIe siècle,* éd. Antoine Adam, 1020.

berge, ou dans une petite maison, lui donne une tout autre couleur. Dans une société aux hiérarchies complexes, où le mariage est une affaire capitale, la rencontre d'un homme et d'une femme (et non d'un valet et de son maître, comme dans *Jacques*) ne saurait être laissée au hasard, ouverte au risque d'une mésalliance. La phrase péremptoire d'un jeune roué de 1830 : « ... une femme qui vient le dimanche aux Tuileries n'a pas de valeur, aristocratiquement parlant »[1], fait écho à l'exclamation offusquée dans *Le Paysan parvenu* : « Un mari sur le Pont-Neuf ! » Or certains lieux voient se croiser de préférence les chemins, lesquels ne sont pas toujours ceux que la norme qui préside à l'ordre social aurait préférés.

Les rencontres qui sont données comme les plus licites, normales nous font faire une revue des distractions de la bonne société : promenades, visites, repas, bals, spectacles, églises, boutiques[2], parloirs de couvent, séjours à la campagne, cures (« les eaux »), fêtes. On ne se rencontre pas dans l'espace des « affaires »[3], si l'on entend par ce mot tout ce qui a trait à la vie matérielle, mais dans celui du loisir (dont font partie les emplettes !). Peut-être les romans de la fin du XVIIe siècle, et en particulier les « mémoires », nous donnent-ils ici l'image d'une bonne société qui se sent partout chez elle, image plus variée, plus aérée, que celle qu'offrira une certaine mondanité du roman postérieur, confinée dans ses soupers, promenades, spectacles. On peut y voir des rencontres au cours de parties de pêche (le duc de Guise rencontre la princesse de Montpensier sur un petit bateau au milieu d'une rivière, où elle est montée pour voir « prendre un saumon qui avait donné dans un filet » p. 10-11 ; au duc et à son compagnon, l'« aventure » paraît « une chose de roman »), au cours de promenades en bateau : « ... un autre bateau les surpassa... couvert d'une galante feuillée, et un autre plus petit le suivait, où il y avait des hautbois et des violons parfaitement bons... »[4], ou bien dans un bois de

1. Balzac, *La Fille aux yeux d'or,* 280.
2. Mme de La Fayette, *La Princesse de Clèves,* 261 ; Mme Durand, *La Comtesse de Mortane,* 125.
3. Ou bien dans celui des « affaires » parentales, dans un cadre familial, comme le fils de l'avocat (amoureux) qui s'occupe des intérêts de la narratrice dans les *Mémoires de Mme la Comtesse de **** : « Il venait souvent chez sa parente. Il me vit, devint bientôt rival de son père » (87), ou bien Des Prez, qui rencontre Mlle de L'Épine et sa mère à la porte du cabinet de son père, puissant magistrat (Challe, *Les Illustres Françaises,* 225), ou bien le jeune homme de Mme de Villeneuve rencontrant chez sa mère, « à l'entresol », la « jardinière de Vincennes » venue faire ses livraisons (*La Jardinière de Vincennes,* 1, 18).
4. *La Comtesse de Mortane,* 2, 32 ; dans *Zaïde,* on se voit d'une « chaloupe » à l'autre (173).

Vincennes vidé par l'été[1], ou bien encore à l'occasion de petits concerts privés[2].

Plus traditionnellement l'espace des rencontres licites combine une clôture limitée, pour exclure le vulgaire, et une certaine ouverture (nécessaire) sur l'imprévu. D'où le lieu public qui ne l'est pas vraiment, car réservé à un certain public (parc, salle de spectacle, jardin), et, à l'intérieur même du jardin, la configuration du « pavillon », du « cabinet » qui forment autour de la femme une barrière légère, entrouverte. Ou bien l'allée dont le « bout » s'ouvre vers un ailleurs, dont le croisement avec une autre allée par où l'autre (l'homme en général) va survenir, figure bien le hasard. Ainsi Méliandre rencontre Célinte : « ... la Fortune fit que Méliandre étant envoyé à la Cour pour une affaire importante, s'égara un jour, et fut passer au bout d'une allée, où Célinte se promenait avec deux de ses femmes seulement. Il la vit si belle et si bien faite, que ne pouvant s'empêcher de lui parler, il descendit de cheval et laissa ses gens derrière lui ; ainsi il fut respectueusement vers elle... »[3] Dans les mêmes termes que le comte d'Amboise Mlle de Roye : « C'était un de ces agréables jours qui invitent à se promener. Le soleil qui n'avait point paru, laissait une fraîcheur délicieuse ; et Mlle de Roye se promenait dans une des avenues de la maison... Elles avaient déjà atteint le bout d'une allée, où était un cabinet ouvert de tous côtés, fort agréable, et dans lequel elles allaient entrer pour s'asseoir, lorsqu'elles aperçurent un cavalier qui mettant pied à terre, laissa ses gens derrière lui, et s'avança vers elles. »[4] Conduit par le hasard, il l'a vue et avance vers elle qui se promène, ou attend, dans cet espace protecteur semi-ouvert du plaisir et du loisir.

La rue, l'auberge, la route sont plus risquées pour l'« honneur », car plus ouvertes au tout-venant. A l'auberge, l'inattendu est dans chaque voyageur qui arrive, chaque véhicule, et bien que les gens de qualité puissent y être isolés, servis dans leurs chambres, le roman n'aime guère l'utiliser pour les rencontres amoureuses recommandables. Comme on l'a vu, on y rencontre plutôt des récits. Que Des Grieux y rencontre Manon Lescaut, et de plus, dans la cour, suffit à placer leur amour en marge de la bonne société. De même pour la rue ordinaire, celle des passants, à distinguer de la promenade des

1. *La Comtesse de Mortane,* 2, 169.
2. Challe, *Les Illustres Françaises,* 189.
3. Mlle de Scudéry, *Célinte,* 72.
4. C. Bernard, *Le Comte d'Amboise,* 6.

Boulevards, où les bourgeois pourront se rencontrer. Si Obermann se fait frôler par les roues des cabriolets menés par de jolies femmes (lettre XXVI), il l'avoue comme une « faiblesse » et, pour la rencontre décisive, il était « dans l'imaginaire », irresponsable. Certain jeu de regards dans la rue peut préluder à une rencontre : il passe, et elle est à la fenêtre, galante si elle sourit, honorable si elle se cache derrière des jalousies, des rideaux, un masque[1]. Quant à la route, elle est plutôt vouée aux mauvaises rencontres : on s'y fait agresser, voler, enlever.

A la campagne, le topos du voyageur ou du chasseur égaré, qui joue sur l'antiquité des lois de l'hospitalité, permet d'arranger noblement toutes les rencontres de hasard : « On vint me dire un soir que deux cavaliers qui s'étaient égarés à la chasse demandaient si je ne pourrais pas les loger jusqu'au lendemain, attendu que la nuit était fort avancée, et que se trouvant fort fatigués, il leur était impossible d'aller plus loin. »[2] Même si le cavalier est socialement irréprochable, c'est une porte ouverte à l'imprévu. Tous les « égarements » semblent alors possibles, comme, pour le chasseur fatigué, de se trouver sans l'avoir voulu dans le lit de celle qu'il aime en secret[3].

Mais la rencontre dans les lieux risqués, comme la route ou la forêt, devient acceptable si l'homme peut se mettre en situation d'offrir ses services, comme un chevalier qui se porterait au secours de la belle. D'où la fréquence des scènes qui placent la femme en position d'être secourue : accident de carrosse, attaques de voleurs, rivaux, blessure, détresse ostensible et dangereuse : le marquis de Rosambert peut porter secours à une demoiselle visiblement « affligée » (encore faut-il la rassurer : « Je l'assurai, d'un ton à me faire croire, qu'elle n'avait rien à craindre, tant qu'il me resterait un souffle de vie[4] »), le jeune homme de qualité remarquer la petite orpheline[5]. L'accident est même d'une telle « commodité » narrative dans sa manière de faire entrer le hasard dans le trivial quotidien, qu'un certain roman sentimental d'aventures use beaucoup de l'accident de carrosse, tout en exprimant une certaine conscience du topos, les narrateurs feignant de s'étonner eux-mêmes des « effets du hasard ». Lorsque le comte de

1. Challe, *Les Illustres Françaises,* 442, 555 ; Prévost, *Le Doyen de Killerine,* 61-62 ; Rétif de La Bretonne, *Le Paysan perverti,* I, 239 ; II, 50.
2. Mme de Murat, *Mémoires de Mme la Comtesse de M***,* 171 ; C. Bernard, *Inès de Cordoue,* 391.
3. Mme de Tencin, *Le Siège de Calais.*
4. Prévost, *Mémoires et aventures d'un homme de qualité,* I, 36.
5. Rétif de La Bretonne, *Les Contemporaines,* I, 33.

Comminge voit un équipage qui va « à toute bride » verser « très lourdement » à quelques pas de lui, il ajoute à notre adresse : « On s'attend bien que c'était Adélaïde et sa mère ; c'était effectivement elles. »[1] Et dans *L'Émigré* encore, lorsque le timon d'une voiture qui conduit le futur amant se brise « à vingt pas » du jardin où se promène la future amante, Sénac la fait s'étonner : « Que dites-vous de tant d'accidents, ma chère... ? »[2] La troisième des *Trois Femmes* de Mme de Charrière entre en scène ainsi (57), comme encore le Prince aux yeux d'Inès de Castro, en 1817 : « Inès /.../ écarte les feuillages qui la couvrent, jette les yeux sur le chemin, et c'est au moment même où la voiture, passant dans une profonde ornière, chancelle, tombe et se renverse avec un horrible fracas... »[3] Cette séduction romanesque de l'accident de carrosse, que l'« auteur », dans *Jacques le Fataliste,* feint de repousser vertueusement (« Lecteur, qui m'empêcherait de jeter ici le cocher, les chevaux, la voiture, les maîtres et les valets dans une fondrière ? »), Rousseau l'apprécie en connaisseur : l'arrivée de Mme d'Houdetot à l'Ermitage, sortie d'un carrosse embourbé « dans le fond du vallon » : « ... eut un peu l'air d'un début de roman »[4]. On peut en dire autant de tout accident, et depuis *La Vie de Marianne* au moins, les timides rêvent, dans la rue, d'une entorse opportune : « ... je ne voyais plus que ce moyen pour engager la conversation ; mais il me manqua encore, et je la vis monter en carrosse sans qu'il lui arrivât d'accident dont je puisse tirer avantage. »[5]

L'état d'absence au monde de l'endormi(e), ou du blessé, sa vulnérabilité le (la) mettent également en posture de victime au moins potentielle (l'agression du viol, par exemple, reste possible : c'est le cas de Mme de Luz dans le roman de Duclos). C'est un topos plus pastoral, et bien marqué comme « romanesque » : « N'avez-vous jamais lu de ces beaux romans où l'on voit des chevaliers qui trouvent des princesses dans un bois, ou bien ronflantes dans quelque pavillon où les chevaliers sont tout surpris de les rencontrer ?... »[6] L'ironie d'un tel travestissement ne décourage pas les romanciers. Chez Mouhy, la bergère peut encore rencontrer un jeune homme « qui dormait sur l'herbe

1. Mme de Tencin, *Mémoires du comte de Comminge,* 170 ; voir aussi *Le Siège de Calais,* 34, ou Lambert, *Mémoires et aventures d'une dame de qualité,* 77-78 ; Mme Méheust, *Histoire d'Émilie,* 47-48.
2. Sénac de Meilhan, *L'Émigré,* 1668.
3. Mme de Genlis, *Inès de Castro,* 60.
4. *Confessions,* IX.
5. Crébillon, *Les Égarements,* 111.
6. Marivaux, *Pharsamon,* 440.

au pied d'un jeune hêtre»[1]. Et on a vu que Sénac de Meilhan ne se prive pas des charmes de pareille rencontre. L'espace y est en général réduit à l'élémentaire, une horizontale, le gazon, et une verticale, un arbre, «jalonné», dit Ernst Robert Curtius[2].

En mer, l'accident devient rencontre de pirates ou naufrage (qui peuvent se combiner). Le sauveteur alors trouve la belle enfermée dans le navire pris d'assaut, ou la retire de l'élément liquide: ainsi Consalve rencontre-t-il Zaïde comme une belle noyée, sur la grève où il promène sa mélancolie[3].

L'espace qui autorise la rencontre amoureuse romanesque offre la femme comme dans un écrin entrouvert, combinant la clôture protectrice et l'ouverture à l'aventure (c'est le jardin à la porte mal fermée), ou bien, dans les espaces plus aventureux, dans une sorte de mort euphémisée en accident, blessure, évanouissement, noyade, qui fait du survenant un sauveteur.

D'autre part, si l'espace figuré de la rencontre enregistre sa possibilité matérielle par une mention de l'étendue qui peut être minimale («... Angélie, se sentant incommodée, alla prendre les eaux, où Amédée la rencontra et devint amoureux d'elle»)[4], il la situe en même temps par rapport à une norme: il est normal que deux personnes de qualité se rencontrent aux «eaux», il ne l'est pas qu'un jeune homme de bonne famille rencontre la passion de sa vie dans une cour d'auberge, ni un jeune paysan son épouse dans une bourgeoise qui passe sur le Pont-Neuf, l'espace indique l'anomalie. Normes qui sont à la fois sociales et littéraires: l'auberge, la rue appartiennent plutôt à l'espace du roman comique, ou picaresque, et détonnent pour une histoire sentimentale sérieuse.

Toute rencontre ayant quelque chose de transgressif, sans quoi il n'y a pas d'enjeu romanesque, l'espace aide à figurer cette transgression même. C'est ainsi qu'il peut donner à la rencontre une valeur emblématique. Le pont sur lequel Jacob rencontre Mlle Habert figurant le passage que le jeune homme va opérer au-delà de certains interdits moraux et sociaux, de même la princesse de Montpensier franchissant la petite rivière avec le duc de Guise, sur sa demande à lui, image de la situation dans laquelle il va l'entraîner, ou encore le duc de

1. *La Paysanne parvenue,* I, 200.
2. *La Littérature européenne et le Moyen Age latin,* PUF, 1956, I, 323.
3. *Zaïde,* 43.
4. Bussy-Rabutin, *Histoire amoureuse des Gaules,* 95.

Nemours franchissant impétueusement aux yeux de tout le bal un barrage de sièges pour aller vers la princesse de Clèves et la faire danser... La rencontre entre Dupuis et la belle veuve dans *Les Illustres Françaises* peut de même figurer leur future liaison : il la surplombe depuis un balcon[1], l'écoute sans se faire voir, d'abord séduit par la force de son discours, et en effet elle le rendra sage, mais il lui cachera d'abord un certain nombre de choses de lui. Les rencontres les plus élaborées laissent lire dans la figuration de l'espace ce que l'histoire qui va suivre aura à nouer et dénouer. Dans les autres, l'espace n'est qu'un indice qui guide le lecteur, l'aide à classer l'histoire qu'il lit dans un sous-genre. De toute façon, il exprime un jeu entre le possible et le permis, le hasard et l'interdit.

TRAJECTOIRES

Le désir s'exprime d'abord dans l'espace par un mouvement pour rejoindre, approcher. L'espace du personnage est comme aimanté par celui de l'autre : il le poursuit, le suit, l'approche, veut être seul avec lui. C'est peut-être ce vouloir qui fait le mieux sentir que l'espace romanesque est fait de mouvement. Éros n'est pas seulement le « paradigme thématique » de l'« origine du roman »[2], il est le moteur des personnages, au sens propre : il les met en mouvement. On peut considérer comme signifiantes les trajectoires qu'ils dessinent ainsi, comme on va le voir dans quelques types exemplaires.

Le premier est celui de la poursuite passionnée. L'espace y est avant tout celui des grands déplacements par lesquels on se recherche, depuis au moins le roman grec qui fait d'une séparation le point de départ de l'histoire. Théagène et Chariclée, Daphnis et Chloé, Chéréas et Callirhoé, Leucippé et Clitophon, « les amoureux sont séparés, ils se cherchent, se retrouvent, se reperdent, se trouvent encore »[3]. Les grands romans héroïques et galants en ont conservé le style. L'espace n'existe pas comme un obstacle pour ceux qui s'aiment ainsi : « J'oserais vous supplier... de m'apprendre en quel lieu de la terre vous vou-

1. Challe, 507.
2. Fussilo, *Naissance du roman*, p. 195 et s.
3. Bakhtine, *Esthétique et théorie du roman*, 240.

lez que nous vivions ensemble : car enfin je quitterai toujours mon état sans regret pour me conserver l'empire que vous m'avez donné sur votre cœur. »[1] Un appel et l'on part sans hésiter au bout du monde : « "Je ne sais que devenir si vous ne m'assistez... n'ayant plus pour me défendre que l'amitié que je vous porte... venez donc le plus tôt que vous pourrez." Il fallait peu de telles paroles à Mélinte pour le faire aller aux extrémités de la terre »[2]. Or ces grandes courses tendues, s'il le faut, d'un pays ou d'un continent à l'autre, tout un roman du XVIIIe siècle les maintient. Dans la deuxième partie du roman, Cleveland « met promptement à la mer » et poursuit le vaisseau français qui vient d'emporter Fanny ; il la rejoindra dans la douzième partie. Candide et Cunégonde, on le sait, parodient cette cinétique. Mais Sainville, lorsque Léonore lui est enlevée[3], ne peut que s'arrêter « au projet de suivre Léonore », car « puis-je exister où ne sera pas Léonore ? ». Ils vont parfois se croiser sans se reconnaître, mais finissent par se retrouver. Certains éditeurs aujourd'hui prévoient des cartes[4]. Ce type de trajet illustre une conception souveraine du rapport à l'espace pour lequel la distance comme obstacle n'existe pas, liée à une conception de l'amour comme passion réciproque, « désir d'une totalité homogène et indivisible » qui gouverne ces élans[5]. En réduction, existe la version burlesque : le soupirant importun indécollable qui suit et poursuit, toujours là : « ... il me suivait à toutes les églises ; il était incessamment sur le chemin de ma maison à l'Abbaye ; et quand de dépit de rencontrer toujours cet homme partout, je demeurais dans ma chambre, il avait pratiqué une maison voisine, d'où il me voyait par une fenêtre... »[6]

« Toute ma journée se passa à chercher mon inconnue ; spectacle, promenade, je visitai tout... »[7] : bien qu'il poursuive lui aussi, c'est évidemment un autre type de ligne que va tracer Meilcour, également très mobile, et mû sans aucun doute par Éros. Il va et vient entre le salon de Mme de Lursay, celui de sa mère, l'Opéra, les Tuileries. Mouvement alternatif, quelque peu irrégulier en ce qui le concerne. Car ses « égarements », « passages incessants dans tous les sens » entre

1. Mlle de Scudéry, *Ibrahim,* I, II, 247.
2. Desmarets de Saint-Sorlin, *L'Ariane,* II, I, 10.
3. *Aline et Valcour,* 539.
4. *Romans grecs et latins,* 1541-1543.
5. Fussilo, 202.
6. Mme de Villedieu, *Mémoires de H.-S. de Molière,* V, 253.
7. Crébillon, *Les Égarements,* 94.

cœur, sens, esprit[1], son apprentissage hésitant, se traduisent par des contretemps, retards, sorties différées, entrées manquées, poursuites ratées (il n'a par exemple ni son équipage ni ses gens lorsqu'il voudrait « faire suivre » sa belle inconnue (111)). A l'opposé des grandes courses de la passion, ses déplacements sont faits d'allées et venues dans l'espace mondain de la capitale. En vérité, sa jeunesse fait que la ligne repasse sans cesse chez sa mère. Des Grieux aussi, dans sa période parisienne, semble aller et venir entre plusieurs pôles, entre son père, Manon, Tiberge, mouvement qui s'exaspère dans sa course affolée du dernier jour précédant le départ du convoi de Manon ; mais il est évident que Manon est le pôle central de cette circulation.

Autre paraît la trajectoire de la « dissipation », dont un dessin typique est tracé par le héros des *Confessions* de Duclos. Bien qu'il partage avec Meilcour un certain espace mondain, ce qui caractérise son mouvement est de former, avec des déplacements d'assez grande amplitude, comme une étoile autour d'un centre. En effet, les vingt-trois intrigues amoureuses qu'il raconte conduisent l'histoire de Paris en province, à la campagne, en Flandres, en Espagne, en Italie, en Angleterre, mais la font toujours revenir vers Paris. Trajet sinueux, qui illustre un principe de variété, aussi bien géographique que sociale, mais finalement centripète. Cette dernière caractéristique n'étant pas propre au roman de « dissipation ». On peut en dire autant des protagonistes masculins de l'ensemble des *Illustres Françaises* par exemple : ils doivent souvent s'éloigner de Paris, pour des « affaires », de cœur, d'honneur, d'argent, sont parfois exilés, vont en province, en Angleterre, en Italie, mais reviennent immanquablement dès qu'ils le peuvent vers le cœur de leur vie, Paris et celles qu'ils aiment. Dès que l'objet d'amour féminin est normalement sédentaire, ni princesse voyageuse, ni enlevée, l'amant décrit des mouvements qui le ramènent toujours vers ce centre.

Une autre trajectoire bien lisible est celle de l'entreprise de séduction libertine, souvent comparée à celle de la chasse. Gouvernée ô combien par la pulsion érotique, elle est caractérisée par un déplacement calculé, dans un espace complexe et compartimenté. Par exemple, il faut admirer comment peuvent être réglées dans un jardin les vitesses pour faire naître les intersections attendues : « ... je la laissai s'engager assez avant, pour qu'elle n'eût pas le temps de retourner si

1. Jean Sgard, *DHS*, 1, 1969, 243.

promptement au château, que je ne puisse m'expliquer. Je pris si bien mes mesures, que je la croisai au détour d'une allée. »[1] Opération identique chez une femme : « Mme de Sauve s'étant aperçue que le duc de Guise entrait seul dans une de ces allées, le croisa par une autre, et se trouvant sur son passage : Ferez-vous encore longtemps le cruel ? lui dit-elle en l'arrêtant... »[2], et même chez un débutant : « ... j'avais marché assez vite pour me trouver, malgré le tour que j'avais fait, assez près d'elle (...) en coupant par différentes allées, je m'y[3] trouvai presque dans l'instant qu'elle y arrivait... »[4] De même que les allées se croisent, les chambres sont voisines. La proximité est déterminante : « La vicomtesse me dit que logée entre son mari et son amant, elle avait trouvé plus prudent d'aller chez Vressac, que de le recevoir dans son appartement ; et que puisque je logeais vis-à-vis d'elle, elle croyait plus sûr aussi de venir chez moi... »[5], les clés et portes deviennent décisives : clés dérobées, contrefaites, confiées, portes ouvertes, entrouvertes, enfoncées, serrures graissées, démontées, remontées. L'essentiel est de maîtriser un mouvement clandestin entre le jardin, la rue, la chambre, le cabinet, l'escalier, le couloir, les pièces contiguës. L'extérieur de la demeure peut prolonger le champ de ce type de circulation, avec ses maisons à double entrée (comme celle de Mme Rémy, dans *Le Paysan parvenu* de Marivaux, dont Mme de Ferval dit : « J'entrerai toujours par cette porte, toi par l'autre... » 177), ses « corps de logis percés »[6], les toits, les cheminées, les jardins. Louvet en développe une démonstration magistrale lorsqu'il fait traverser ainsi à Faublas tout un quartier : parti d'un couvent, il passe dans une petite maison, puis chez un magnétiseur, chez un avocat, enfin chez une fille[7]. Le jeune homme de bonne famille, comme séducteur précoce, finit par se mouvoir dans l'espace des aventuriers, celui de d'Artagnan dans les *Mémoires* de Courtiz de Sandras par exemple, celui des voleurs, des policiers-espions (« mouches »), de tous ceux qui pratiquent par nécessité les replis clandestins de l'espace quotidien urbain. « J'avais remarqué que la chambre où j'avais couché avait une porte qui donnait sur un petit escalier et j'avais pris la clef de cette porte, sans

1. Duclos, *Mémoires pour servir à l'histoire des mœurs,* 118.
2. Mme de Villedieu, *Les Désordres de l'amour,* 38.
3. A la Porte du Pont-Royal.
4. Crébillon, *Les Égarements,* 110-111.
5. Laclos, *Les Liaisons dangereuses,* II, LXXI.
6. Mouhy, *La Mouche,* II, 382.
7. *Six semaines de la vie du chevalier de Faublas,* 758 et s.

cependant prévoir qu'elle dût me servir. Je cherchai de l'œil cet escalier dérobé et j'en entrevis un sous une remise qui me parut être le mien. J'y montai, il me conduisit à un vestibule fort en désordre, où je trouvai la porte secrète de ma chambre. » Libertin repérant son terrain, son « local », comme le dit Valmont ? Non, « mouche » en opération[1]. Ce n'est pas par hasard que les amants se sauvent parfois en se faisant passer pour des voleurs[2].

Passion, éducation, dissipation, séduction : autant de formes du désir, autant de dessins de trajectoires, parmi lesquels on peut distinguer deux grands types, celui des trajectoires tendues en forme de fuite ou poursuite, et celui des circulations, qui repassent toujours par un même point.

APPROCHES

Tous tendent vers l'intimité érotique, quelle qu'elle soit. Cela peut sembler ordinaire, et ne l'est pas : l'amour pourrait vouloir se montrer, paraître. Non, il demande, pour se vivre, un espace où les autres ne sont pas. Espace érotique tendu vers un rêve solipsiste du tiers exclu.

Il faut d'abord passer par les espaces paradoxaux de l'intimité publique et surveillée, ceux où l'on peut échanger regards et paroles en présence des autres, tenus à plus ou moins longue distance. Espace surveillé des fêtes, bals, soupers, salons, promenades, églises, boutiques, parfois réduit au plus furtif : entre deux portes, au passage, au croisement de deux allées. Les autres sont encore là, tout autour, mais tenus à distance par la force ingénieuse du désir.

Dans les soupers s'applique la règle simple de la proximité maximale, l'important étant d'être à côté l'un de l'autre, comme des enfants. Le duc de Melun se place toujours à côté de sa cousine : puisqu'elle est intime amie de Mlle de Clermont, « alors il n'était séparé de Mlle de Clermont que par elle... »[3]. Car la place à table est toujours chose notable : « Pendant le souper, où je fus à côté d'elle... »[4] Ce dont se moque le

1. Mouhy, *La Mouche,* II, 346.
2. V. Laclos, *Les Liaisons dangereuses,* II, LXXI, et l'anecdote racontée dans les *Contes immoraux* du prince de Ligne, VII, 111.
3. Mme de Genlis, *Mademoiselle de Clermont,* 11.
4. Crébillon, *Les Égarements,* 117.

prince de Ligne par la bouche de Sara : « Savez-vous que je vous plains messieurs les amants... votre travail pour une chaise à côté de l'objet chéri, ou une place à table vis-à-vis ; ou finement auprès d'une autre, pour qu'on se doute de tout, ou qu'on ne se doute de rien... »[1]

Le roman peut s'arrêter à cette étape des regards échangés, billets glissés, paroles secrètes, gestes inaperçus, sous le nez, sous les yeux des autres qui assistent à un spectacle, jouent, conversent, se promènent, dînent, soupent. « Dieu préserve les amants des petites sociétés : le tapage d'un concert, le bruit du trictrac, ou du creps, la musique turque d'une sérénade, voilà ce qu'il leur faut... On se perd, on se trouve ; on se parle même sans parler. »[2] Certains n'en sentent que la contrainte : « Mais bon dieu ! que nous serons de monde... Nous ne pourrons nous rien dire qui ne soit entendu de tout le monde... confondus vous et moi parmi la foule, nous serons réduits à nous parler de choses indifférentes ; quelle fête ! »[3] C'est pourtant un espace qui semble pouvoir se fragmenter à l'infini. *Ibrahim,* avec une ironie réticente (cela ne correspond pas au style d'espace qui domine ce roman), nous en donne déjà une image, dans la « liberté française » d'un Marquis virtuose : « Pour lui, qui ne perdait jamais de temps, après leur avoir parlé à toutes en général, suivant la liberté française, il leur parlait en particulier : il faisait chanter l'une dans un coin de la salle, et pendant cela, lui disait des galanteries ; un peu après, il parlait à l'autre à une fenêtre qui regardait sur un jardin, et feignant d'admirer la beauté du parterre, il louait celle de ses yeux. Il accompagnait la plus jeune quand elle sortait, et se servait de cette occasion pour la cajoler. Et quand il se promenait dans le jardin, il en séparait aussi quelqu'une d'avec les autres, d'une palissade seulement, pour lui pouvoir dire un mot, ou pour lui baiser la main. »[4] Sa pratique désinvolte et ludique illustre ce que les amants vont essayer de faire, avec plus ou moins de bonheur et d'habileté : former comme des bulles d'espace intime dans l'espace le plus peuplé, et parfois le plus hostile : « Je ne sais combien nous étions de personnes à table : je sais seulement que je ne voyais que vous, que je ne croyais parler qu'à vous, que je n'étais occupée que de vous. »[5] Espace immatériel fait de regards et de censure, qui

1. *Contes immoraux,* VIII, 110.
2. *Ibid.,* XI, 159.
3. Boursault, *Treize lettres amoureuses,* 67.
4. Mlle de Scudéry, II, I, 57.
5. Boursault, *Treize lettres amoureuses,* 63.

peut se morceler bien trivialement derrière un éventail, un paravent, ou même sous la table : « Je vous aime aussi, mais ménagez mes cors et la pointe de mes souliers de satin blanc. »[1] L'espace amoureux comprend aussi cet espace dérobé à la surveillance des autres, ce privé extrême niché dans le public.

Dernière figure, dernière approche enfin : la progression dans un espace plutôt labyrinthique, traversée dilatoire qui dit le désir et la pénétration. C'est le « voluptueux dédale » qui est jardin chez Dorat, jusqu'à la « charmille » où se tient endormie celle dont il va « triompher »[2], réduit pour Jacob intrigué à une cour et un escalier inconnu[3], et encore, dans *Point de lendemain,* un « dédale » d'escaliers et de corridors aux lampes éteintes, avec une porte secrète qui s'ouvre dans le lambris[4]. Mais elle peut, tirant vers le merveilleux, comprendre un voyage en gondole, la traversée d'un « jardin enchanté », puis pour finir « une enfilade de pièces, toujours plus ornées à mesure qu'il avançait » jusqu'à « la dernière qui les surpassait en magnificence », avec un petit autel de l'amour dont la divinité est une femme qu'il « rassure en l'offensant »[5]. L'espace s'étire et se réduit, souvent il s'obscurcit, ce que Balzac traduit merveilleusement en privant son personnage de la vue : de Marsay est conduit les yeux bandés une demi-heure, il reconnaît l'odeur d'un jardin, est monté dans un escalier, conduit « à travers plusieurs pièces » jusqu'au moment où il sent sous ses pieds un tapis épais[6]. Nous sommes bien dans ce « style onirique » où « les choses deviennent des actions, les noms qui dessinent des verbes actifs » que Bachelard, dans *La Terre et les rêveries de la volonté,* explique par la « facile condensation des rêves de labyrinthe et des rêves sexuels... » (246).

1. Ligne, *Contes immoraux,* 111.
2. Dorat, *Les Malheurs de l'inconstance,* I, XLIII.
3. Marivaux, *Le Paysan parvenu,* 171.
4. Vivant Denon, 94.
5. Mme de Beauharnais, *L'Abeilard supposé,* 71 ; v. aussi, entre cent, Révéroni Saint-Cyr, *Le Torrent des passions,* II, 27-29, et la progression de pièce en pièce dans le château de la princesse de Monte Salerno, dans le *Manuscrit trouvé à Saragosse,* de Potocki (XIIIe Journée).
6. Balzac, *La Fille aux yeux d'or,* 315.

CHAMPS CLOS

Voici maintenant l'espace clos vers lequel tendent ceux qui s'aiment, celui qu'une Sylvie portant à son cou le fatal collier aphrodisiaque réduit crûment à ces mots : « entre deux draps »[1]. Dans la France catholique du mariage tardif, qui n'est pas Tahiti, il faut en principe, pour être seuls dans un lieu qui échappe au regard des autres, s'être engagés à s'aimer toujours devant Dieu et les hommes, avec l'autorisation des parents. Et pourtant, le doyen de Killerine lui-même doit le reconnaître, Patrice et Mlle de L..., dans un mauvais lit fait à la hâte, sont la « plus parfaite image de la joie et du bonheur »[2]. Sur cet espace plane donc la question de l'« honnêteté », une évaluation morale : le roman, selon qu'il place ses héros dans cette situation ou non, et si oui, selon le degré de désapprobation qu'il exprime, se situe dans une échelle qui va de l'« honnête » au pornographique en passant par le « galant ».

Challe qui veut exposer « le commerce de la vie » (2) tel qu'il est avant le mariage, nous montre en effet un certain nombre de femmes dont le souci obsédant est d'éviter la simple situation de se trouver seul à seul au vu et au su du « public ». (« Contamine... ne lui parlait jamais hors de la vue, et fort peu en particulier... »)[3] ; celles qui le négligent le paient durement ; ou bien pratiquent un libertinage plus ou moins bien caché. Un des logis les plus décrits l'est seulement parce que sa disposition démontre l'impossibilité pour les amants d'y être seuls sans que cela se sache (107-108). L'espace qui échappe au regard du public est toujours potentiellement érotique, donc compromettant : « Que me voulez-vous, Monsieur... ? et en quel lieu m'attirez-vous pour me parler ? Je ne puis vous écouter, tant que je serai en cet endroit. Si quelqu'un m'y voyait seule avec vous, je serais perdue. Laissez-moi sortir, ajouta-t-elle, et quand je serai dans le jardin, où nous serons à la vue de tout le monde, comme le hasard peut m'y avoir fait rencontrer avec vous, je vous écouterai à votre aise. »[4] Cleveland, qui, « fort à l'étroit » dans une auberge,

1. Challe, *Les Illustres Françaises,* 547.
2. Prévost, *Le Doyen de Killerine,* 273.
3. *Les Illustres Françaises,* 113.
4. Mme de Villeneuve, *La Jardinière de Vincennes,* I, 31-32.

passe ses journées avec Mme Lallin dans son cabinet, se compromet (264). Le risque est plus grand encore si l'un des deux est notoirement amoureux : « Je fus saisie de terreur de me trouver ainsi dans une maison particulière avec un homme qui me rendait des soupirs... »[1] Mme de Langeais encore jouera sa réputation en laissant sa voiture devant la porte de M. de Montriveau de huit à trois heures[2]. Dans cet espace intime amoureux, le roman enregistre la norme d'une morale puritaine dominante, par rapport à laquelle se situent toutes les versions moins « honnêtes », qui oublient regards et censure, ne disent plus que l'émotion et l'attente du plaisir.

Le caractère plus ouvert de l'espace naturel, la connotation d'innocence attachée à la nature végétale vont-ils rendre le tête-à-tête moins compromettant ? Oui, selon un certain « romanesque » dont se moque Marivaux au début du siècle : « En fait de tendresse romanesque, les jardins, les bois, les forêts sont les seules promenades convenables. »[3] Mais on verra que la distinction est difficile à faire entre la nature aimable qui protège deux chastes amants et celle qui « inspire », ou même « incite ». La « commodité » d'un seigle assez haut peut faire naître une « fantaisie »[4], et dans *Le Portier des Chartreux* on pratique l'amour sur « gazon » (aussi).

Le roman pour isoler ses amants dispose de deux modèles d'espace sur lesquels il va jouer : celui du jardin et celui de la chambre. S'opposent ainsi les barrières végétales, « naturelles » de l'un, l'écran « artificiel » des murs, de la porte, de l'autre, un « intérieur » et un « extérieur ». Tous deux ont pour fonctions essentielles de protéger des importuns et de fournir des sensations qui « inspirent » (un mot sur lequel il faudra revenir) l'amour. Tous deux ont un long et lourd passé littéraire, dont l'histoire reste à faire semble-t-il. Sans remonter au jardin d'Éden qui associe fortement, comme le rappelle N. Frye, jardin, sexualité, féminité[5], le roman héroïque et galant de la première moitié du XVIIe siècle a souvent et longuement décrit des intérieurs luxueux aussi bien que d'admirables jardins où se promènent et conversent les amants[6].

1. Sénac de Meilhan, *L'Émigré,* 1775.
2. Balzac, *La Duchesse de Langeais,* 299.
3. *La Voiture embourbée,* 686-689.
4. *Les Illustres Françaises,* 265.
5. *La Parole souveraine,* 209, 213-214.
6. Voir Anne Desprechins, Jardins de *Clélie,* dans *Les Trois Scudéry,* éd. A. Niderst, Lille, 1993, et dans Ch. Morlet-Chantalat, *La Clélie...,* VI.

C'est ce qui explique l'ironie de Marivaux en 1713 : « ... et ils descendirent dans le jardin : Toujours des jardins dira-t-on ? Oui, toujours des jardins. »[1] Quels jardins ? Ceux où les amants trouvent alors une solitude propice mêlent les débris d'un très ancien topos à des références à la réalité des jardins contemporains pour faire un échantillon de nature belle et ombragée, immobilisée dans un éternel printemps, avec ses arbres, ses eaux, sa prairie, ses fleurs, ses oiseaux et son zéphyr. Le modèle est fortement marqué par le topos du *locus amoenus,* ce paysage idéal dont Ernst Robert Curtius a montré la constitution à partir de la poésie grecque et de Virgile, devenu cliché de la rhétorique descriptive[2]. Françoise Létoublon en a complété la description dans les jardins des romans grecs et latins, rappelant leur caractère insulaire (qui les lie aux pays d'utopie) et le poids probable de la tradition orientale[3]. S'ajoutent des éléments venus de l'art des jardins en Italie et en France aux XVIe et XVIIe siècles : allées, labyrinthes, jeux d'eaux, grottes, « bosquets » (c'est-à-dire plutôt des massifs), palissades (d'arbustes), sièges de gazon, parterres, statues, « petits bois partagés en routes sombres et étroites »[4]. Tels se présentent les « jardins de romans », qui « inspirent » l'amour dans des limites « honnêtes ». Bougeant, en 1735, en fait une description tout à fait fondée : « Ces bois sont presque tous plantés de lauriers odoriférants, de myrtes, d'orangers, de grenadiers, et de jeunes palmiers... Ils sont admirablement bien percés de diverses allées, qui forment des étoiles, des pattes d'oie, des labyrinthes, et dans les massifs on a aménagé divers compartiments, dont le terrain est couvert d'un beau gazon semé de violettes et d'autres fleurs champêtres ; les palissades sont de rosiers, de jasmin, de chèvrefeuille, ou d'autres arbrisseaux fleuris, et chacun a son jet d'eau, sa fontaine, ou sa petite cascade... les tendres zéphyrs rafraîchissent les amants... les oiseaux font retentir le bocage... »[5] Sa nomenclature est à peu près complète. Une dizaine d'années plus tard, le cliché doit être encore vivace, puisque des romans ironisent sur ces « descriptions usées », comme Godard d'Aucour (« Là, pourrais-je vous dire (...) on entendait le murmure d'une onde argentée et les concerts

1. *Pharsamon,* 673.
2. Curtius, 317-318.
3. *Les Lieux communs du roman,* 65-68.
4. Marivaux, *ibid.,* 675.
5. Bougeant, *Voyage merveilleux du Prince Fan-Férédin dans la Romancie,* édité par J. Sgard et Géraldine Shéridan, Publications de l'Université de Saint-Étienne, 1992, VIII.

des oiseaux qui soupiraient leurs tendres soucis »)[1] ou La Morlière qui refuse, dit-il, « de promener le lecteur dans les parterres, des bosquets, des labyrinthes ornés de jets d'eau les plus rares et des statues des plus grands maîtres », car il risque d'« expirer d'angoisse » à mi-chemin[2]. D'autres bien entendu n'ont pas ces scrupules[3]. Il faut dire aussi que ce qui se passe dans ces jardins est moins « honnête » que dans la « haute Romancie », et le sera encore moins dans *Félicia* ou dans *La Fin des amours de Faublas* : « Tous les sens à la fois y étaient flattés » est-il dit du « réduit enchanté » où s'égarent Félicia et Sydney[4]. Entre-temps il y a eu l'« Élysée » de Julie, auquel ne manquent ni les eaux, ni les arbres aux diverses essences, ni le gazon, ni les oiseaux, ni la fraîcheur, qui constituent le topos depuis les origines. Cependant ce n'est pas un « bois d'amour », il ne faut pas le confondre avec le « bosquet », Wolmar le rappelle sèchement à un Saint-Preux étourdi. C'est une leçon de jardinage, et un emblème.

La version végétale de notre « champ clos » évolue dans le dernier tiers du XVIIIe siècle. On y voit des plantations devenir plus vraisemblables sous un climat français, marronniers, lilas, jasmin, des arbres plus familiers remplacer les myrtes et autres orangers. Cette précision nouvelle de la nomenclature donne lieu parfois à de petits catalogues d'horticulture : « Un vrai zéphyr balançait mollement le feuillage du cèdre et du saule, de l'érable et du mélèze, du platane et de l'acacia. »[5] On pense souvent à *Julie* à cause de cela, et aussi à cause des fruits sauvages (« on marchait sur la fraise... » dans *Félicia*), ou des bassins aux oiseaux (« Une eau limpide tombait à petit bruit dans un bassin qui servait d'abreuvoir aux musiciens emplumés », écrit Nerciat dans *Félicia* encore (1202), alors que dans *Julie* : « ... un petit bassin bordé d'herbes, de joncs, de roseaux servait d'abreuvoir à la volière... » ; mais chez Nerciat, les oiseaux sont prisonniers d'une volière de « fil d'archal »...), ou d'une entrée masquée (« la délicieuse solitude était close, l'entrée, peu remarquable à dessein... »[6] ; « on ne l'aperçoit de nulle part... la porte étant masquée par des aulnes et des coudriers... »)[7]. Le

1. *Thémidore,* éd. Trousson, 332.
2. *Angola,* VII, éd. Trousson, 396.
3. Voir par ex. Cazotte, *Ollivier,* I, 157 ; ou Jourdan, *Le Guerrier philosophe,* 183 ; de la Barre de Beaumarchais, *La Retraite de la Marquise de Gozanne,* II, 274 ; Gimat de Bonneval, *Fanfiche,* 23.
4. *Félicia,* XVII, éd. Trousson, 1202 ; *La Fin des amours du chevalier de Faublas,* 908.
5. Louvet, *ibid.,* 908.
6. *Félicia,* 1202.
7. *Julie,* IV, XI.

« goût anglais » se fait sentir dans l'affirmation du sinueux, du désordre : « ... un jardin anglais nous invitait à goûter quelque repos à l'ombre de ses bocages tortueux. »[1]

D'autre part, lorsque les amants deviennent jardiniers, se nouent d'autres rapports entre eux et le jardin : « Je fis arranger cette maison que Sidley occupe aujourd'hui... Le jardin surtout fut l'objet de mes attentions. Je l'enrichis des fleurs les plus rares. Pouvaient-elles être trop précieuses ? Sa main devait les cultiver ou les cueillir ! » Dans ces *Malheurs de l'inconstance* de Dorat (I, VII), un autre jardin, décrit comme « le plus beau lieu du monde », avec sa rivière « sur laquelle des gondoles nous promènent », son labyrinthe, ses fleurs, ses oiseaux, son eau vive qui « serpente sur un sable coloré, sa grotte », verra le même séducteur « triompher », dans l'ombre d'une fin de journée, d'une autre femme, Mme de Syrcé. L'intrigue du roman se noue entre l'homme, ces deux femmes et leurs jardins.

Il peut même s'ouvrir, et devenir paysage, spectacle d'une nature qui donne l'image exemplaire d'un érotisme cosmique, retrouvant là un topos du roman pastoral[2].

L'autre modèle enferme les amants, pour leur plaisir, dans du bâti. Les premières caractéristiques de ces espaces sont un isolement et une clôture peut-être plus sûrs que dans les jardins, obtenus de diverses façons, depuis le simple geste de tirer des rideaux jusqu'aux redoublements de murs, fossés, ponts-levis des châteaux sadiens. Avant tout, ce doit être un autre monde, différent, hors du quotidien et de sa morale commune, qui va donc surprendre celui qui y pénètre : « ... je fus étonné, ravi ; je ne sais pas ce que je devins... »[3]

A l'intérieur l'espace se divise en se rétrécissant : comme le jardin en cabinets de verdure, charmille, grotte, bosquets, l'intimité domestique éclate en cabinet, boudoir, petites pièces renfoncées, niches, alcôve, petits réduits, toilette, armoire, lit enfin dans lequel peut se dérouler tout un ensemble de manœuvres. La réduction des espaces correspond à une tendance constante à réduire la distance entre les corps : « ... comme en amour rien ne se finit que de très près, et que nous étions alors assez loin l'un de l'autre, il fallait avant tout se rap-

1. Louvet, *ibid.*
2. *Dolbreuse,* I, 53-54 ; voir plus loin « Savoirs », 103-104.
3. Vivant Denon, *Point de lendemain,* 94.

procher »[1] ; c'est aussi ce que doit penser Mme de Ferval : « Approchez, mon cher enfant, approchez ; prenez un siège et mettez-vous là », complété quelques instants plus tard par : « Approche-toi, afin de nous entretenir de plus près. »[2] Il faut pouvoir « calculer sa distance », comme le dit Alvare affolé, lui, à l'idée d'être enfermé dans une petite chambre avec un « diable amoureux » femelle[3]. La « petite maison », qui met les plaisirs érotiques un peu en dehors de la ville, devient une institution justifiée, dans le discours de ses utilisateurs, par sa petitesse même, qui est concentration, opposée à la « dissipation » du monde : les « pompeux appartements de ville sont trop spacieux en plus d'un sens pour que ces plaisirs même ne s'y égarent pas presque toujours »[4]. Ces intérieurs sont définis, comme les jardins d'amour, par l'effet qu'ils font, exprimé par des verbes : ils « invitent à... parlent à... disposent à... inspirent... respirent l'amour ». On peut ainsi tendre un fil depuis *Les Petits Soupers* de Mme Durand : « Le dedans de la maison était fait pour inspirer l'amour... » (141) jusqu'à la « coquille » de *« La Fille aux yeux d'or »* : « Là, tout aurait réchauffé l'être le plus froid... »[5] Ensuite, comme pour les jardins, la description tend en général à donner l'impression d'un espace où règne un ordre convergent, chaque élément contribuant à la fonction d'ensemble en jouant sur des ordres de sensations différents : la vue, l'ouïe, le goût, l'odorat. Musiciens dissimulés, vernis qui exhalent « la violette, le jasmin et la rose »[6]. Il arrive que cette fonctionnalité se traduise par un partage de l'espace, qu'il y ait un boudoir par genre de « jouissance », « un labyrinthe de boudoirs multipliés où chaque jouissance avait ses coussins, ses sachets, ses sophas »[7]. La vue reste privilégiée : on s'en aperçoit à l'importance de l'éclairage (soit intense, soit très atténué), à la présence des miroirs (« les glaces... placées avec toute l'intelligence d'une femme qui aime à savoir ce qu'elle fait »)[8] et, très souvent, de représentations picturales : « ... je me trouvai tout à coup dans une chambre fort éclairée. Quel spectacle frappa ma vue en y entrant ! Imagine-toi

1. Laclos, *Les Liaisons dangereuses,* CXXV.
2. Marivaux, *Le Paysan parvenu,* 172-173.
3. Cazotte, *Le Diable amoureux,* 332.
4. La Place, *Les Erreurs de l'amour-propre,* II, 17.
5. Balzac, 399.
6. Bastide, *La Petite Maison,* 116 : un signe, comme le note Michel Delon, de cette « révolution olfactive » décrite par Alain Corbin dans le *Miasme et la Jonquille.*
7. Durosoi, *Clairval philosophe,* I, 132 ; v. aussi La Morlière, *Angola,* 90.
8. Dorat, *Les Sacrifices de l'amour,* I, XXXIV.

tout ce que le luxe peut inventer pour entretenir ou pour exciter les désirs : sculptures, peintures où les plus doux combats de l'amour étaient représentés, rien n'était ménagé et les attitudes voluptueuses qu'elles offraient aux regards se trouvaient répétées de quelque côté qu'on se trouvât dans vingt glaces distribuées avec art. »[1]

Après avoir séparé le jardin de la chambre, il est temps de rappeler que le « naturel » et l'« artificiel » sont le plus souvent mêlés. Soit par simple juxtaposition : « Salon délicieux à plain-pied du jardin »[2], pavillon dans un parc longé par une rivière, « petite maison » donnant de plain-pied sur un « fort beau jardin »[3], soit plutôt par inclusion et contamination : jardins éclairés de lustres, avec des musiciens, des feux d'artifice (dans la *Petite Maison*, ou l'« Isle enchantée » de *Dolbreuse*), boudoirs avec décor « naturel », tapis imitant le gazon, décoration imitant des « bosquets », volières d'intérieur.

Ici l'« art » en imitant la « nature », non seulement veut en condenser et en systématiser les effets, mais empêche que ceux-ci puissent être considérés comme dus à quelque heureux hasard. Ils sont l'effet d'une « industrie », d'une intention, celle d'« inspirer » le plaisir à quelqu'un d'autre : il y a donc séduction, « manipulation » (au sens où l'entend la sémiotique narrative : « action de l'homme sur d'autres hommes visant à leur faire exécuter un programme donné »)[4], et toujours un agent et un patient. Deux acteurs peuvent, en entrant dans ces lieux, prendre ces rôles : la femme en visite chez le séducteur, le jeune homme pénétrant dans le cabinet dont la femme occupe le centre. La présence de « machines » dans le décor, quelque sopha à ressorts, quelque lit dont « vingt lames d'acier... occasionnent un mouvement délicieux », ou ces tables qui surgissent du plancher, manifestent parfois cet aspect de « manipulation ».

1. Jonval, *Les Erreurs instructives,* 81 ; version néo-grecque dans *Les Amours d'Ismène et d'Isménias,* de Godart de Beauchamps (1743) : le quatrième tableau, dans ce salon où les trois premiers sont d'Appelle, Zeuxis et Protogène, trouble profondément le narrateur : « ... enseveli dans la rêverie la plus profonde, mes idées se développent et se rebrouillent ; ce que je crois voir n'est point ce que je vois en effet (...) des esclaves de tout âge, de tout caractère, de toute nation, couronnés de roses, jettent des regards passionnés sur des jeunes filles négligemment parées ; elles fuyent devant eux mais elles se laissent voir avant que de cacher. O Vénus, que ces dangereux objets sont dignes de ton fils !... » (17-18).
2. Mme Durand, *Les Petits Soupers,* I, 131.
3. Prévost, *Mémoires d'un honnête homme,* 225.
4. Greimas-Courtès, *Sémiotique, dictionnaire raisonné...,* Hachette, 1993.

Mais cette insistance, que l'on peut dire après Jean Rousset « baroque », sur le fait que l'« artificiel » arrive à parfaitement imiter le « naturel », cette exaltation des pouvoirs de l'« art », semble à partir des années 1770 être combattue. Depuis un moment déjà, la mode est aux jardins où l'« art » se dissimule, tâche de se faire oublier, dans un débat où le jardin de Julie a lourdement pesé[1]. On voit donc une séparation se manifester, même dans les jardins que leur caractère érotique éloigne de celui des Wolmar. Loaisel dans *Dolbreuse* oppose ainsi l'espace de pure nature qui invite à l'amour le couple conjugal, à la nature trafiquée, mêlée d'artifices multiples, qui favorise la relation adultère. Prévost déjà dans les *Mémoires d'un honnête homme* opposait au petit matin les débauchés « défigurés et chancelants » à « l'herbe fraîche » et à la « nature animée dans ses productions » (226). Vivant Denon lui-même montre comment au sortir du cabinet enchanté, « la fraîcheur et l'air pur » du matin calment l'imagination et chassent le « merveilleux »[2], la lucidité est retrouvée hors du décor artificiel.

Lorsque Rétif évoque sa dernière promenade avec Sara, dans les seigles, ces derniers ne sont plus comme ils l'étaient pour un jeune époux pressé de satisfaire sa « fantaisie »[3], une commodité, par leur « hauteur », mais un espace tout vibrant de sensations : « Le sentier était étroit, un peu tortueux ; les seigles étaient à notre hauteur ; l'air, parfumé par les émanations des fleurettes, les mêlait à celles de la verdure et de la floraison des seigles ; un zéphyr caressait les tresses de Sara (...) lorsque nous fûmes seuls, et un peu plus loin, Sara me fit asseoir dans le seigle le plus touffu... J'oubliais la nature auprès d'elle ; je m'oubliais moi-même... »[4]

Certes l'espace joue son rôle protecteur : il assure que les amants sont présents l'un à l'autre, laissant dehors les autres, leur loi et leur regard. Mais rien n'est parfaitement clos : palissades, parois des charmilles, plantations des bosquets, portes mal fermées ou vitrées, reflets des glaces, fenêtres peuvent laisser passer au moins les regards, parfois même les corps. Et même si l'on veut croire la clôture efficace, le trajet du regard, à l'intérieur, n'est pas libre, mais limité par les obstacles qui lui sont opposés.

1. Voir plus loin « Savoirs », 134-137.
2. *Point de lendemain,* 97.
3. Challe, *Les Illustres Françaises,* 265.
4. *Sara,* éd. Baruch, II, 203-204.

C'est évident lorsqu'une grille, ou une fenêtre sépare et exalte, ou lorsqu'un écran imparfait permet de voir sans être vu[1]. Mais, même dans les cellules du « champ clos », l'homme ne peut regarder que ce que la femme lui « laisse voir ». Le corps comme un tout, comme image unique, n'est dit que dans le flou de la périphrase : « Dieux que de beautés s'offrirent à ses yeux ! L'imagination ne peut rien se peindre de plus parfait ; jamais on n'avait sacrifié à l'amour dans un plus beau temple. »[2] Le registre le moins « gazé » se distingue seulement par les parties du corps qu'il retient. La belle, qu'elle soit vraiment endormie ou feigne de l'être, que ses « désordre », « négligé », « dérangement » soient fortuits ou calculés, est vue et décrite comme un costume qui découpe un corps. La précision de la description, dont on peut apprécier par ailleurs la valeur documentaire, trahit la fascination, la frustration délicieuse, dans un espace qui a intégré l'interdit comme obstacle au regard[3].

Chambre ou jardin, la fonction est la même : isoler, influencer. De quoi est faite cette influence, en quoi « inspirent »-ils ?

Cet espace est celui d'une péripétie : était-elle déjà inscrite dans l'intention de ceux qui y sont entrés ? ou ne fait-elle que réaliser un désir préexistant ? Le boudoir, comme la grâce, est-il « efficace » ? « suffisant » ? Il semble que l'espace ne fasse pas naître le désir : il est déjà là, qu'il soit vu comme un bien (nature) ou un mal (péché). Le roman ne construit pas ici un espace au déterminisme tout-puissant. Bastide hésite, on le sait, sur le dénouement de sa *Petite Maison*, et finalement, en 1763, Mélite « cédera » à « la simplicité éloquente de la passion », aux soupirs, aux pleurs, au chantage sentimental de l'homme qui est à ses pieds, non à l'effet sensuel de la fabuleuse « petite maison », qui est finalement dépassé lorsqu'elle atteint le dernier boudoir : « Tout cela est charmant, mais ce n'est plus de cela que Mélite peut s'occuper » (134). Marmontel veille aussi à ce que Lucile, de l'*Heureux divorce,* ne cède pas aux effets de la belle maison de campagne du magnifique Dorimon. Ainsi le roman recule toujours en dernière instance devant l'idée qu'un espace matériel puisse déterminer le désir. Les moralistes (comme Marmontel) moralisent, et les hédonistes

1. Voir plus loin « Savoirs », 120-121.
2. La Morlière, *Angola,* éd. Sermain, 83.
3. Voir H. Lafon, *Les Décors et les choses,* 193-198.

ironisent sur ceux dont le « physique éteint » a besoin d'« images de volupté »[1]. C'est encore et toujours de l'intérieur que le désir peut être déterminé le plus sûrement, par les poudres, les philtres de l'éternelle magie, même habillée de « science » : c'est alors qu'on voit les effets les plus radicaux, les plus spectaculaires, chez la Sylvie de Challe, ou la Pauliska de Révéroni. Pour ce qui est de l'espace, il est déjà beaucoup qu'il puisse révéler à lui-même, renforcer, intensifier le « trouble » qui existe déjà, ou annihiler ce qui le retient, le réprime. En fait il est plutôt là pour dire le désir que pour le faire naître.

Et il le dit au travers de verbes comme « inspirer », qui comprennent et résument plusieurs effets, un « état composé de plusieurs mouvements » comme dit la *Jeannette seconde* de Gaillard de la Bataille (46). Il ne faut pas s'en tenir à la grille d'un sensualisme primaire qui va décomposer le processus suivant l'ordre des cinq sens, mais y voir une combinaison d'effets qui sont autant de formes du désir. Récapitulons :

— Un effet d'isolement, de suspension du regard culpabilisant de l'autre et de la censure, dont on a vu qu'il était à la fois fragile et miné de l'intérieur.

— Un effet de déréalisation : une lumière différente, un luxe hyperbolique, établissent une atmosphère très éloignée du réel ordinaire quotidien, qui confine au merveilleux. C'est l'effet dominant dans les « champs clos » plutôt chastes de la fin du XVIIe siècle : « Le dedans de la maison était fait pour inspirer l'amour ; de petits appartements toujours jonchés de fleurs, et carrelés de porcelaines, des meubles de gaze de diverses couleurs ; des lits relevés par des festons de fleur d'oranger, que soutenaient des amours ; des miroirs qui rendaient les objets plus beaux que le naturel ; des volières remplies d'oiseaux, dont les chants allaient au cœur, et mille autres délices... auraient infailliblement inspiré au moins quelques désirs... »[2] Notons que les miroirs métamorphosent, au lieu d'être pris, comme ils le seront plus tard, dans un narcissisme voyeur. Les métamorphoses de l'espace sont également comparables à celles que l'on peut voir sur une scène de théâtre : la table monte toute garnie, ou bien « le haut du bosquet s'ouvrit, et nous vîmes aussitôt paraître, sur un nuage de feu, les Furies, tenant enchaînées avec leurs serpents les trois victimes... »[3].

1. Vivant Denon, *Point de lendemain,* 77.
2. Mme Durand, *Les Petits Soupers,* 141.
3. Sade, *Histoire de Juliette,* VIII, 231.

— Un effet de « commodité » physique, de confort, une complicité fonctionnelle qui relie l'espace et le corps, par la posture et le geste. De même que le sopha ou le canapé (« aussi favorables à la témérité que propres à la complaisance » dit Crébillon)[1] « invitent » au geste pour lequel ils ont été peut-être conçus, de même « un gazon vert et bien fourni » invite à s'y « reposer »[2] et les « meules pyramidales » des « herbes odoriférantes et fraîchement coupées... offrent des sièges de toutes parts »[3]. L'espace est accueillant, facile, commode. Chez Sade, architecture, machines et meubles y contribuent : « Le bourreau, placé sur le fauteuil, avait, à fleur de son visage, le cul de l'objet captivé ; s'il voulait jouir de ce derrière, en se tenant debout, il le pouvait avec facilité. »[4]

— Un effet de mimétisme provoqué par la représentation de l'acte amoureux : depuis le plus innocent : les oiseaux qui se caressent sur les branches, jusqu'aux « tableaux vivants » de Sade chez Saint-Fond : « ... dans chaque niche était une des vierges branlée par une tribade, toutes deux nues... ; dans le fond se voyait une des têtes qui venait d'être coupées... »[5] Comme on l'a déjà vu, les peintures sont les plus fréquentes. La Morlière, dans *Angola*, met « sur les panneaux des aventures galantes rendues avec une expression parfaite : aucune d'elles ne peignait les rigueurs, elles étaient bannies, même en peinture, de ce lieu de plaisir » (80). Ursule fait défiler à volonté trois tableaux suivant « la passion » qu'elle veut « exciter »[6]. Loaisel va jusqu'au tridimensionnel de « figures en marbre » et il explique : « Le prononcé moelleux de leurs contours et le fini de leur exécution, l'expression voluptueuse que l'artiste avait su lui donner, aidaient à séduire l'imagination par les yeux, et semblaient conseiller et justifier en même temps les douces faiblesses de l'amour. »[7] Mais l'on a aussi confiance dans les pouvoirs de la littérature : les romans « galants » ont la même fonction[8].

— Un effet explicitement aphrodisiaque de certaines sensations[9]. Les meules sur lesquelles Dolbreuse et son épouse vont tendrement

1. *Le Hasard au coin du feu,* éd. Coulet, 230.
2. Gimat de Bonneval, *Fanfiche,* 23.
3. *Dolbreuse,* 54.
4. *La Nouvelle Justine,* 1056.
5. *Histoire de Juliette,* VIII, 322.
6. *La Paysanne pervertie,* 380.
7. *Dolbreuse,* I, 119.
8. J.-M. Goulemot, *Ces livres...,* 71-75 ; H. Lafon, *Les Décors et les choses,* 218-222.
9. C'est, encore en 1804, ce qu'imagine Ledoux pour son « oikema » : « ... la nature y est spécialement dessinée pour exciter davantage encore les jeux érotiques qui se déroulent à l'intérieur », explique Maria-José Bueno, dans Le Panopticon érotique de Ledoux, *DHS,* 22, 1990.

s'asseoir étaient « odoriférantes », et peu avant il avait précisé que « le parfum du baume citronné, de la termentille et du serpolet, que les zéphyrs promenaient, dispersaient dans les airs, portait une flamme inconnue dans nos veines » (53). Quant aux « tendres symphonies » faites d'une « voix flexible » mariée à une harpe, à des flûtes et hautbois, qui s'élèvent des bosquets, leurs « sons... communiquent au fluide des airs qu'ils ébranlent doucement tous les atomes de la volupté » (120), effet expliqué en termes de « philosophie ». On est loin, avec cette accumulation prolixe de moyens commentés de façon pataude, des clairs « petits appartements » de Mme Durand, et même de ce décor-type de 1744: « La sombre clarté du cabinet, la verdure des gazons, le petit murmure des feuillages, le ramage de quelques petits oiseaux que je voyais se caresser sur les branches, tout cela joint au trouble que je ressentais, à ce trouble qui naît d'un désir que l'on veut combattre et satisfaire... »[1]

A ces espaces raffinés et fonctionnels, où le luxe et le meilleur des « arts » sont mobilisés, il ne faut pas oublier d'opposer leur image renversée, dérisoire et souriante, dans les romans où confluent la tradition « comique » et la picaresque. On y voit au contraire qu'on peut faire l'amour n'importe où, dans une armoire, un fiacre, un « vis-à-vis », un carrosse, la cellule d'un collège de Jésuites, un coin d'escalier, et même une prison[2], la liste est infinie. Avec sa verve sarcastique, Margot se souvient par exemple que dans sa jeunesse une arrière-salle de cabaret a pu faire l'affaire : « Le lieu du sacrifice était garni d'une table étayée de deux tréteaux pourris, et d'une demi-douzaine de chaises disloquées. Les murs étaient remplis de quantité de ces hiéroglyphes licencieux que d'aimables débauchés en belle humeur crayonnent ordinairement avec du charbon. Notre festin répondait au mieux à la simplicité du sanctuaire. »[3] Ceux-là dépouillent l'espace de tout prestige pour montrer à nu le désir et le plaisir, et les tableaux représentant Mars et Vénus sont devenus graffitis obscènes. A l'espace fonctionnel où le désir assure son triomphe dans le décor qui convient, ils opposent un espace où un désir-roi insoucieux de norme se soumet sans façons les choses. Et de même, dans le registre chaste cette fois, la passion d'être ensemble se satisfait du

1. Gaillard de la Bataille, *Jeannette seconde,* 46.
2. Dupré d'Aulnay, *Les Aventures du faux chevalier de Warwick.*
3. Fougeret de Monbron, *Margot la ravaudeuse,* éd. Trousson, 680-681.

moindre recoin d'espace : « Quelquefois, le plaisir qu'ils se donnaient ne consistait qu'en une promenade à la lueur des réverbères, le long de la Seine ou sur les Boulevards. Qu'importait que le fiacre fût sale, qu'il cahotât, que des haridelles fatiguées ne pussent presque le traîner ! Ils étaient ensemble. »[1]

On a vu que ces paradis sont toujours précaires, menacés, que l'interdit n'est jamais radicalement effacé, que toujours quelque chose dans l'espace de ces « champs clos » rappelle la séparation, l'obstacle, dont on finira par se dire qu'ils font peut-être partie de l'imaginaire essentiel du désir. L'espace clos érotique est même d'autant plus clos et construit que l'interdit est fort. Vivant Denon peut se permettre d'établir un va-et-vient elliptique entre plusieurs espaces secrets, clos et ouverts, pour finir par tout remettre en place au matin, il ne s'agit après tout que d'une Comtesse mal mariée. Lorsqu'un M. de Borille se met en tête d'élever une petite fille pour jouir d'elle lorsqu'elle sera nubile, c'est l'agencement de tout un appartement rendu hermétique qui est détaillé[2], et lorsqu'il s'agit de réaliser une encyclopédie vivante du crime et de ses passions, Silling s'entoure d'enceintes concentriques.

Ajoutons que la précision avec laquelle le roman décrit ses cellules érotiques est souvent en proportion inverse de celle avec laquelle il évoque l'action des corps. Ce qui laisse penser qu'il décrit alors l'espace parce qu'il ne peut (n'a pas le droit, ou est incapable de) décrire les corps[3]. Les décorations les plus prolixes conduisent aux ellipses et euphémismes les plus fades : « Je devins aussi coupable que je pouvais l'être... », ou « Notre bonheur n'eut pour témoin que les oiseaux jaloux et les feuilles qui les dérobaient à l'astre du jour », « l'obscurité assurait mon triomphe. J'osai profiter de tant d'avantages réunis... ».

Ces lieux ne sont donc pas vraiment des utopies érotiques à l'abri des remous causés par l'interdit.

On peut admirer cependant que le roman ait consacré tant de pages à dire les moments d'un plaisir d'être ensemble, tressant des variations inlassables sur des topos reconnus, en les fondant habilement à la représentation des réalités de la civilisation qui lui est contemporaine. Au

1. Mme de Charrière, *Honorine d'Userche,* 204.
2. De La Solle, *Mémoires de deux amis,* III, 138-140.
3. Contrairement à ce qu'affirme Dorat, dans un bel exemple de dénégation qui vient après une page évoquant les lumières, fleurs, girandoles, glaces, « peintures... les plus analogues au moment », « clarinets » qui jouent dans l'ombre, souper qui sort de dessous le parquet : « J'aime mieux te peindre le triomphe que t'en décrire le lieu... » (*Les Sacrifices de l'amour,* 69).

point qu'on ne sache plus[1], si le discours de l'architecte a imité celui du roman, ou si c'est l'inverse. Il ose affirmer par ses images que tout ce que la société et ses « arts » produit de plus futile, peut fortement aider à être heureux. Il imagine le résultat d'une collaboration heureuse entre une nature complaisante et d'artisans et artistes experts, dans une sorte d'harmonie qui a pour finalité le plaisir. Il n'est pas étonnant que cet espace soit devenu au XIXe siècle l'emblème du roman du XVIIIe, et même de tout le XVIIIe, focalisant également sur lui le mépris : « lupanar doré » dit méchamment Nodier[2].

Jamais sans doute le roman n'a poussé à un tel degré l'alliance (baroque ?) de l'« art » et de la « nature », l'artefact humain ne pouvant être accepté que comme imitation, prolongement de ce que la « nature » était supposée offrir. Dans cet équilibre fragile le plaisir sexuel en vient à être représenté en termes d'expérience esthétique, dans un émoi devant ce qui est beau. Cette beauté, qui est aussi une sorte d'alibi moral, est toujours décrite comme le résultat d'un faire, d'un « art » : c'est ce qui doit tempérer l'idée que s'exprime là une sorte de « religion de l'art »[3]. Seulement, à partir des années 1770-1780, une opposition s'établit entre un espace « naturel » où le plaisir est éludé, sublimé ou moralisé, et un espace d'artefact humain où le plaisir est intensifié, multiplié, tandis que la composante de « manipulation » y est plus apparente. L'érotisme, après 1790, a quelque peine à demeurer bucolique. Il faudra attendre le roman « réaliste ».

TENSIONS

Dans la relation amoureuse, l'espace joue comme « espace entre » ou « espace autour ». L'« espace entre » est celui qui sépare, qui crée la distance ou fait l'obstacle. Il détermine l'insatisfaction, la frustration et donc une durée, sous forme de tension et de répétition. L'« espace autour » est celui qui protège et « favorise », c'est-à-dire, comme on l'a vu, rend plus intense la relation elle-même, jusqu'à la fusion du désir réalisé, un instant unique qui annule cet espace même. Ce partage ne

1. En particulier dans le cas de Le Camus de Mézières, cité par Starobinski, dans *L'Invention de la liberté,* 56-57 ; voir aussi Remy G. Saisselin, The Space of seduction in the eighteenth century french novel and architecture, *SVEC,* 319, 1994.
2. De l'amour et de son influence, *Rêveries,* éd. Hubert Juin, Plasma, 1979, 100.
3. Saisselin, art. cité.

devrait pas tant servir à classer les romans eux-mêmes, en romans de la séparation contre romans de la fusion, qu'à voir comme chaque roman compose avec cette bipolarité. Opposer ainsi la distance qui sépare Julie de Saint-Preux, et qui suscite les lettres, au bosquet, à la chambre de leur union, conduirait à analyser l'« Élysée », la salle de la « matinée à l'anglaise » comme des compromis, des tentatives de dépasser cette opposition. Quant à Sade, il enferme son action dans un espace furieusement clos, espace de protection et d'intensification, mais ses personnages s'obstinent à répéter comme s'ils n'arrivaient pas à franchir une invisible distance, se conduisent donc comme s'ils étaient dans un espace de séparation.

Mais ce que nous avons vu, c'est que l'espace de la fusion est à la fois menacé et infiltré par celui de la séparation. Ce qui isole et protège forme une barrière fragile, à moins d'être renforcé dans une surenchère de clôture qui révèle la force de la menace et de la crainte qu'elle fait naître. D'autre part, à l'intérieur même de cet espace subsistent des regards, des écrans. C'est ici que le plus médiocre des petits romans est d'une vérité précieuse en rappelant que le désir reste toujours d'essence sociale en ceci que la présence d'un tiers censeur ne peut jamais être totalement évacuée.

Il faut enfin revenir sur cette opposition du naturel et du bâti que nous avons rencontrée souvent, pour dire ce qui se dessine à la fin de notre période de référence. Il n'y a plus de symétrie entre le boudoir et le jardin.

Mélite pose en effet à Trémicour une question tout à fait pertinente : « Oubliez-vous... que cette maison est dès longtemps le théâtre de vos passions trompeuses et que ces mêmes serments que vous me faites ont servi au triomphe de l'imposture ? »[1] Soit : combien avant moi ont succombé à l'effet de cette « petite maison » ? En effet un espace qui affirme tellement sa fonctionnalité ne peut qu'induire la répétition de l'acte qu'il « favorise », « inspire »[2]. Comme lieu d'influence, de « manipulation », il ne peut que resservir. Si l'espace y est un langage, existe le risque, pour le moins, d'une rhétorique (de persuasion) dont les formules efficaces ont été et seront utilisées pour

1. Bastide, *La Petite Maison,* 132.
2. Le « harem » est, selon R. G. Saisselin, pour l'homme occidental, une réponse à cette question, la femme y étant vraiment « a collector's item » (Room at the top of the Eighteenth century : From sin to aesthetic pleasure, *SVEC,* 319, 1994).

d'autres. Or, à cela le roman de la fin du siècle oppose le jardin élaboré comme un espace unique, original, à l'image d'une personne ou d'un couple, le jardin qui te, lui, nous ressemble[1]. La poésie de l'analogie s'oppose à la rhétorique de l'influence, et l'unicité de l'être à l'image de qui a été fait le jardin, à la répétition du faire que le boudoir suscite. Ainsi le « champ clos » de la fusion amoureuse se trouve scindé en un espace fonctionnel du répétitif contre un espace analogique de l'unique.

1. Voir plus loin : « Savoirs », p. 114-115.

CHAPITRE II

POUVOIRS

L'espace étant le mode de manifestation du corps, il faut de l'espace pour en parler, et aussi pour l'atteindre, le blesser, le tuer (comme il a fallu aussi de l'espace pour dire comment on le désire et on l'aime), pour exercer son pouvoir sur lui. L'espace est nécessaire au mouvement, expression de la vie, de la liberté : d'où le pouvoir qui peut s'exercer là aussi, en privant de mouvement. L'espace est nécessaire au regard : tout pouvoir qui passe par le visible a besoin d'espace. Le corps, le mouvement, le regard, voies par où s'exerce le pouvoir. Les rapports d'influence ou de violence entre personnages sont omniprésents, et l'on ne peut raconter comment les hommes se battent, se tuent, s'enferment, se contrôlent, sans mettre en œuvre la distance, le mouvement, la visibilité, l'opacité, la dureté, qui constituent l'espace romanesque. Ces rapports de pouvoir font également l'essentiel du contenu des lois. Les espaces concernés vont nous transporter plus que jamais au cœur des rapports sociaux, tels qu'ils sont imaginés et figurés par le roman comme rapports de la violence et de la loi.

GUERRES

Depuis les origines du roman, le roman grec et latin, la guerre est romanesque par l'espace qu'elle suscite. Espace des conquérants, des batailles, des camps et de frontières, fait de mouvement, de spectacle, de disjonction et de démarcation. La guerre envoie les personnages au loin, elle les fait voyager, se mouvoir d'une façon particulière et spectaculaire, elle les sépare enfin dans un espace cloisonné.

Si les héros des grands romans « baroques » ont besoin de tant d'espace, c'est aussi que ce sont souvent des guerriers, des conquérants[1]. Ils font ainsi mouvement à grande vitesse, traversent en quelques lignes provinces et pays : « ... Il n'y a qu'un mois que je suis passé en Asie ; et en ce temps j'ai traversé l'Éolide, la Lydie et la Troade : il n'y a que deux jours que je suis entré dans la Galatie... »[2] L'espace romanesque se réduit alors à une ligne jalonnée de noms superbes ou inquiétants, dont l'exotisme accroît l'effet, ligne qui laisse perplexe le lecteur s'il n'est pas un bon géographe et historien : « Rentrant de Franconie par le pays des Marcomans, il la suivit tout entière jusqu'au pays des Bructères où il passa le Visurgue, et traversant le pays des Gambres, il se rendit sur les rives de l'Elbe... »[3] Mais avec la « nouvelle » des années 1670, le théâtre de la guerre se rapproche du lecteur, peut-être même, comme dans *Célinte,* de sa « maison de campagne » : « Durant ces six années, il y eut presque toujours guerre vers la frontière où était Célinte... on disait que les Troupes ennemies brûlaient des villages entiers... » (128). La guerre ne donne plus prétexte à chevauchées continentales ou intercontinentales. Chacun peut situer les lieux, camps, entrepôts que Mme de Villedieu indique dans les *Désordres de l'amour* : Chelles, Corbeil, le pont de Samois, Meudon, Saint-Quentin, Gisord, Laon[4]. Désormais, les grands déplacements (comme ceux, à travers des « espaces immenses »[5], des héros de Prévost) n'auront plus la guerre comme motivation. Voltaire peut en faire la parodie : c'est un déserteur du chapitre II qui fait le tour du monde à grande allure, et il ne le fait pas en conquérant.

La bataille est d'abord un spectacle dont la description tient une grande place dans la haute Romancie, comme dans le roman grec des origines[6] où on en trouve déjà la parodie[7]. La description embrasse

1. Ce sont des romans « d'aventures militaires », comme l'écrit Roger Godenne à propos du *Grand Cyrus* dans *Les Romans de Mlle de Scudéry,* 141.
2. Desmarets de Saint-Sorlin, *L'Ariane,* 94.
3. *Faramond, roman. Abrégé,* p. 120-121.
4. Françoise Gevrey, *L'Illusion et ses procédés,* p. 181.
5. Jean Sgard, *Labyrinthes de la mémoire,* p. 119.
6. Selon Massimo Fusillo, la description des batailles (comme dans les *Éthiopiques,* 743-744) témoigne de l'influence de la littérature historiographique sur le roman (*Naissance du roman,* 61).
7. Lucien, *Histoire véritable,* 1350-1352.

d'abord le spectacle des deux armées face à face, spectacle donné comme beau : « Jamais il ne s'est rien vu de si beau, ni de si magnifique que ces deux camps... La paix avec toute son abondance, quelques fêtes publiques qu'elle ait causées n'a rien fait voir de si superbe que la guerre parut en ces deux armées. »[1] Telle est la cible de Voltaire dans sa célèbre ouverture du chapitre III de *Candide* : « Rien n'était si beau, si leste, si brillant, si bien ordonné que les deux armées... » En vérité, la description garde plutôt le nez sur le luxe des pavillons, des tentes et des armures, image plate brillamment chamarrée : « Ce n'était que draps d'or, que brocatelle, en tous les pavillons d'Ibrahim, avec des croissants d'argent, des panonceaux et des banderoles sur le haut... »[2] Fénelon au contraire, dans sa vision pathétiquement pacifiste, allie profondeur de champ et poésie épique : « L'horizon paraissait rouge et enflammé par les premiers rayons du soleil ; la mer était pleine des feux du jour naissant. Toute la côte était couverte d'hommes d'armes de chevaux, et de chariots en mouvement : c'était un bruit confus, semblable à celui des flots en courroux (...) La campagne était pleine de piques hérissées semblables aux épis qui couvrent les sillons fertiles dans le temps des moissons. Déjà s'élevait un nuage de poussière, qui dérobait peu à peu aux yeux des hommes la terre et le ciel. La confusion, l'horreur, le carnage, l'impitoyable mort s'avançait. »[3]

Le deuxième élément du topos est la description de l'ordre de bataille et des mouvements de troupes : à ce moment se déploient forcément une latéralité, une profondeur : « Il fut arrêté que les Romains seraient à la pointe, commandés par Maxence, les Macédoniens marcheraient à côté droit avec Flavian en un bataillon, et que les Épirotes et les Thessaliens seraient au côté gauche... », « sachez que Méliandre donna le commandement de l'aile gauche à Licandre, que Mérionte eut la conduite de l'infanterie, et que Cléonte demeura à l'aile droite avec Méliandre... »[4]. L'évocation de la tactique projetée entraîne la mention de déplacements qui doivent tenir compte du terrain, donc l'évoquer : « La ville de Larisse est assise entre deux collines, dont le vallon s'élargit peu à peu devers la mer, et fait enfin en s'étendant une campagne assez spatieuse. Cette situation donnait la commodité de choisir la juste

1. *Ibrahim,* IV, III, p. 366. Voir aussi, par exemple, *La Fausse Clélie,* 204, et *L'Astrée,* éd. Jean Lafond, 273-277.
2. *Ibrahim,* 366.
3. *Les Aventures de Télémaque,* XV, 425.
4. Desmarets de Saint-Sorlin, *L'Ariane,* p. 273 ; Mlle de Scudéry, *Célinte,* 133.

étendue nécessaire pour contenir le front de l'armée, et cela fit qu'après avoir occupé cet espace, on se résolut d'aller attaquer les ennemis après quelques escarmouches de cavalerie, pour les attirer en ce lieu, feignant de fuir, afin d'avoir alors la commodité des lieux telle qu'ils l'avaient désirée pour le combat. » L'espace n'existe que d'après sa « commodité », c'est-à-dire son rapport fonctionnel avec l'action : « ... leur camp était environné d'un grand bois, en sorte que l'on en pouvait aller à eux que par un défilé si dangereux à passer qu'il ne semblait pas qu'on dût l'entreprendre. »[1] Il fait aussi ressortir la difficulté de l'épreuve que le héros va franchir : « ... l'endroit où notre armée était postée... est un pays de fort difficile accès, et ayant une prairie fort marécageuse, où de temps en temps il passe des ravines, qui la creusent en divers endroits, bien loin d'y pouvoir aller en bataille, à peine y peut-on aller en escadron. »[2] Le paysage est le plus souvent élémentaire, comme les mouvements et la tactique sont simples : enfoncer (« Ils [...] fondirent de telle furie sur les Scythes, qu'ils enfoncèrent les deux cornes de leur bataillon qu'ils avaient formé en croissant », « Concalve marcha droit à eux avec l'aile gauche, enfonça leurs escadrons et les mit en fuite »)[3], envelopper, déborder, tourner, fuir, poursuivre, etc. Ce discours qui se réfère à un art militaire faisant partie de la culture de l'homme bien né, perdure inchangé au XVIIIe siècle : « ... je pris avec mon régiment l'ennemi en flanc, et je le culbutai. Mon attaque eut le plus grand succès. Ce bois couvrait la gauche des ennemis, que l'on enfonça sans peine... »[4]

Dans la forme la plus antiquisante du topos, vient à la fin le moment où se dégage l'espace théâtral d'une action d'éclat : « La bataille eut été perdue, si par un bonheur extraordinaire, un homme d'admirablement bonne mine, couvert d'armes noires, ne se fût mis à la tête des troupes... »[5], ou bien d'un combat singulier : les héros se sont cherchés, ont dû écarter dans un grand carnage une foule de combattants anonymes : « ... il lui en fallut tuer beaucoup avant de parvenir jusques à lui. Mais enfin il en abattit tant à ses pieds qu'il s'attacha au roi, qui ne refusa point le combat... »[6], ils se trouvent enfin au

1. *Ibid.,* 307.
2. Mlle de Scudéry, *Célinte,* 133.
3. *L'Ariane,* 310 ; *Zaïde,* 157.
4. Besenval, *Le Spleen,* 70.
5. *Célinte,* 134.
6. *Ibid.,* 312. A comparer avec : « Hulot, impassible et l'œil à tout, remarqua bientôt parmi les Chouans, un homme qui entouré comme lui d'une troupe d'élite, devait être le chef » (Balzac, *Les Chouans,* I, 63).

centre d'un cercle de regards : « Quand on les vit ainsi tous deux combattre de près, tous les autres combattants, en silence, mirent bas les armes pour les regarder attentivement. »[1]

Bien évidemment, le modèle littéraire épique, passé par le roman gréco-latin jusqu'au roman préclassique, pèse ici sur la description de la guerre, rendue héroïque, exaltante, belle. C'est pourquoi les descriptions de bataille seront rares dans le roman du XVIIIe siècle, avec un rejet du topos où se conjuguent idéologie et poétique du roman. Ce qui, chez Homère, ennuie Pococurante, c'est justement, dit-il à Candide, « cette répétition continuelle de combats qui se ressemblent tous »[2]. Le tableau de bataille du chapitre III révèle l'enjeu idéologique de cette appréciation formelle. L'espace n'y est plus celui d'un tableau d'ensemble, vision de stratège, il est morcelé en une suite d'images juxtaposées (« ici... là... d'autres »), il exprime la vision subjective d'un fuyard effaré, la dérision de l'héroïsme guerrier.

Avec cette même restriction du point de vue, d'autres cependant dessinent l'espace d'une guerre moderne. Prévost par exemple, bien documenté sur la guerre d'Irlande, dans les *Campagnes philosophiques,* où les évocations de combats sont nombreuses[3]. On y voit bien que, la nuit, les distances, la vitesse des déplacements, la configuration du terrain, tout ce qui détermine la visibilité, jouent un rôle précis pour le combat : « Le camp de Mylord Fergutz, qui touchait aux dernières maisons, n'était couvert que d'un simple retranchement... il s'était contenté de tenir ses gens sous les armes... avec ordre de faire brusquement leur décharge lorsque l'ennemi, qui croirait les surprendre serait à quatre pas du fossé... Les Français y furent trompés. n'entendant pas le moindre bruit, ils s'approchèrent avec si peu de précaution que l'obscurité même n'empêcha point nos gens de les ajuster... » (284). Le narrateur, Montcal, expose plus loin le projet d'un coup de main contre des « rebelles » condamnés par la disposition des lieux : « J'avais conçu qu'en faisant assez de diligence pour y (à Tilpenny) arriver pendant la nuit suivante, je pouvais... m'approcher sourdement de la ville, y faire mettre le feu à tous les coins, et disposer tellement ma cavalerie que, faisant face à l'entrée de toutes les rues, elle taillât en pièces tous ceux qui se présenteraient pour sortir » (290).

1. *Les Aventures de Télémaque,* XV, 433.
2. Voltaire, *Candide,* XXV.
3. Voir aussi Mouhy, *Le Masque de fer,* 292-295.

« Terrible dessein » qui donne lieu à une « affreuse boucherie ». Plus tard, bataille à Kanan, espace encore déterminant par ce qu'il permet de mouvement et de spectacle : « La nuit nous devint si favorable par un clair de lune qui dura jusqu'à trois heures, qu'étant arrivés presque à vue de l'ennemi avant l'obscurité, nous eûmes le temps de reposer près d'eux jusqu'à la pointe du jour... Quoique le terrain parût fort uni, il avait un penchant imperceptible, qui faisait qu'à une certaine distance (...) l'horizon était borné tout d'un coup ; et c'était sur cette espèce de sommet que nous avions fait reposer nos troupes. Worsley me fit ranger ma cavalerie sur les deux ailes à l'extrémité où commençait la descente ; et n'ayant pas donné beaucoup d'épaisseur à mes rangs, ils se présentaient d'un côté et de l'autre avec l'apparence d'un corps formidable » (351). C'est successivement l'espace du chasseur à l'affût[1], et celui d'une puissance qui veut intimider par son aspect « formidable ». Une autre fois, c'est une erreur d'appréciation du terrain, modifié par la pluie (« Le terrain, qui s'était éboulé dans le passage, avait laissé tellement le roc à découvert qu'il fut impossible de traverser l'espace d'environ douze pieds, dont la raideur se trouva insurmontable » (307) qui est la cause d'un échec. Même jeu de mouvement et de leurre dans les bois de Bourbonne, entre maréchaussée et contrebandiers, lorsque Félix et le charbonnier, « enveloppés d'un détachement de maréchaussée », font croire par leurs déplacements qu'ils sont une « horde »[2]. La guerre est devenue escarmouche nocturne confuse et meurtrière, elle n'a plus rien du beau et brillant spectacle bien ordonné. Il est vrai que Marivaux, quoiqu'il en dise, avait déjà travesti dans sa jeunesse les nobles batailles de Fénelon en mêlées sanglantes entre paysans « fanatiques » et soldats, où il n'était plus dit grand-chose des évolutions ni de la tactique, dans une succession de gros plans sur les coups et les blessures : « ... il joue de son bâton dans le moment que Brideron enfilait son oreille ; il cria et ouvrit la bouche en criant, et Brideron rapporta son épée dans son gosier. Il mourut alors sans pouvoir crier, et dit seulement en tombant : Peste soit de la pointe. »[3]

1. Depuis le Moyen Age, « la guerre ne se distingue plus de la chasse : l'Autre est un gibier, l'étendue où je le traque m'appartient de droit », Paul Zumthor, *Mesure du monde,* 179.
2. Diderot, *Les Deux Amis de Bourbonne,* 56.
3. *Le Télémaque travesti,* 929. Il faudra attendre, dans *Les Chouans,* « L'Embuscade » qui fait tout le premier chapitre, pour retrouver un récit de bataille aussi étendu, où un site, longuement décrit dans son ensemble, ait un rôle déterminant.

N'importe quel site peut être vu comme espace possible d'un affrontement guerrier, c'est-à-dire comme un espace d'attaque et de défense, avec cependant peut-être une préférence pour les espaces clos. Voici comment par exemple Mme la Marquise de Fresne, il est vrai amante d'un pirate, décrit une île : « ... outre la commodité de cette baie, elle est inaccessible de tous côtés : elle est environnée d'ailleurs de rochers escarpés qui règnent tout à l'entour, et où il est impossible qu'un seul homme puisse grimper en dix ans de temps, quand même il n'y aurait personne à s'y opposer. Il est vrai qu'à une portée de mousquet de cette baie, il y a un rocher, qui est non seulement bien plus bas que les autres, mais dont la pointe s'est éboulée, je ne sais comment : ainsi il paraît qu'il n'est pas impossible d'y monter avec des échelles de cordes, parce qu'il y a des endroits où l'on pût attacher des crampons : mais outre qu'on peut y bâtir un fort, dix hommes y tiendront tête à dix mille et pourront rendre tous leurs efforts inutiles. Je ne fais pas cette petite description sans sujet... »[1] Dans ce roman fort peu descriptif, se déploie tout à coup un imaginaire tacticien, où le sujet projette sur l'espace l'action possible (qui dans la fable du roman, est l'action future, l'île étant attaquée et défendue comme prévu quelques pages plus loin...).

Quant à la guerre maritime, souvent mise en scène par les romans à cause du grand nombre de pirates qui voguent en Romancie, le discours romanesque y privilégie, au détriment de la canonnade, le moment de l'abordage et du corps à corps, parce que la « valeur », la bravoure peuvent s'y manifester et que l'on peut y faire des prisonniers et surtout des prisonnières : c'est le cas dans les *Mémoires de la Marquise de Fresne* cités plus hauts, ou bien chez Prévost dans les *Mémoires pour servir à l'histoire de Malte* (144, 168, 227). Or les véritables Mémoires nous montrent bien, comme le *Journal* de Challe, que c'était exactement l'inverse et que la canonnade, qui pouvait durer des heures, était décisive. Il faut croire que, lorsqu'il s'agit de la mer et des pirates, le roman demeure plus « romanesque », plus fortement déterminé par des modèles littéraires traditionnels qui ont tendance à figurer de préférence le combat individuel à l'arme blanche, forme noble de l'affrontement. D'une façon générale, le rôle grandissant de l'artillerie est ignoré par le roman.

1. Courtilz de Sandras, *Mémoires de la Marquise de Fresne,* 120-121.

Dans ces séquences de guerre, l'espace romanesque concrétise différentes caractéristiques : la surface qui permet le mouvement, la dureté qui s'y oppose et peut donc transformer l'espace en piège ou prison, l'opacité qui, s'opposant à la vue, sert à dissimuler. Ces qualités dessinent un espace guerrier plus restreint, et plus subjectif. La guerre n'est plus l'occasion de panoramiques grandioses, même chez les moins « philosophes » : l'éloignement du modèle épique est aussi déterminant que l'idéologie. Même le très conservateur abbé Gérard dans son édifiant roman *Le Comte de Valmont* fustige comme un autre « égarement de la raison » « l'orgueil et l'ambition » d'un général qui conduit ses troupes au massacre dans un assaut insensé : « Le feu continuel qu'ils essuient, les pierres énormes, les morceaux de rocher qu'on détache et qu'on fait rouler sur eux, les précipitent à leur tour. Les fossés sont remplis de blessés, de morts, et de mourants. » Il se venge ensuite en incendiant des villages et faisant brûler « les cabanes des pauvres laboureurs » (IV, 457-458). Révéroni Saint-Cyr, soldat de métier, nous fait pénétrer, par l'intermédiaire d'une intrépide jeune fille qui y suit son amant, dans le monde masculin de la guerre, fait de discipline brutale, de saleté, de laideur et de lubricité. Elle manquera de mourir enterrée dans l'explosion d'un mine, restera défigurée par son passage dans cet espace infernal : « ... un fracas épouvantable surprend tout à coup, bouleverse, enlève dans les airs une partie des assaillants. Une atmosphère de souffre nous suffoque, la terre ébranlée, entrouverte, vomit ses entrailles de feu jusques aux cieux et soudain rappelle et engloutit en son sein mille infortunés qu'elle y avait lancés. Une mine effroyable emporta la moitié du Corps... »[1] Si la valeur militaire reste souvent une caractéristique positive du personnage masculin[2], le roman ne se hasarde plus à la mettre en scène, et se détourne de la figuration de l'héroïsme guerrier.

La guerre, et d'une façon générale tout conflit politique, partagent l'espace, et ceci de deux façons : en éloignant, et en créant une frontière qui sépare les camps en présence.

Elle se situe généralement au loin, dans un ailleurs distinct de l'action principale. Elle provoque donc une disjonction entre les person-

1. *Pauliska,* 134.
2. « Le XVIIIe siècle n'aime ni ses guerres, ni ses soldats, mais il pourrait aimer une nation militaire qui dessinerait des guerres enthousiastes et des soldats debout » (Arlette Farge, *Les Fatigues de la guerre,* 1996).

nages en éloignant les personnages masculins de l'espace urbain. Cette séparation peut être une simple commodité pour tenir un personnage à distance[1], ou bien constituer une véritable péripétie[2]. On peut assimiler ici à la guerre le « service » qui envoie de façon saisonnière en « campagne » le personnel aristocratique mâle des romans[3].

Car l'espace lointain de la guerre étant bien entendu normalement masculin, le roman devait bien jouer avec la transgression de cette norme. Volontairement ou non, travesties ou non, les héroïnes peuvent aller s'y égarer. *L'Héroïne mousquetaire* de Préchac fait la campagne de Flandre avec l'« infatigable Louis le Grand » (121), dort sous les tentes et vit sous la pluie (133-134), tout en traversant toutes les aventures attachées à ce genre de travestissement. La plus sage Mme de Granson, ayant appris les blessures dangereuses de son mari, « ne balança pas un moment sur le parti qu'elle avait à prendre ; et, sans être arrêtée par les prières de M. de Vienne (son père), et par les dangers où elle s'exposait en traversant un pays plein de gens de guerre..., partit sur le champ »[4]. Comme cela arrive très souvent, cette incursion donne l'occasion d'une scène de sauvetage : malgré l'escorte nombreuse donnée par son père, Mme de Granson est attaquée par des « gens d'armes anglais très supérieurs en nombre », et sauvée par son amant qui les met en déroute. Dans l'espace de la guerre, champ d'une violence institutionnalisée entre les hommes, la femme, la plupart du temps, est plus que jamais soumise à leur pouvoir.

L'autre partage de l'espace institué par la guerre est celui qui oppose des camps antagonistes, occasion encore pour instaurer une séparation et une distance entre les personnages, renforcées par la puissance des pouvoirs en conflit. La ville assiégée, la partition du territoire national dans une guerre civile comme la Fronde, créent des frontières qui engendrent autant d'épreuves. L'amour les affronte sur le mode héroïque : M. de Canaple faisant entrer par mer de la nourri-

1. « ... voilà le mariage de ma fille un peu retardé. Le comte de Gercourt, que nous attendions d'un jour à l'autre, me mande que son régiment passe en Corse ; et comme il y a encore des mouvements de guerre... » (Laclos, *Les Liaisons dangereuses,* I, IX) ; « son grade militaire l'oblige à des voyages fréquents, qui le rendent un des plus adorables maris que le Ciel ait fait naître pour la commodité des amants » (Dorat, *Les Malheurs de l'inconstance,* I, VI, 40).
2. « Mon père reçut la proposition du mariage comme je l'avais espéré... mais tous nos projets furent renversés par une lettre qu'il reçut du roi... il lui ordonnait de venir le joindre... il me donnerait à commander la compagnie de gens d'armes que mon père commandait alors... » (Mme de Tencin, *Le Siège de Calais,* 39).
3. Mme Riccoboni, *Histoire de M. de Cressy,* 21 ; *Ernestine,* 42, 51.
4. Mme de Tencin, *Le Siège de Calais,* 93.

ture dans Calais assiégé, à la fois pour « rendre à sa patrie un service signalé » et pour « sauver celle qu'il aimait »[1], ou héroï-comique : le duc de Nemours entrant dans Paris déguisé aux rênes d'une charrette pour, là aussi, sauver de la famine celle qu'il aime, mais se révélant mauvais charretier ![2] Sans que l'on puisse parler de guerre civile, il est clair que deux camps, celui de la loi et celui des hors-la-loi se partagent l'espace des récits mettant en scène les voleurs, brigands, contrebandiers, avec des séquences de combat, d'assaut qui mettent en œuvre un espace militaire : « ... rassemblant à la hâte ce qui reste de ses gens dans le village, il vole lui-même à la défense du défilé. Il n'était plus temps, deux cents dragons à cheval, venaient d'en forcer le poste, tombent dans la plaine, le sabre à la main... »[3] Mais alors que la plupart replient leurs hors la loi dans différentes variantes du souterrain ou du château (de Gil Blas à Jean Sbogar), l'originalité de Diderot dans les *Deux Amis de Bourbonne* est de retrouver la forêt comme espace de liberté et de mouvement, labyrinthe où seuls les contrebandiers et leurs amis se reconnaissent, où les pouvoirs sont donc inversés[4].

Par l'exil ou le bannissement, un pouvoir politique chasse un personnage dans un espace autre. Qu'il s'agisse de la disgrâce qui bannit un « grand » de la Cour[5], ou d'un M. de Jussy banni de France pendant sept ans pour subornation et rapt sur la personne de Babet Fenouil[6], la conséquence est chaque fois un éloignement brutal. Il s'agit d'ordinaire d'une épreuve parmi d'autres. Exceptionnellement, l'exil est au cœur du roman de Prévost, *Campagnes philosophiques,* où les quatre personnages principaux sont des exilés, et pour des raisons différentes : Schomberg pour cause de religion, Mme de Gien par amour, Mlle Fidert pour fuir la justice, et Montcal pour des raisons plus complexes qui mettent en jeu le hasard[7]. D'une façon générale, il ne faut pas s'attendre, dans le roman du XVIIIe siècle, à ce que s'exprime une souffrance de l'exil comparable à celle de Callirhoé au moment où, traversant l'Euphrate, elle dit son désespoir de devoir partir plus loin encore de sa patrie[8]. C'est seulement à la fin de *La Fin des amours de Faublas,* paru en 1790, qu'on

1. Mme de Tencin, *Le Siège de Calais,* 173-175.
2. Courtilz de Sandras, *Les Apparences trompeuses,* 134.
3. Sade, « Faxelange », *Les Crimes de l'amour,* 87.
4. Voir Robert Harrisson, *Forêts, essai sur l'imaginaire occidental,* 125.
5. Mlle de Scudéry, *Célinte,* 142 ; Mme de Lafayette, *Zaïde,* 40.
6. Challe, *Les Illustres Françaises,* 203.
7. Voir Jean Oudart, De l'exil comme découverte de soi, *Cahiers Prévost,* 1, 1984.
8. *Romans grecs,* 454, cité par M. Fussilo, 230.

peut lire : « Plaignez-moi, j'ai perdu ma patrie, et je ne puis me charger d'aucun emploi dans les armées de la République... » (1222). Ce sont cependant les jeux de la politique et de l'Histoire qui créent les exils les plus pathétiques. Celui des protestants, avec lesquels pleure l'Ingénu dans l'hôtellerie de Saumur[1], et celui, enfin et surtout, de l'émigration provoquée par la Révolution.

L'émigration commence souvent par une évasion, par une fuite qui fait appel à l'outil depuis longtemps romanesque du déguisement. Mais on trouve aussi dans *L'Émigré* des images d'exode qui se haussent à un autre niveau de pathétique : « Dans peu d'heures le chemin du col de Tende fut couvert de monde, et vieillards et d'enfants, de femmes grosses, d'autres qui portaient sur leurs bras leur enfant qu'elles nourrissaient » (1608). La Révolution, et les guerres qu'elle entraîne, divisent l'espace européen romanesque de façon radicale, opposant celui de la République française à tous les autres. Le roman épistolaire, et surtout celui de Mme de Charrière, avec ses *Lettres trouvées dans des portefeuilles d'émigrés*, arrive à faire dialoguer non seulement les deux mondes, mais différents types d'émigration, en différents lieux d'Europe. En vérité c'est un espace instable et mouvant qui s'est créé, suivant les avancées ou les retraites des armées, suscitant chez certains une véritable épouvante : « On dit que cette terrible Révolution doit parcourir l'Europe. Puissai-je mourir avant de voir dans mon pays exercer tant de barbaries ! », s'écrie la comtesse allemande après avoir lu le récit de *L'Émigré* dont elle tombera amoureuse[2]. Du côté des émigrés s'exprime le « déchirement qu'on éprouve quand on est enlevé subitement à toutes ses habitudes, à tout ce qui nous est cher ; quand on se trouve transporté au milieu d'hommes indifférents dont on ignore jusqu'à la langue. Toutes les pages de ma vie semblent effacées ; il faut recommencer » (XXII). L'espace perdu d'une vie antérieure est vu avec une nostalgie pleine de désarroi : « ... cette chambre jadis la mienne, d'où l'on voit la claire petite rivière s'avancer vers le roc escarpé, puis comme repoussée s'enfuir avec vitesse et se jeter au sein de la mer »[3], ou bien avec un détachement stoïcien : « La plupart des choses que j'ai perdues n'étaient pas des jouissances pour moi... »[4] La France est soit objet d'une idéalisation rétrospective, « ... en

1. Voltaire, *L'Ingénu*, VIII.
2. Sénac de Meilhan, *L'Émigré*, XII.
3. Mme de Charrière, *Lettres trouvées*, VIII.
4. Sénac de Meilhan, 1622.

France, c'est la nation qui était aimable... » (1586), soit d'horreur et de haine, « abominable patrie »[1]. Chez Sénac, comme chez Mme de Charrière, l'espace de l'émigration devient point d'observation de la Révolution, à une distance qui permet l'analyse et la réflexion. En même temps les personnages essaient d'y réaménager un espace de vie où s'établissent de nouveaux rapports avec les autres, avec des rapprochements inattendus et des ruptures, la véritable nouveauté n'étant pas tellement dans les rapports sentimentaux que dans les rapports sociaux : la retraite d'un jeune aristocrate vers le petit jardin à la campagne renouvelle le topos[2]. Après la Révolution, dans les premiers romans de Nodier, le bannissement, la proscription, la clandestinité caractérisent fondamentalement les personnages, en font des êtres exclus de l'espace de la loi et de la normalité[3].

VIOLENCES

A la différence de la violence légitimée de la guerre, les autres atteintes portées aux corps dans les duels, enlèvements, viols, assassinats, coups et blessures divers, sont des violences illégitimes qui plus ou moins gravement tombent sous le coup de la loi. Elles doivent donc en principe se cacher, et les variations de l'espace où elles doivent se dissimuler permettent d'apprécier leur rapport avec la loi.

Il existe une violence noble, c'est-à-dire légitimée par l'honneur, la bravoure, valeurs aristocratiques. Par exemple le tournoi : il se réfère à une réalité déjà lointaine lorsqu'on peut en lire l'évocation dans la nouvelle « historique » du dernier tiers du XVIIe siècle et encore plus dans les récits « troubadour » de la fin du XVIIIe siècle. Le tournoi est un spectacle qui a lieu dans un espace délimité par la cour au sein de l'espace urbain. On en a une indication très nette dans la *Princesse de Clèves* : « On fit faire une grande lice proche de la Bastille qui venait du château des Tournelles, qui traversait la rue Saint-Antoine et qui allait rendre aux écuries royales. Il y avait des deux côtés des échafauds et

1. Mme de Charrière, XIV.
2. Sénac de Meilhan, *L'Émigré,* 1644 ; Mme de Charrière, *Lettres trouvées,* XIV.
3. Voir *Le Peintre de Saltzbourg, Thérèse Aubert, Jean Sbogar.*

des amphithéâtres, avec des loges couvertes qui formaient des espèces de galeries... » (320-321).

Le duel au contraire se réfère à une pratique existante, mais qui est en principe depuis longtemps hors-la-loi. Pour un minimum de vraisemblance, il doit donc se dérouler sans autres spectateurs que ses acteurs et ordonnateurs, dans un espace qui peut n'être désigné que comme « lieu écarté ». Il est tenu à la discrétion, à l'opposé du tournoi, spectaculaire et officiel. C'est pourquoi il a lieu aux marges de la ville, comme dans le bois de Vincennes, ou bien dans la ville elle-même, dans ce qu'elle offre comme espace échappant aux regards du public, une « rue écartée » par exemple. Certes, la passion de la colère ou de la vengeance peut faire qu'il échappe à cette norme et qu'il ait lieu dans l'instant même, et devant témoins[1]. Mais de toutes les manières, le duel met également ses participants à l'écart en ce qu'il les oblige, après, à échapper aux poursuites prévisibles, à s'éloigner, à se cacher, à se « mettre à couvert »[2] hors d'atteinte du pouvoir de la loi. C'est en cela, outre son résultat physique, blessure ou pire, qu'il devient un événement dans les rapports entre personnages, en déterminant une séparation.

Le duel doit donc se dissimuler, s'écarter, et pourtant le duel a besoin d'un espace ouvert, extérieur, et diurne, espace de visibilité qui garantit la loyauté de l'affrontement.

On ne trouve plus guère de ces longs récits de combats, avec détail des coups et des esquives, que l'on peut lire aussi bien dans l'*Astrée*[3] que dans les « histoires » du *Roman comique*[4]. Toutefois le discours romanesque se resserre encore parfois sur l'espace étroit de l'escrime, focalise sur le jeu des armes et des corps : « M. de Lourville me porta un coup d'espadon qui rompit la branche de ma garde et me coupa deux doigts. Mon épée tourna dans ma main. Je prévis que j'allais être désarmé. Je connus alors à quel homme j'avais affaire. Assuré qu'il se servait d'une arme dont l'usage n'est permis qu'en campagne, je conçus qu'il avait voulu m'abattre le poignet... »[5] Ceux qui craignent cela et l'évitent sont classés parmi les lâches s'ils usent du pistolet : « Est-ce ainsi qu'on attaque un brave cavalier ? Descends de ton che-

1. Challe, *Les Illustres Françaises,* 168.
2. Prévost, *Le Doyen de Killerine,* 73.
3. Deuxième partie, éd. Jean Lafond, 272-276.
4. Scarron, 126, 136-137.
5. Digard de Kerguette, *Mémoires et aventures d'un bourgeois,* II, 4.

val, et viens si tu l'oses, mesurer ton épée contre la mienne», crie un noble personnage à celui qui vient de lâcher contre lui un coup de pistolet[1]. Chez Prévost, un personnage méprisable et ridicule dans sa crainte du duel passe successivement, dans une gradation significative, de l'épée au pistolet, puis du pistolet au fusil[2]. On utilise enfin l'arme à feu avec ceux qui ne méritent pas le noble corps à corps de l'escrime, les voleurs, les valets. A la fin du XVIIIe siècle le pistolet paraît cependant admis comme arme honorable du duel : «... nous nous joignons chacun le pistolet à la main. Nous tirons quatre coups sans qu'aucun porte; au cinquième mon cheval reçoit une balle dans la tête et tombe sous moi : je me relève plein d'une nouvelle ardeur, je tire... »[3]

Le duel est évidemment une affaire d'hommes; les duels de femmes, ou bien ceux auxquels une femme participe, sont des transgressions soulignées, piquantes ou pathétiques, de la norme[4]. La violence faite à une femme est ignoble et aura donc lieu la nuit, ou dans un espace resserré et clos : « Elle frémit en voyant entrer un inconnu, portant d'une main un flambeau et de l'autre un poignard; il était suivi par quatre hommes armés de pistolets et de sabres. »[5] L'enlèvement demande en revanche, un peu comme le duel, un espace plutôt désert, et de plus, ouvert sur le mouvement de la fuite : jardin, parc, grand chemin, forêt. Marivaux le sait bien : Tervire lorsqu'on l'entraîne vers un « petit bois » pour une rencontre discrète, plaisante : « Je me mis à rire. Au moins, puis-je me fier à vous, Madame, et n'a-t-on point dessein de m'enlever ? »[6] Cependant l'enlèvement finira par survenir aussi dans la rue, comme si la foule, la « presse », dans son anonymat qui fait écran, était comme une forêt[7].

Le duel est « travesti » en « comique » lorsqu'il émigre soit dans l'espace public du quotidien trivial, celui de l'auberge par exemple, ou même du théâtre[8], soit dans un certain espace privé. Il est alors

1. Mme Robert, *La Paysanne philosophe,* IV, 173.
2. *Mémoires pour servir à l'histoire de Malte,* 139.
3. Bastide, *Les Ressources de l'amour,* III, 47 ; voir aussi Louvet, *La Fin des amours du chevalier de Faublas,* 934.
4. Par ex. chez Louvet, *ibid.,* 935, et Mme de Villedieu, *Mémoires d'H.-S. de Molière,* II, 85.
5. Mouhy, *Le Masque de Fer,* 217.
6. *La Vie de Marianne,* 508.
7. Rétif de La Bretonne, *La Paysanne pervertie,* III, 38, 183 ; Mouhy, *La Mouche,* I, 304.
8. Scarron, *Le Roman comique.*

tiré vers le « bas », vers la rixe, non seulement par la substitution d'instruments, d'outils, d'objets du quotidien domestique aux armes traditionnelles, mais aussi par son transport dans les lieux « bas » de la maison, comme, par excellence, la cuisine : « Pharsamon, plus furieux qu'un lion, court après eux et les poursuit, son épée d'une main et une lèchefrite de l'autre, qu'il avait ramassée pour s'en servir comme de bouclier contre les morceaux de volaille et de gibier qu'on lançait sur lui. »[1]

La violence qui s'exerce dans l'espace clos des habitations, ou dans l'obscurité de la nuit (des villes ou des forêts), et qui s'écarte donc d'une façon ou d'une autre du modèle initial du combat face à face en plein jour et en plein air, est facilement considérée comme ignoble, plutôt agression, voire même assassinat, ou au mieux, malentendu tragique.

La maison voit s'exercer une violence pathétique, celle d'acteurs qui sont liés par les liens du sang ou du sexe. Déjà Camus, Rosset présentent avec une réprobation fascinée un nombre considérable d'horreurs domestiques. Ensuite, les intérieurs peuvent abriter une violence tolérée par les principes de l'honneur, celle du mari outragé par l'adultère, ou ennoblie par les passions familiales ou amoureuses : des frères se battent à l'épée dans une chambre bien close de l'appartement familial, dont on doit enfoncer la porte[2], une maîtresse jalouse attaque au poignard[3]. Mais l'espace de la demeure loge aussi la violence basse et odieuse, celle qui passe par le poison, la drogue, s'il s'agit de grands[4], ou, chez les humbles, par les objets triviaux de la maison. Dans *Ingénue Saxancour,* un mari humilie et torture son épouse en usant de tout ce qu'il trouve au logis : tenailles, brosses à décrotter, épingle, canne et baguette, table et chaises, pot de chambre... Une violence inquiétante pervertit l'espace domestique : tout peut y devenir arme, danger[5].

1. Marivaux, *Pharsamon,* 574-579.
2. Challe, *Les Illustres Françaises,* 477.
3. Prévost, *Campagnes philosophiques,* 330.
4. Saint-Réal, *Dom Carlos,* éd. Guichemerre, 258.
5. Du côté des archives de police, A. Farge confirme : « Les rapports des médecins et des chirurgiens du Châtelet chargés d'examiner les blessures et d'ordonner les soins nécessaires renseignent sur la gravité des coups et des blessures. Tout est bon pour frapper : ustensiles tranchants, bouteilles, tabourets de bois, serpettes, poêlons, et chaudrons, fourches de rôtissoires... » (*Vivre dans la rue,* 125).

La violence sexuelle s'éloigne des regards, s'enferme. Ce peut être aussi bien au fond d'une forêt, où l'oncle de Sylvie de Molière tente de la violer[1], que dans un lieu dont importe la clôture, château, couvent, cabinet, chambre, comme celle de la maison «écartée» où lady Axminster est violée par l'infâme Aberdeen dans *Cleveland* (44). L'espace n'est plus celui d'un affrontement entre deux acteurs, il devient piège pour une victime. Dans la version atténuée, la femme agressée dans son «cabinet» tire le cordon de la sonnette; le plus souvent la clôture est inviolable, la communication avec l'extérieur tout à fait impossible et on le fait savoir à la victime. L'espace clos matérialise la toute puissance de l'agresseur.

Les salles de torture de l'Inquisition[2], les intérieurs secrets de certains couvents, donnent au cauchemar une couleur politique et critique. On notera cependant que ce sont toujours de belles jeunes femmes qui y sont tourmentées, et que l'Inquisition est forcément espagnole ou portugaise. Pas de roman mettant en scène dans son espace propre la violence légale de la «question» dans la justice royale française, si ce n'est la brève image d'un condamné disloqué sur un brancard, dans *Mme de la Carlière* (Diderot, 107). Autrement dit, la critique de la torture exercé par un pouvoir légal doit passer par l'image ambiguë, parce que fascinante, d'une violence sexuelle, de surplus éloignée dans le temps et dans l'espace.

Ce type d'espace, chez Sade, est décisif et nous aurons à y revenir. Notons dès à présent que, d'une part il perfectionne (car il n'est pas le seul à avoir imaginé des instruments de torture) un imaginaire technique de la violence dans l'invention de très perfectionnées machines à faire souffrir, et que de l'autre, la violence ne s'exerce pas dans l'intimité du bourreau et de sa victime mais est la plupart du temps un spectacle pour quelques-uns. Cette double caractéristique, machinique et spectaculaire, rapproche ses espaces de celui des exécutions et supplices publics qui caractérisaient la justice de l'Ancien Régime, comme s'il y avait une sorte de renfermement parodique, dans un espace privé, de l'exercice spectaculaire et public de la loi, expression nostalgique des pouvoirs de justice que la féodalité

1. Mme de Villedieu, *Mémoires d'H.-S. de Molière,* 17.
2. Dulaurens, *Le Compère Mathieu,* III, III ; Sade, *Aline et Valcour,* 904-905 ; voir une version parodique qui témoigne de l'épuisement du topos dans Pigault-Lebrun, *Le Garçon sans souci,* II, 171-173.

accordait au seigneur. N'oublions pas les turbulents jeunes gens de bonne famille que Challe montre jouant aux juges et aux bourreaux sur un pauvre « oublieux », abrités par le secret de leur « taudion »[1].

La violence répressive de la loi est plutôt celle qui surgit, fait irruption et emporte. L'espace privé n'en protège pas : on arrête dans leur chambre, dans leur lit, des amants en fuite[2], l'étranger qui dérange[3], ou l'intendant dans le lit de la pâtissière[4]. Mais c'est la rue qui est en principe le mieux soumise à cette loi, représentée par certains acteurs. Un temps, les rapports violents qui peuvent survenir entre personnages et forces de l'ordre peuvent avoir un caractère ludique, et des jeunes gens bien nés peuvent s'y confronter avec les forces de l'ordre, sans que cela paraisse apparemment très subversif[5]. La « mouche » de Mouhy raconte encore comment un chevalier aux prises avec des archers est spontanément secouru par « des jeunes gens qui buvaient dans un cabaret voisin » et qui « ayant mis la tête à la fenêtre, rougissant de voir un homme accablé par le nombre, accoururent à ce combat, mirent l'épée à la main » et sauvent le cavalier qui se perd dans les rues à la faveur de l'obscurité[6]. Une cinquantaine d'années plus tard, Mercier note dans son *Tableau de Paris* qu'il n'est plus question de « rosser le guet » (LXII). Entre-temps le roman représente maintes fois l'arrestation dans la rue, avec un personnel qui comprend d'ordinaire l'exempt, les archers, le fiacre, le public. La scène cristallise une violence latente. L'Ingénu « jette par la portière » deux de ses « conducteurs » (120) ; lorsque le fiacre qui transporte le « Compère Mathieu » est attaqué, « l'exempt qui était un spadassin, voulut raisonner, on le tua : un des recors voulut se mutiner, on l'écrasa ; l'autre voulut se défendre, on l'égorgea ; un pousse-cul voulut crier, on l'étrangla ; son camarade plus prudent, se sauva... »[7] ; l'« Enfant de Carnaval » renverse « deux ou trois drôles »[8]. Mais cette violence révoltée est à la fin inutile : les héros ploient sous le nombre, et le « Compère Mathieu » a été délivré par erreur ! Force reste à la loi, celle du

1. *Les Illustres Françaises,* 455.
2. Challe, *Les Illustres Françaises,* 201 ; Prévost, *Manon Lescaut,* 78.
3. *L'Ingénu,* IX.
4. Diderot, *Jacques le Fataliste,* 122.
5. Voir Sorel, *Histoire comique de Francion,* 338-340, 498.
6. *La Mouche,* I, I, XV, 172-173.
7. Dulaurens, I, 70.
8. Pigault-Lebrun, 199.

Roi. La résistance, s'il y en a, est mise à l'actif d'une intervention extérieure, ponctuelle, parfois d'un malentendu. Certes le contrebandier délivré par une « populace indignée », comme la servante « arrachée des mains du bourreau »[1], expriment une protestation d'une autre force et d'un autre contenu que celle des jeunes gens de Mouhy, qui mettaient l'épée à la main par un instinctif sens de l'honneur, ou le goût du sport. Mais des deux contrebandiers de Diderot, l'un est tué sur place, l'autre entraîné dans une marginalité tragique, errant jusqu'à aller mourir en exil. Quant à la servante, sur le point d'être rattrapée, elle se jette à la Seine. Le roman peut-il figurer une résistance victorieuse au pouvoir de la loi dans la rue, même si l'« énergie » passe par le hors-la-loi[2] ?

On a vu que le duel s'éloigne par prudence de la rue en tant qu'espace public peuplé de regards. De toutes manières, la violence privée qui s'y exerce, même si ses acteurs sont nobles, tend vers l'ignoble. Elle est une lâche agression[3], un assassinat[4], un règlement de compte crapuleux (voir la mort de Lescaut). La rue est le lieu par excellence d'une agression déloyale par l'inégalité du nombre des combattants, qui donne à un sauveteur l'occasion d'intervenir ; on peut le voir aussi bien dans les *Mémoires de d'Artagnan* (347) que dans le *Paysan parvenu* (250).

C'est que la violence qui s'exerce dans la rue reste d'essence populaire, donc « basse ». Le roman laisse d'ailleurs passer quelques éclats de ces « émotions » brutales : émeutes du temps de la Fronde[5], huées ou même lapidations, colère justicière de la « canaille » contre un équipage qui a renversé un enfant[6] ou contre une « marâtre »[7], rixes mortelles entre gens d'épée et coupe-jarrets : « ... il y avait à quelques pas de là un tas de briques dont ces coquins se munirent chacun de trois ou quatre et revinrent sur nous. Vanalvé en reçut un coup au milieu

1. Diderot, *Les Deux Amis de Bourbonne,* 52 ; Lesuire, *L'Aventurier français,* I, 148.
2. Michel Delon, *L'Idée d'énergie au tournant des Lumières,* 474-476.
3. Mme de Villedieu, *Mémoires d'H.-S. de Molière,* III, 154.
4. Saint-Réal, *Dom Carlos,* 148-9.
5. Segrais, *Nouvelles Françaises,* « Honorine », 266-268.
6. « Une femme magnifiquement vêtue que ces insolents avaient mis dans un état pitoyable ; sa robe était déchirée et sa coiffure pleine de boue... » (Mme Méheust, *Mémoires du Chevalier,* 268).
7. « On a manqué de lapider la marâtre dans la rue, quand elle est retournée chez elle. Les glaces de la voiture ont été brisées, elle a eu même la tête fracassée et ensanglantée. Le peuple furieux a cassé, à coups de pierre, toutes les vitres de son logis » (Lesuire, *Le Crime,* II, 87).

du visage qui l'étendit de tout son long... »[1] Cette violence populaire, soudaine, effrayante et sauvage, culminera dans les images que Rétif de La Bretonne (dans *La Semaine nocturne* et la XVIe partie des *Nuits*), puis un certain roman révolutionnaire et postrévolutionnaire (comme *Éponine* de Delisle de Sales[2], *Le Cimetière de la Madeleine* de Regnaut-Warin[3]) donnent de la rue parisienne et de ses « cannibales ».

En somme, malgré le poids considérable du modèle de l'affrontement chevaleresque, le partage traditionnel qui faisait que les affaires d'honneur se règlent dans un espace ouvert pour un affrontement loyal, soustrait par nécessité au regard de la loi et du public, et les affaires mues par les passions sexuelles et familiales dans l'espace clos du domestique, ou le *no man's land* de la forêt, ce partage se complique. D'une part il est bordé par l'espace dangereux de la rue, où s'expriment des passions « basses ». Enfin on a bien l'impression que désormais la loi, partout et toujours, *peut* faire irruption.

ENFERMEMENTS

La violence s'enferme, la violence enferme : l'espace ici n'est plus (seulement) l'écran nécessaire à une violence qui veut s'exercer loin des regards, il est l'instrument même d'un pouvoir qui s'exerce à l'encontre d'un personnage. Il sert, par sa configuration, à priver de liberté, à empêcher le mouvement et la communication. Il s'agit d'enfermer, d'isoler, et, en réponse, de communiquer malgré tout et de s'évader.

Les lieux évoqués peuvent paraître d'une grande variété. Mais sous une légère couleur locale destinée à rappeler que nous sommes par exemple en Orient dans un « sérail », ou bien chez les « sauvages » Rouintons (la prison devenant « lieu environné de pieux »), on

1. Catalde, *Le Paysan gentilhomme,* 29.
2. « Cependant l'émeute populaire, comme des vagues qui s'élèvent en s'amoncelant, prenait à chaque instant une nouvelle activité. Le peuple, profitant du sommeil de la force publique, mit le feu de quatre côtés à la maison du Philosophe [...] les brigands, qui avaient trouvé quelque résistance dans la maison qu'ils livraient aux flammes, avaient massacré un homme et une femme ; ils imaginèrent, dans leur orgie de cannibales, d'en clouer les deux têtes réunies sur les pointes d'un trident... » (505).
3. Voir par exemple l'épisode atroce où une femme reconnaît son mari, à une bague, dans un cadavre putréfié et défiguré qui gît rue de l'Échelle, I, 58-59.

retrouve un espace toujours composé de la même façon. Un espace clos de petite dimension est inclus dans un espace plus grand : la chambre dans la maison, la cellule dans le couvent, le cachot dans le château, ou dans la prison. L'espace le plus petit est véritablement instrument de la contrainte, tandis que l'espace englobant, couvent et château, indique l'autorité qui la justifie : individu, famille, institution.

Le pouvoir de l'état royal, et ses prisons, sont d'une façon générale prudemment évités par le roman jusqu'à la Révolution : la Bastille où est enfermé Georges dans *Le Doyen de Killerine* n'est qu'un mot. Ou bien, si le compagnon de captivité s'avère être une belle fille, elle devient une plaisante alcôve et la libération une catastrophe[1] ! Voltaire seul y loge longuement l'Ingénu, en fait un lieu d'initiation. Après la Révolution, le roman contre-révolutionnaire évoquera les geôles honnies de la Terreur, mais d'une manière qui n'apporte rien de nouveau[2].

Du premier volume d'enfermement, les images les plus marquées se ressemblent et il est difficile de distinguer le cachot de la prison de la cellule du couvent : « Une petite chambre fort humide, et fort malpropre. Un monceau de paille borné de trois côtés par les murs était la couche délicate qu'on m'avait destinée, un banc qui bordait ce lit somptueux, tenait lieu de siège et de table, et deux seaux à quelque distance l'un de l'autre terminaient tout l'ameublement » : c'est un cachot[3] ; « ... le jour ne pénétrait que par une lucarne ; une chaise, une petite table, un misérable grabat, un crucifix et une tête de mort en composaient tout l'ameublement ; l'humidité des murs était cause que des filets d'eau couraient le long des murs et détrempaient la terre qui servait de parquet... » : c'est dans un couvent[4]. La cellule ne se distingue du cachot laïque que par les symboles religieux funèbres dont la vague du roman « noir » va accentuer la présence. A part cela, si les lieux, où qu'ils soient, sont décrits, ils le sont en termes de manque et de privation : manque de lumière (dans l' « obscur » cachot, le jour est faible, on ne distingue pas la nuit du jour), de confort (la paille), de propreté et d'hygiène (l'humidité), de nourriture (« j'avais entendu dire » fait dire malicieusement Potocki à son héros, « que les cachots étaient quelquefois garnis de pain et d'une cruche d'eau »)[5]. Cet espace

1. Dupré d'Aulnay, *Les Aventures du Faux chevalier de Warvick.*
2. Par exemple, Rosny, *Les Infortunes de M. de la Galetière,* 45.
3. Digard de Kerguette, *Mémoires et aventures d'un bourgeois,* 174.
4. Nougaret, *La Paysanne pervertie,* III 202.
5. *Manuscrit trouvé à Saragosse,* 73.

n'est pas seulement barricadé, il permet de voir *a contrario* ce qui est de plus en plus considéré comme nécessaire pour vivre : la lumière, la propreté, la nourriture, et même certains ustensiles, un mobilier (Suzanne note exactement tous ceux dont on l'a privée dans *La Religieuse*). Si l'espace le plus restreint, celui qui proprement enferme, semble assez uniforme, il n'en est pas de même de celui qui le contient, où trois types au moins sont à distinguer : le château, le repaire des hors-la-loi, et le couvent.

Le château est isolé, vertical, archaïque : « [...] il (roi de Mitylène) s'avisa de la (sa fille) mettre dans un château... ayant provisions de vivres pour plus de six ans ; puis il fit venir des extrémités de la Paphlagonie six mille Barbares qui furent dispersés à l'entour du château, lequel était environné de hautes murailles, en sorte qu'ils ne pouvaient la voir. »[1] Par la suite, plus économe en moyens, le roman a tendance à l'isoler en l'entourant d'un glacis naturel d'« horreur » qui en fait un « désert » : montagne, Pyrénées, « roc escarpé », « épaisses forêts »[2]. Vertical, le château s'élève et s'enfonce, comme si le lieu d'enfermement devait être à un autre niveau que la vie normale, au-dessus (même s'il n'est qu'une simple « chambre ») comme la tour, au-dessous, comme le cachot ou le souterrain. La verticalité, dans un récit comme *Vathek,* est un défi qui réanime la cosmologie verticale du « grand code » biblique, dans sa version parodique et démoniaque de la tour de Babel[3]. La plupart du temps elle se développe plutôt vers le bas, c'est-à-dire vers le mal. J. Dejean voit dans Silling un modèle de fortification à la Vauban, forteresse enterrée, discrète, cachée, à l'opposé du château médiéval et de l'érection spectaculaire de son pouvoir[4]. Il n'en reste pas moins que le château rassemble potentiellement ces deux écarts, offrant à la fois la tour, le cachot, le souterrain. Le château enfin est « vieux », « antique et délabré ». Silling fait exception : les « soins des quatre amis » viennent de le mettre dans « l'état et d'embellissement et de solitude encore plus parfaite » qui va être décrit[5], et en effet il ne se réfère ni à une réalité architecturale contemporaine, ni à un droit commun qui interdit et sanctionne la violence

1. Desmarais de Saint-Sorlin, *L'Ariane,* 65.
2. Voici une des mille versions du topos, assez « pure » : « ... un antique château situé sur une éminence et environné de tous côtés par d'épaisses forêts » (Lambert, *Mémoires et aventures d'une dame de qualité,* 62, 140).
3. Voir Beckford, *Vathek,* 92-93 ; N. Frye, *La Parole souveraine,* 171-182, 214.
4. *Literary fortifications,* 280.
5. *Les Cent vingt journées de Sodome,* 54.

qu'il représente[1]. Or cette disposition de l'espace reste inchangée quel que soit le style du roman, qu'il soit roman « sentimental », roman d'aventures, ou conte merveilleux, jusqu'à *Jean Sbogar,* par exemple.

Le couvent sera ici le couvent-prison, et non de celui qui sert de refuge momentané ou définitif), ou de lieu de retraite. Le couvent est toujours là, comme une ressource ou une menace, le long de l'existence féminine. L'oppression, la contrainte peuvent s'y combiner avec d'autres fonctions d'éducation et d'initiation : on y lit des romans, on y apprend les bonnes manières, ou éventuellement le plaisir sexuel. Mais à la différence du château, il n'est pas « vieux », se réfère à une réalité sociale contemporaine, et même à une institution familière Il ne se développe pas non plus autant dans la dimension verticale : il peut s'enfoncer en « in pace », cryptes, tombeaux, il ne s'élève pas. En revanche il abrite une société structurée, hiérarchisée, ce qui implique qu'il y ait d'autres cellules, d'autres chambres, comme celles de l'amie, de la Supérieure. Et surtout la clôture est moins stricte : certains éléments qui constituent l'espace du couvent ont pour fonction le contact et la communication avec l'extérieur : le parloir (où s'établit une communication contrainte, où circulent paroles, billets, où les gestes sont exaltés par la grille : « ... j'avais passé une moitié de ma main par la grille pour avoir celle de Mme de Miran, qui en effet approcha la sienne ; et Valville, éperdu de joie et comme hors de lui, se jeta sur nos deux mains, qu'il baisait alternativement »[2], le jardin, son mur, sa porte qui donne sur la rue (très utilisés pour les évasions, les enlèvement, les visites nocturnes), la chapelle pour le spectacle touchant des prises de voile.

Par l'importance, et la fréquence de tout ce qui concerne cette communication, par les séquences narratives cardinales de l'entrée et de la sortie, qui prennent très souvent la forme plus précise et plus pathétique de la prise de voile et de l'évasion, on peut même dire que l'espace du couvent est finalement déterminé par ce qui lui est extérieur. La complexité de cet espace peut faire que le roman y enferme une histoire entière ou presque (comme dans *La Vénus dans le cloître*,

1. Celle-ci semble supposer en effet que « chacun est maître absolu sur ses terres, et peut y commettre impunément toute espèce de crime de droit commun sans que nul songe à le dénoncer », et se référer ainsi à « une société féodale à une époque où Richelieu, Anne d'Autriche et Louis XIV instaurent un ordre centralisateur », font justement remarquer dans une note les éditeurs des *Romans de jeunesse* de Marivaux, 1099.

2. Marivaux, *La Vie de Marianne,* 206.

ou *La Religieuse* de Diderot), ce qui n'arrive pratiquement pas pour l'espace du château, Silling mis à part.

Le repaire des hors-la-loi enferme les voyageurs naïfs et désemparés, mâles ou femelles (Gil Blas, Alphonse Van Worden), les victimes errantes et pourchassées (Justine, Pauliska). Il est essentiellement secret, cela se voit à son entrée, et il abrite comme le couvent une collectivité soumise à une autorité, le plus souvent tyrannique, celle d'un chef. C'est à la nature qu'il doit d'être ainsi secret : à la terre qui l'enfouit dans un souterrain, à la roche qui le cache dans la grotte, depuis au moins Apulée[1]. Le roman a tendance à éloigner de la ville (bourgeoise ou aristocratique) la violence de ses hors-la-loi dans une nature « horrible » qui les dissimule, les protège et les représente.

Certes on peut considérer que l'on se heurte chaque fois à « ces deux bornes fatales de la représentation que sont le sépulcre et le ventre maternel »[2]. Ou bien que le château représente la nostalgie d'un pouvoir féodal, le couvent une image ambivalente du pouvoir religieux, et le repaire des brigands une façon de repousser la menace (ou le rêve) des hors-la-loi loin de la société des honnêtes gens dans une nature « sauvage ». Mais le roman associe, compose, combine ces différents topoï. Sous les *Effets de la sympathie* du jeune Marivaux courent des souterrains avec travail forcé et supplices (227-229). Dans les *Mémoires turcs* de Godard d'Aucour, le « monastère » où la « secte de Jatab » se soumet de jeunes vierges sous couvert de religion, tout en étant un séjour caché de délices, a bien le caractère « écarté » du château (25-26). Les châteaux, les couvents ressemblent facilement aux prisons[3]. Même l'euphorie érotique du *Portier des Chartreux* ne doit pas

1. La description mérite d'être citée, comme exemple de clôture « naturelle », de *locus horribilis* : « C'était un mont hérissé et ombragé de forêts feuillues, et d'une altitude considérable. Le long de ses pentes, entourées de rochers très aigu, et, par là, inaccessibles, des ravins pleins de crevasses et fort profonds, défendus par des buissons d'épines et isolés de toutes parts, constituaient une protection naturelle et continue. Du sommet jaillissait à gros bouillons, une source abondante, qui, tombant en cascades, déversait une onde argentée, bientôt divisée en plusieurs ruisseaux et formant, dans les ravins dont j'ai parlé, un chapelet d'étangs qui établissaient autour du site comme une ceinture à la façon d'une mer fermée ou d'un fleuve stagnant. Le rocher où s'ouvrait la grotte se dressait, pareil à une tour, au bord de la falaise... » (*Les Métamorphoses,* dans *Romans grecs et latins,* 204).
2. Durand, *Les Structures anthropologiques de l'imaginaire,* 274.
3. « ... j'aperçus un Château des plus déserts... je traversai plusieurs grandes salles... dont les fenêtres fermées par de gros barreaux de fer donnaient à ces vastes appartements l'air d'une ancienne prison... » (*Mémoires de Madame la Comtesse,* 139) ; il faut voir aussi comment Prévost décrit dans *Le Monde moral* le site du couvent de la Trappe : « grand circuit de murs », « affreux désert », « montagnes couvertes de bois et divisées par des précipices », « chemin étroit et scabreux » (313-314) ; toutes caractéristiques que Silling multipliera par dix.

faire oublier que la « piscine » des plaisirs est, à l'intérieur du couvent, un lieu où les « sœurs » ont acheté les plaisirs par un « esclavage éternel » (251), lieu soigneusement dissimulé auquel quelques moines ont accès de façon souterraine en passant par un caveau (232, 237) (comme à Sainte-Marie-des-Bois). Sade surtout fait courir ses héroïnes indifféremment de château en couvent, en passant par les repaires de divers hors-la-loi et les salles de l'Inquisition. Ces espaces constituent une synthèse originale. Loin qu'ils soient caractérisés par un dénuement systématique, la privation y est modulée avec la pléthore et le luxe des lieux de plaisir, selon les supplices, et selon qu'il s'agit des bourreaux ou des victimes. Ils ont à la fois le caractère hermétiquement clos du château, avec même une clôture hyperbolique[1], et la fonctionnalité du couvent. Ils sont enfin soumis à une autorité qui comporte une hiérarchie et impose une règle, comme ceux du couvent ou du repaire de voleurs.

On arrive ainsi à la fin du siècle, et non seulement chez Sade, mais aussi bien chez Révéroni, Lesuire, Ducray-Duminil que chez Nodier, à des espaces qui allient le secret et le caractère « écarté », dans le temps et l'espace, du « vieux château », la règle et la fonctionnalité de l'espace conventuel, avec sa façade vénérable tournée vers la société des gens ordinaires, et la marginalité subversive des brigands. Le pouvoir qui s'y exerce n'est plus seulement celui d'un passionné déréglé, d'un furieux jaloux. C'est, en apparence, ici celui de l'Église, plus loin celui de contrebandiers, ailleurs encore celui de quelques potentats libertins, ou d'un savant détraqué. Avant tout c'est le pouvoir d'une petite collectivité réduite à la secte, bande, société d'amis, petit groupe dissimulé dans les plis anciens de la société des gens normaux, défi et menace. Moines débauchés, contrebandiers, faussaires, libertins de la haute société[2], sectaires d'une science dévoyée, par le fait qu'ils évoluent dans un espace composite, deviennent les images effrayante d'une angoisse, ou d'une fascination pour l'autorité concentrée du petit groupe clandestin, de la communauté secrète hiérarchisée, toute puissante dans l'espace clos, secret qu'elle s'est aménagé.

Comme antidote, Potocki développe sa version claire, celle des « Lumières » : les Gomelez du *Manuscrit* représentent aussi le pouvoir

1. Dont l'expression la plus marquée se trouve dans la description du site des *Cent vingt journées de Sodome,* 54-55.
2. Voir *Les Aphrodites,* de Nerciat.

secret de quelques-uns, pouvoir souterrain comme la mine d'or qui le fonde. Seulement ils ne violentent pas Alphonse, ne l'enferment ni le torturent, ils l'initient, essentiellement en lui racontant ces violences, qui viennent d'un passé plus ou moins lointain, peut-être même imaginaires.

ÉVASIONS

L'efficacité de la clôture de ces espaces d'enfermement est variable. Pas d'enfermement à perpétuité dans le roman. Lettres, billets, regards, chansons peuvent circuler par les soupiraux, grilles, volets, jalousies. Et pour que l'histoire suive son cours, il faut qu'il y ait autant de messages, d'évasions, de délivrances que d'enfermements. On s'évade parfois avec une facilité relevée avec candeur ou ironie : « Il sortit par une voie si cachée que l'on ne put comprendre comment... »[1] Mais l'évasion peut aussi être plus élaborée techniquement, plus ingénieuse, y montrer le sujet aux prises avec les objets, les outils et la matière. Du coup la difficulté et les risques (parfois mortels) de l'entreprise apparaissent, et manifestent la violence faite au corps.

On peut le vérifier dans trois évasions typiques hors de couvents, choisies entre cent. Dans *Le Siège de Calais* (147) la facilité de l'évasion frôle l'ironie, les corps ne pèsent pas, le mur n'empêche rien, ils volent (« ... je la pris entre mes bras ; je remontai le mur en la tenant toujours embrassée, et je la menai à une petite église peu éloignée où j'avais fait tenir un prêtre. Je la remis dans le jardin de la même façon que je l'en avais fait sortir... »). L'autorité qui préside à l'enfermement n'est nullement remise en cause puisque la jeune fille est venue s'y soumettre pour se punir de ne pas aimer celui qui l'aime. Il vient l'y rejoindre (déguisé en déménageur (138)) et la convainc de l'épouser en secret, ce qui exige les voltiges ci-dessus[2].

1. Mme de Scudéry, *Célinte,* 119 ; pour l'ironie voir par ex. *Le Compère Mathieu,* III, 171 ; et Mme Tencin, *Le Siège de Calais,* 147-148 ; Jonval, *Les Erreurs instructives,* I, 75 ; Louvet, *Une Année de la vie du chevalier de Faublas,* 666 ; Rétif de La Bretonne, *Le Pied de Fanchette,* 177.
2. De même : « ... il y avait par bonheur une partie de la muraille du jardin abattue depuis quelques jours, elle comprit qu'il lui serait aisé de passer par là. Tout ce qu'elle avait projeté réussit avec la dernière facilité... » (Mme d'Aulnoy, *Histoire d'Hypolite, comte de Duglas,* 202-203).

Henriette-Sylvie de Molière[1] s'évade, elle, avec une compagne, d'un cloître qualifié d'« affreuse prison » où l'a fait enfermer la mère de son amant, qui s'oppose au mariage en raison de sa naissance illégitime. L'évasion met fin à un séjour qui dure deux mois et six pages (sur plusieurs centaines). Le couvent est donc classiquement l'instrument d'un pouvoir familial conformiste, qui poursuit l'héroïne pendant à peu près toute la durée du roman. Grâce à une clef contrefaite les jeunes filles ont accès au jardin où les attend le ravisseur. Il faut franchir un mur couvert d'une treille d'espaliers, qui se rompent. Le jeune homme doit alors monter sur une grosse pierre et servir d'escabeau : elles grimpent sur son dos puis sur sa tête pour atteindre le faîte du mur où un valet les fait descendre sur les chevaux. Le mur est devenu un obstacle consistant, les corps ont pris du poids, et la difficulté est résolue avec l'aide du ravisseur d'une façon quelque peu burlesque. On pourrait multiplier les exemples de ce type : panier et poulie du *Guerrier philosophe,* conduit d'écoulement des eaux du *Solitaire philosophe* qui sert de voie de communication secrète avec l'extérieur pour une chanoinesse, et où deux amants se rencontrent, innombrables échelles de corde (comme celle des *Erreurs instructives*, de *La Religieuse malgré elle,* des *Soirées du Bois de Boulogne*) et de bois, jusqu'à *Faublas*, en 1790, qui s'évade déguisé en religieuse vers le jardin mitoyen... C'est à la fois concret, et ludique, et si l'on s'en évade ainsi, le couvent ne paraîtra pas comme un espace trop redoutable.

Lorsque Justine s'évade de Sainte-Marie-des-Bois[2] le récit de l'évasion occupe trois pages : il faut scier des grilles à l'aide d'un mauvais ciseau, descendre vingt ou vingt-cinq pieds avec une corde faite de linges, franchir six enceintes de haies, en faisant une brèche avec un long couteau, fouler au passage et tâter de la main les cadavres enterrés entre deux haies, sauter dans un fossé, en escalader la paroi en utilisant les défauts du revêtement de briques, qui s'éboule, ensevelit à demi Justine, qui repart à l'assaut cette fois victorieusement, sort du fossé, s'enfonce par un sentier dans la forêt en bordure du couvent. La difficulté de l'action est longuement narrativisée, la figuration quantifiée, les mesures des éléments qui font la clôture sont précises, le corps pèse, peine, est blessé (dans *La Religieuse*, Suzanne a les jambes « dépouillées » lors de son évasion), la mort côtoyée, pour déboucher

1. *Mémoires d'H.-S. de Molière,* 38, 44-46.
2. Dans *Justine ou les malheurs de la vertu,* 281-284, et puis dans *La Nouvelle Justine,* 814-817.

non pas dans l'espace public normal comme les autres évadées (une rue, un jardin mitoyen) mais dans un lieu lourd de menaces, une forêt. C'est que Justine s'échappe d'un espace effrayant, labyrinthique et souterrain, où quelques bénédictins règnent avec un despotisme extrême sur un petit sérail de femmes, à qui ils font subir des sévices sexuels aux effets mortels.

C'est sans doute dans l'évasion que se figure le mieux l'espace comme un obstacle fait au corps, et la violence qu'est l'enfermement. Plus l'évasion est difficile, douloureuse, et représentée avec plus de précision, plus l'autorité est pesante, effrayante.

REGARDS

Dans la maison de Sir Sidney, riche et libertin, tout est aménagé pour que rien de ce qui se passe dans les chambres de ses invités ne puisse échapper à son regard : « Quant à moi, tout m'est connu... »[1] « Je te surveille, tu sais que je suis ta sylphide. J'aurai toujours l'œil sur toi. Je saurai te déterrer partout où tu vas ! » : cette fois, c'est la « machine aérostatique » qui remplace les pouvoirs des « êtres élémentaires », et donne à l'amante celui de surveiller l'amant, qui roule en-bas dans sa diligence. Heureusement, il est « patriote », a même été « blessé à la Bastille »[2] !

Même porté par l'amour ou le goût du plaisir, le regard représente une contrainte possible car il est contrôle et jugement, selon une loi à laquelle il s'agit donc d'échapper : regard du mari, de la femme, du rival, du jaloux (si l'on est amant), du sergent (si l'on est voleur, hors la loi), du père (si l'on est fils), etc. L'espace concerné est celui qui tombe sous ce possible regard et, à la fois, selon une réversibilité ordinaire, celui qui permet d'y échapper. Espace de contrôle, de surveillance, et d'esquive, de dissimulation, où les actions seront : être vu ou non, reconnu ou non, avec le poids de culpabilité qu'il y a dans ce rapport, à reformuler donc comme : être vu ou reconnu coupable, ou non. Quels sont ces espaces où le sujet va jouer avec plus ou moins de succès à cache-cache avec le regard curieux et inquisiteur de l'autre ?

1. Nerciat, *Félicia,* 1206.
2. Lesuire, *Charmansage,* IV, 5.

La cour, plus précisément les bals, les fêtes, dans la nouvelle historique du XVII[e1], et jusqu'à *Mlle de Clermont,* est un espace où chacun évolue sous le regard du groupe choisi qui peuple ces lieux, soumis à sa curiosité, sa jalousie, sa malveillance, à toutes formes d'évaluation, de contrôle : « Il n'y a rien de si secret dans les cours qui ne soit su par quelques gens dont on ne se défie point. »[2] Mais la cour, comme espace romanesque, va lentement s'effacer.

Dans l'espace mondain des salons, des soupers, et dans celui des spectacles (du théâtre, de l'opéra) et des promenades qui le prolonge, chacun est aussi, en principe, soumis au regard de l'autre, de ce « public » choisi qui en compose la population. Comme celui-ci interprète en général ce qu'il voit selon les codes les plus simples, au plus court, il est aisé à manipuler : on peut facilement lui faire croire que tel jeune homme vous appartient : « Nous ne nous étions pas plus tôt montrés dans la grande allée, que tous les regards s'étaient réunis sur nous... il fut impossible au public de ne pas croire ce qu'elle voulait qu'il crût », ou dissimuler au contraire l'intimité d'une conversation : « Dans quelques instants, nous nous asseyerons tous trois sur ce banc ; vous vous mettrez entre M. Meyer et moi ; de cette façon j'aurai l'air de parler à tous deux. »[3] L'espace des salons surtout est ainsi morcelable, troué de caches et de secrets ; beaucoup de choses s'y disent qui ne sont pas entendues de tous, beaucoup de gestes s'y font, de regards s'y échangent qui échappent au contrôle, car un regard implique déjà une direction, c'est-à-dire une réduction de l'espace, on ne saurait regarder partout à la fois, et parfois le regard est empêché par une table, un paravent, un des composants matériels de cet espace même : « ... à ton arrivée, je rougis si prodigieusement, que ma cousine, qui veillait sur moi, fut contrainte d'avancer son visage et son éventail, comme pour me parler à l'oreille. »[4]

La rue expose à la curiosité anonyme des badauds, des passants, du public, à la censure de sa morale conformiste prête à punir le séducteur, la marâtre, l'abbé débauché, à lapider le mauvais mari, à croire le curé, à prendre pour l'assassin celui qui a l'arme à la main, sans voir plus loin[5].

Y traînent aussi les regards stipendiés par une autorité publique ou

1. La Fayette, *La Princesse de Clèves,* 274-275 ; Courtilz de Sandras, *Les Apparences trompeuses,* 8-12.
2. Saint-Réal, *Dom Carlos,* 151 ; éd. Guichemerre, 242.
3. Crébillon, *Les Égarements,* 188 ; Mme de Charrière, *Lettres neuchâteloises,* XXI.
4. Rousseau, *Julie,* I, XXXIII ; voir « Désirs. Approches ».
5. Rétif de La Bretonne, *Contemporaines,* I, 122 ; Nougaret, *Lucette,* III, IX, 443 ; Diderot, *Jacques le Fataliste,* 207 ; *Mme de la Carlière,* 131 ; Marivaux, *Le Paysan parvenu,* 145.

privée, ceux des représentants de la loi, des espions, des « mouches », des valets postés par leurs maîtres.

Ainsi, toute une ville peut devenir un espace d'insécurité pour un personnage : Des Grieux est soulagé lorsqu'il croit pouvoir à nouveau circuler sans crainte dans Paris[1]. Et même parfois plus qu'une ville, toute une province ou tout un pays, si l'autorité dont il craint le regard est assez puissante, ce qui motive la fuite ou l'exil : « Je me vis ainsi persécutée en Languedoc, en danger pour ma personne à Paris, et en plus grand danger encore à Bruxelles (...) l'État de Liège est pays neutre... cependant je n'osais m'y confier tout à fait ; il est voisin de Bruxelles, mes parties avaient du crédit, et je craignais la trahison de quelque magistrat. »[2]

Pour échapper au regard inquisiteur, deux possibilités : changer d'apparence dans le même espace, garder la même apparence en changeant d'espace, soit : se travestir ou se cacher.

Dans ce cas aussi, le roman use et abuse du travestissement comme d'un « asile » : « ... me trouvant bien dans mon habit d'homme qui trompait jusqu'au cœur des dames, et dans lequel j'avais encore affronté des émissaires de mon mari, je ne voulus plus d'autre *asile*[3] je crus que je serais plus en sûreté au milieu de Paris que si je prenais le parti de me réfugier ailleurs dans l'équipage convenable à mon sexe... » (II, 91). Mais tout espace offre ses coins et recoins « écartés », même, on l'a vu, le salon le plus bruyant, et la nature ses refuges traditionnels que sont la forêt et la caverne. Le père de Milady B..., comme Lord Axminster de Prévost, trouvera « une grotte pratiquée par les mains de la nature, dans un rocher élevé, et qui semblait faite pour le cacher à tout l'univers »[4].

Dans l'espace urbain, les couvents servent aussi de refuges. Et la Ville elle-même, c'est-à-dire Paris, peut permettre d'échapper au contrôle de la loi, quelle qu'elle soit : « On ne trouve qu'à Paris seul la liberté de vie qu'on y pratique. »[5] Plus concrètement, la capitale dans ce qu'elle a de labyrinthique et de démesuré, qui dépasse de loin la perception limitée d'un individu, permet d'échapper aux recherches.

1. *Manon Lescaut,* 114.
2. Mme de Villedieu, *Mémoires d'H.-S. de Molière,* V, 292.
3. Je souligne.
4. Mme de La Guesnerie, *Mémoires de Milady B***,* I, 46 ; Prévost, *Cleveland,* I.
5. Mme de Villedieu, *Mémoires d'H.-S. de Molière,* V, 289 ; aussi de Pure, déjà, dans *La Prétieuse* : « Ce grand nombre d'habitants tant citoyens qu'étrangers, fait ce grand désordre et cette confusion si surprenante et si condamnée par les survenants. Mais toutefois à mon sens c'est aussitôt une protection obscure de la liberté, qu'un embarras visible du commerce. L'amour y a tous ses ébats ; la fortune toutes ses richesses ; le savoir toutes ses lumières ; les vertus toute leur espace ; les plaisirs toute leur liberté » (II, I, 184).

On peut s'y cacher, y disparaître même. Le bon paysan qui vient essayer de retrouver son frère et sa sœur pervertis par la capitale ne peut y arriver, ils ont été engloutis. Zéphire fait « cent hôtels garnis » avant d'aboutir au grenier où se terre Edmond[1].

Les bannis, les clandestins, les fugitifs, apparaissent et disparaissent aux honnêtes gens, sont reconnus ou pas, comme Edmond à la fin de son roman, ou Jean Sbogar, combinent le déguisement et la dissimulation, comme le fera Ferragus qui apparaît sous diverses apparences tout en ayant ses caches dans la grande ville.

VIOLENCE ET LOI

Le roman du XVIIe siècle (et semble-t-il, plutôt dans sa première période) ne craint pas, on l'a déjà vu pour les armées, de décrire de façon exaltée le spectacle que le pouvoir royal donne de sa puissance et de son éclat : les tournois sont des démonstrations de force et beauté[2]. Les entrées royales, les fêtes disent la splendeur de leur destinataire et commanditaire[3]. Si le pouvoir de l'état choisit l'espace public pour se montrer, le personnage est transformé en spectateur et le narrateur poussé à la description. C'est « ... l'entreprise la plus digne d'un grand monarque... » dit Sylvie de Molière des fameuses fêtes de Versailles, les Plaisirs de l'Ile enchantée, auxquelles elle assiste, et qu'elle décrit[4]. Il ne faut pas y voir que flagornerie. Le roman s'enchante naïvement de ces spectacles splendides et bigarrés, qu'il se soucie assez peu en général d'intégrer à l'action : « ... si vous m'en croyez, nous irons voir défiler les troupes ce soir... », il n'en faut pas plus pour motiver une longue description de la parade des troupes de la maison du roi dans *La Fausse Clélie* de Subligny (204). Le roman du XVIIIe siècle cessera de décrire cet éclat, d'évoquer la gloire du pouvoir royal. La figure royale elle-même, s'il lui arrive d'apparaître, est plus proche, plus familière ; *Dolbreuse* évoque Louis et Antoinette comme « deux époux jeunes et bienfaisants » (II, 99). Il faudra attendre ensuite l'évocation de la société napoléo-

1. Rétif de La Bretonne, *Le Paysan perverti,* CXXXII-CXXXVIII.
2. Desmarets de Saint-Sorlin, *L'Ariane,* 55-56.
3. Mlle de Scudéry dans la *Promenade de Versailles* et *Célinte.* Voir J. Blanchard, Les entrées royales : pouvoir et représentation du pouvoir à la fin du Moyen Age, *Littérature,* n° 50, 1983 et F. Moureau, Les entrées royales ou le plaisir du prince, *DHS,* 1985.
4. Mme de Villedieu, *Mémoires d'H.-S. de Molière,* 93-97.

nienne, de son goût du spectacle militaire, pour en retrouver dans le roman le spectacle du pouvoir offert au public, comme cette parade qui ouvre la *Duchesse de Langeais.*

Dans la rue, on a vu que l'arrestation est une manifestation de la force spectaculaire de la loi. En vérité elle n'a de spectateurs que lorsqu'elle est plaisante, burlesque : une foule de badauds parlant poissard entoure le commissaire et les policiers qui arrêtent un Faublas déguisé en fille[1]. Celle de l'Ingénu par exemple n'en mentionne pas. Quelque chose change dans le dernier quart du siècle : tout à fait intégrées à l'action romanesque, des exécutions publiques sont empêchées par une émeute. Avec la Révolution le spectacle devient patriotique. Mais Jérôme Lecocq, vrai jacobin venu du village, s'il vibre au défilé de volontaires, réprouve la cruauté barbare du spectacle de la guillotine[2], en meurt de chagrin.

Le spectacle du pouvoir d'État semble avoir migré dans l'espace des utopies, et leur rêve de transparence. Leur « uniformité admirable », qui fait que « c'est assez d'en connaître un quartier pour porter un jugement assuré sur tous les autres »[3] offre au voyageur le spectacle de pouvoirs nouveaux : la disposition des rues, des bâtiments, l'urbanisme donnent à lire de façon claire, géométrique, des modèles de pouvoirs différents.

Le spectacle de la loi, de son exercice, déserte la maison, l'espace privé. Certes, le pouvoir des parents s'exprime naturellement dans l'espace privé de la demeure. Les pères surtout peuvent facilement la transformer en prison, usant de telle « chambre haute », faisant griller les fenêtres[4]. Dans son intimité se signifient les interdictions touchant au mariage : c'est chez sa mère que Meilcour s'entend dire qu'elle a des « vues » sur lui qui n'ont « pas Mlle de Théville pour objet »[5], dans l'« appartement » du marquis d'Olonne qu'Édouard reçoit la sanction qui le frappe pour avoir osé aimer sa fille[6]. Que la dernière entrevue entre Des Grieux et son père ait lieu dans le jardin du Luxembourg en prend tout sa signification. Ce pouvoir du maître ou de la maîtresse de

1. Louvet, *Six semaines de la vie du chevalier de Faublas,* 798.
2. Henriquez, *Aventures de Jérôme Lecocq,* XIII, XXVII.
3. De Foigny, *Voyage de Jacques Sadeur,* 92.
4. Prévost, *Manon Lescaut,* 35 ; Louvet, *Une Année de la vie de Faublas,* 625 ; voir Michel Delon, Faublas à la fenêtre. La nostalgie de l'unité dans le roman de Louvet, *Seminari Pasquali di analisi testuale,* 10, 1995.
5. Crébillon, *Les Égarements,* 166.
6. Mme de Duras, *Édouard,* 144.

maison garde encore chez Challe une mise en scène féodale : le jugement des maîtres est prononcé devant la maisonnée rassemblée[1]. C'est encore dans l'espace de la demeure que les familles de condition, dans les romans de Marivaux, convoquent les coupables pour de véritables procès. Mais ceux-ci sont transformés par les accusés Jacob et Marianne en scènes de séduction La maison comme espace où se prononcerait une loi reconnue, où se rendrait une justice, est en recul[2]. La maison devient l'espace où s'exerce une autorité mêlée de tendresse. On le voit aussi bien dans l'image nostalgique, chez Rétif de La Bretonne, d'un espace patriarchal structuré autour du regard des parents[3], que dans l'image du bon seigneur bon père, instruisant ses enfants : « Quel enchantement ne serait-ce pas pour vous, de voir toute cette petite famille conversant avec gaieté sur les objets les plus importants, et s'instruisant en croyant se récréer ; de voir un père tendre, qui, environné de ses enfants, fixe sur lui tous leurs regards, qui les interroge avec bonté, qui les écoute tour à tour, tandis que tous les autres imitent son attention et attendent leur rang pour parler... »[4]

La période qui va de 1670 à 1820 voit s'effacer dans le roman le spectacle glorieux du pouvoir royal : les grands panoramiques guerriers et les somptueuses décorations qui habillent la Ville ou la Cour pour une célébration, en même temps que le roman s'émancipe du modèle épique qui en soutenait la description. L'imaginaire tacticien, son exploitation de l'espace, s'est déplacé, a investi le quotidien de la ville, dans les rixes sans gloire des aventuriers (où le héros peut par exemple analyser le terrain glissant d'un toit d'ardoises comme un officier d'autres terrains plus nobles)[5], dans les évasions acrobatiques, pour passer les murs et les grilles, dans les chambres et les couloirs, par des jeux de clés et de portes pour la maîtrise d'un lit ou d'un sopha. En bordure, à l'extérieur, le pouvoir de l'État ne manifeste plus que sa face répressive, et même de la façon la plus

1. *Les Illustres Françaises,* 345 ; il faut dire qu'il s'agit d'une réhabilitation !
2. Voir la déroute du juge Almaviva dans le *Mariage de Figaro.*
3. « Tout le monde est assis à la même table... notre bon père préside du haut de la table ; ce sage vieillard a le plaisir de voir ses huit filles et ses cinq garçons... Il voit les étrangers le regarder avec la même tendresse que le regardent ses enfants propres... Notre bonne mère examine si rien ne manque... et quand elle a tout vu et tout rangé, elle écoute... » (*Le Paysan perverti,* IIe lettre, 33-34).
4. Gérard, *Le Comte de Valmont,* IV, II, 256.
5. Mouhy, *La Mouche,* II, XLI, 40-45.

brutale et la plus vulgaire, finalement la plus horrible, dans la rue, accordée à elle.

Il laisse s'exercer sur les corps des violences illégitimes qui s'enferment dans les intérieurs et s'enfoncent dans la terre. Ce que l'homme a bâti n'est plus une défense, mais un piège. Les prisons, les châteaux s'assimilent facilement à de terrifiantes prisons où s'exercent des pouvoirs clandestins. Il arrive même à la fin que la nature tant vantée ne protège plus : ni les forêts, ni les îles, ni les grottes ne sont des refuges sûrs : elle a ses agents qui détruisent, renversent, noient, griffent[1]. Seul le pouvoir du regard peut être fui, détourné, dévié : toujours autant de déguisements, de cloisons à interposer. Contre l'espace-prison, le plus sûr reste l'espace-théâtre, où l'on peut disparaître. A condition que quelque Sir Sidney n'ait pas tout arrangé à l'avance pour tout soumettre à son regard...

1. « J'aperçois que je suis réellement enfermé tout nu dans un caveau souterrain les pieds dans l'eau, les mains chargées de fers. je vois sauter autour de moi et sur moi, des crapauds, des lézards et autres insectes venimeux » (Lesuire, *Aventurier français,* 225) ; « Des rochers, des ravins semblent conjurés pour arrêter ses pas. Elle se meurtrit contre les branches et les racines des bois qu'elle rencontre. Vingt fois elle embrasse la terre, vingt fois ses belles mains sont ensanglantées par des cailloux et des épines... » (Loaisel de Tréogate, *La Comtesse d'Alibre,* 39).

CHAPITRE III

SAVOIRS

Adam et Ève dans le jardin d'Éden s'en aperçoivent bientôt : le savoir est un mode de relation à l'espace déterminant, vite placé sous le signe de l'interdit. Loin de là croirait-on, loin du « grand code » cher à Northrop Frye, on peut attendre naïvement du roman des Lumières qu'il nous donne l'image d'une conquête glorieuse de l'espace par le savoir. Pour corriger ces attentes aussi simplistes que contradictoires, il faut essayer de tracer les principales configurations narratives dans lesquelles ce rapport entre personnage et espace s'accomplit. Elles réalisent trois formes de rapport entre personnage et espace : celle où une vérité s'offre dans l'espace de façon évidente, et immédiate, s'expose[1], celle où cette vérité surgit, renverse ou suspend la durée, dans le dévoilement, la surprise, la métamorphose, celle où la vérité, qui vient de loin, doit être rapportée, passer par la médiation d'un trajet ou d'un discours.

SAVOIRS EXPOSÉS

Jeux de normes

Ce qui s'expose d'abord est l'ordre d'une société, tel que le personnage peut le vérifier dans les apparences. L'espace ici offre la vérification d'une norme, aisément et immédiatement déchiffrable sur la qualité de quelques échantillons.

1. J. Fontanille, *Les Espaces subjectifs,* 1989, 55.

Dans la configuration la plus fréquente, un certains nombre d'éléments matériels constituent l'espace en servant d'indices dans une évaluation qui se fonde sur une grille de classement.

A l'occasion d'un déplacement, d'une rencontre, d'une traversée de lieux soumis au regard public (promenades, jardins, boulevards, théâtre, salons), d'une arrivée au contraire en lieu privé, l'espace se réduit le plus souvent à un ou plusieurs éléments d'un ensemble comprenant costume, mobilier, décoration des intérieurs, et tous signes de l'« état », comme les livrées des domestiques, ou les moyens de locomotion. Constituée de signes de la conformité, toute une apparence matérielle laisse lire le rang, la fortune, la naissance[1]. Elle est faite aussi bien du corps visible que de ce qui le couvre et l'environne, une convenance idéale établissant une continuité entre la « mine », la « mise », l'« air ». Le lecteur étant supposé posséder les clés de cette herméneutique des apparences, elle peut alors se pratiquer de façon très elliptique : « ... l'air de propreté et d'abondance que j'avais vu régner dans sa maison m'avait fait bien juger de sa fortune. »[2] La norme présupposée familière au lecteur est constituée par une échelle d'évaluation où l'espace est qualifié et gradué : magnificence, propreté, modestie, frugalité, pauvreté, misère : « ... j'arrivai près d'un salon... quand j'en eus vu toute la magnificence à la faveur d'un beau lustre de cristal où il y avait quelques bougies, je ne doutai point que je fusse chez un grand seigneur. »[3] Ne pas pouvoir se livrer à cet opération élémentaire est un signe inquiétant : « Bientôt je me trouvai devant un portail de marbre noir et, comme les flambeaux n'éclairaient pas le reste de l'édifice, je ne pus en porter aucun jugement. »[4]

Mais la compétence du narrateur peut aller au-delà, et, de façon plus ou moins discrète, s'affirmer comme supérieure à celle du lecteur. Elle déborde facilement celle du personnage et de son point de vue : il est invraisemblable que Jacob, petit paysan débarqué à dix-huit ans de son village de Champagne, reconnaisse immédiatement l'« uniforme » d'une « femme à directeur » rencontrée au petit matin sur le Pont-neuf, sous prétexte que, dit-il, « elles ont presque partout

1. Daniel Roche a établi comment, dans cette « société des civilités », le vêtement, entre autres signes, « rend visibles l'état social et l'être moral » (*La France des Lumières,* 505).
2. Prévost, *Le Doyen de Killerine,* 59.
3. Lesage, *Histoire de Gil Blas,* 757.
4. Potocki, *Manuscrit trouvé à Saragosse,* 167.

la même façon de se mettre, ces sortes de femmes-là »[1]. Rétif de La Bretonne fait la démonstration d'un savoir sociologique remarquable, qu'il feint d'accorder au lecteur, lorsqu'il distingue par le costume les bouchères des charcutières : « On sait quel est à Paris le costume des femmes de son état, il approche de celui des Bouchères, qui sans être distingué, a une certaine grâce très piquante : celui d'Adélaïde ce jour-là, était un mélange de la mise bourgeoise et de celle des Femmes-de-Bouche... »[2] Compétence qui n'est pas réservée au déchiffrement de l'espace urbain : lorsque la mode vient faire de la campagne un espace littéraire, Saint-Lambert, par exemple, nous met du côté des agronomes (amateurs), en nous expliquant avec complaisance ce que signifie un « air de commodité, de propreté et d'abondance champêtre » lorsqu'il s'agit d'une métairie : « Cette ferme était placée sur le penchant d'un coteau qui la garantissait du vent d'ouest si violent dans ces contrées ; elle était à cent toises d'une petite rivière qui coule dans un joli vallon ; des prairies artificielles, des vergers remplis de pommiers à cidre, des champs couverts de légumes, l'environnaient ; il y avait à quelque distance de la maison un petit bois de hêtres ; des chevaux, des bœufs, des brebis, paissaient dans le vallon et sur les coteaux... »[3]

Que le narrateur soit plus ou moins discret dans la compétence qu'il veut partager, la figure de base est celle de la reconnaissance. Le spectacle de la rue fait savoir à Marianne immédiatement, à la vue des carrosses et de leurs passagers, qu'il existe un « monde » qu'elle reconnaît comme le sien : « ... quand je les voyais, c'était comme si j'avais rencontré ce que je cherchais... »[4] Ce mécanisme fondamental et inaperçu fait évoluer le personnage de roman dans un espace où il reçoit immédiatement l'information dont il a besoin. Espace homogène, composé exclusivement de signes pertinents et reconnus, parfois réduits à peu, de ceux qui classent, hiérarchisent. Favorable à l'action d'un héros pressé qui a besoin d'un monde balisé, sûr, où l'aubergiste a vraiment l'air d'un aubergiste : « Il n'y

1. Marivaux, *Le Paysan parvenu,* 42. Le narrateur des *Chouans* est également un « observateur avisé » qui lit ainsi les opinions politiques des recrues dans leur façon de marcher, et leur « condition » dans les coiffures : « Quelques têtes soigneusement poudrées, des queues assez bien tressées annonçaient cette espèce de recherche que nous inspire un commencement de fortune ou d'éducation » (24).
2. *Les Contemporaines,* II, 85.
3. Saint-Lambert, *Sarah T.,* 6.
4. Marivaux, *La Vie de Marianne,* 33.

avait pas à se tromper »[1], où il n'y a pas d'hésitation à avoir sur les livrées, les carrosses, qui renforce la linéarité de l'histoire, et sa « rapidité ».

Sur cette base on voit se développer de passionnantes complications. Marivaux par exemple, à son habitude, montre que ce qu'on croyait un et simple ne l'est pas. Il faut distinguer ce qui se voit « au premier coup d'œil » (un « bel homme » dans un « attirail » qui le rend « aimable »), de ce qui demande un « goût plus essentiel » (« un beau garçon sous des habits grossiers »)[2]. Ses héros sont de toutes manières non seulement des déchiffreurs d'élite, mais, de plus, conscients du déchiffrement dont ils sont l'objet. Marianne sait quelle sorte de signe elle constitue dans l'espace de l'église. Jacob sent comment il est vu dans un bureau de financiers à Versailles : croisée de regards, champ-contrechamp, où deux normes sont à l'œuvre dans la même page, celle du jeune paysan qui trouve ces vieux « opulents », celle des opulents que le « polisson » amuse un bref instant avant d'être annulé, de devenir comme un meuble, une muraille, privé d' « âme »[3].

Sans aller jusqu'à ces subtils renversements, le romanesque vit de détraquements plus ordinaires, lorsque du désordre est perçu, ou lorsqu'un ordre différent est proposé.

Une première sorte de désordre viendra de l'inconvenance, si quelqu'un n'est pas à sa place dans tel lieu ou avec tel costume. Voici que soudain les apparences ne parlent plus clair, que l' « air », la « mine », la « mise » détonnent : « Quoiqu'il eût un logement et des meubles, on trouvait qu'il n'était ni logé ni meublé »[4] ou bien : « La chambre, que je parcourus aussi d'un coup d'œil, ressemblait plus à une prison qu'à l'appartement d'une fille de la condition de Rose... »[5] Mais comme il se doit, l'essentiel en général « perce » malgré tout (« La pauvreté de leur habit ne lui cacha point la riche mine du plus jeune... »)[6], c'est-à-dire la « naissance », et l'ordre est rétabli[7].

1. *Jacques le Fataliste,* 76.
2. *Le Paysan parvenu,* 167-168.
3. *Le Paysan parvenu,* 204.
4. Marivaux, *Le Paysan parvenu,* 255.
5. Prévost, *Le Doyen de Killerine,* 119.
6. Scarron, *Le Roman comique,* 647.
7. « D'un seul regard, Mlle de Verneuil sut distinguer sous ce costume sombre des formes élégantes et ce *je ne sais quoi* qui annoncent une noblesse native » (Balzac, *Les Chouans,* 121). La SATOR a ainsi enregistré le topos : « Des habits pauvres soulignent paradoxalement, au lieu de les dissimuler, la beauté ou la noblesse » (M. Weil, Un logiciel pour l'histoire littéraire, *RHLF,* novembre-décembre 1994, n° 6).

Autre désordre, le « dérangement », lorsque le costume ne remplit plus sa fonction, et au lieu d'être le signe attendu, montre en partie le corps qu'il devrait couvrir. La semi-nudité du dénuement, le vêtement défait, comme le logis trop pauvre, peuvent avoir un effet pathétique, burlesque, ou érotique. La « tristesse et la saleté » du linge et des habits de Manon inspirent à Renoncour « respect et pitié » (*Manon Lescaut*, 12) ; mais quoi de plus amusant qu'un valet à l'habit déchiré dans quelque embuscade galante de bas étage[1] ?, ou quoi de plus piquant que la chute de Mlle Churchill qui « dément », par ce qu'elle expose, « ce que son visage avait fait juger du reste »[2] ? Quant au « désordre » du vêtement qui « laisse voir » ce qu'il devrait en principe cacher, ses effets sont sûrs : « Sa coiffure de nuit était un peu dérangée et n'en était que mieux (...) les rubans de son corset flottaient négligemment, et laissaient mes regards errer sur toutes les grâces d'un désordre médité. Je t'avouerai que sans ses femmes... »[3]

L'espace enfin peut se réduire à l'anormal qui fait signe, se rétrécir jusqu'au détail éloquent : euphorique signal d'une communication clandestine (un pot de basilic, un petit lampion allumé sur la fenêtre)[4], ou triste signe de la faute, l'objet déplacé, montre, bague oubliées dans le lit, cachet, bourse ; de l'espace on ne voit plus que ce détail, comme aussi la trace, celle des corps que le jaloux cherche dans les draps[5], ou les « empreintes délicieuses » au contraire pour l'amant[6]. Loin de ces délires, l'esprit raisonnable doit remarquer ce qui cloche et faire sa déduction : la livrée n'étant pas celle de Mme de Miran, l'« étourdie » Marianne accepte quand même de monter dans ce carrosse qui l'enlève ; mais « un galon jaune sur un drap brun », cela « indique » à ceux qui la cherchent tel cousin magistrat, et c'est pourquoi Marianne est retrouvée[7].

Ce qui n'est pas à sa place normale devient détail remarqué, révélateur de trouble ; la partie en désaccord avec le tout fait signe, dit une vérité cachée.

De même l'original, l'« hétéroclite », la « figure » se détache comme une exception, une curiosité qui mérite description : « Sa taille et sa carrure auraient déjà suffi à le faire remarquer, mais tout le reste de son

1. Prévost, *Mémoires et aventures d'un Homme de Qualité*, 271.
2. Hamilton, *Mémoires du comte de Gramont*, 223.
3. Dorat, *Les Sacrifices de l'amour*, XXXIV.
4. *Jacques le Fataliste*, 280 ; Louvet, *Six semaines de la vie du chevalier de Faublas*, 770.
5. Prévost, *Histoire d'une Grecque moderne*, 104.
6. Rousseau, *Julie*, I, LIV.
7. *La Vie de Marianne*, 322, 343.

extérieur y répondait. » Et en effet la marginalité du pirate, du hors-la-loi, s'exprime dans un composé de violence, de sauvagerie, de mer et de foi lisible sur sa surface, mais comme série de détails : le visage « obscurci par un coup de poudre à canon », « la peau bise », les tatouages (« sur l'une de ses joues un crucifix et sur l'autre une madone »), la barbe épaisse, les anneaux d'or aux oreilles, un bonnet rouge[1].

Le trouble causé par ces désordres est vite résolu, l'espace ne peut pas mentir : soit la vérité perce sous une apparence fugacement trompeuse (l'« air » perce sous la « mise »), soit l'anomalie révèle une vérité cachée, soit l'extraordinaire signale la marginalité (valets, femmes de peu, hors la loi).

Il en sera autrement si la différence perçue dans les normes qui régissent l'espace apparent paraît stable et irréductible : ce sera la base de la satire, ou de l'exotisme.

Le narrateur satirique sait en quoi l'espace qui s'offre à lui n'est pas dans la norme de la mode, du goût, et il le montre en mettant le lecteur de son côté, celui des gens de qualité et de bon goût, et de Paris. Ainsi sont, d'un même élan, décrits, identifiés, moqués, le financier balourd, la provinciale mal attifée, le bourgeois hors-mode, et certains types socio-littéraires, comme l'aubergiste. Dans deux romans distants de plusieurs années, et à bien des égards différents, comme *Angola* et *Félicia*, la même forme de satire s'exerce, dans le même espace hautement mondain des Tuileries, sur des silhouettes aberrantes, déviantes : trois espèces de femmes sont jaugées et classées d'un œil sûr, ainsi que le « vernis provincial et ridicule » de l'équipage du génie Makis[2], ou l'habit de l'« hétéroclite ». La Caffardière, décrit avec une méchante précision : « Fausse grecque... habit de camelot bleu... veste d'un très beau bazin... ornée d'une longue frange à graine d'épinards..., etc. »[3]

A l'inverse du narrateur satirique, qui exhibe sa compétence, l'étranger ou le jeune homme qui arrive dans le monde déchiffrent comme ils peuvent, selon leurs normes à eux, l'espace dans lequel ils surviennent, qui est celui du lecteur. Celui-ci, ravi, voit ainsi rajeunir, soumis à un regard neuf, son monde familier : c'est lui qu'on regarde, à travers les lieux, les objets qu'il est censé bien connaître. Meilcour

1. Potocki, *Manuscrit trouvé à Saragosse,* 93.
2. *Angola,* 105 et 153.
3. Nerciat, *Félicia,* IV, XIII.

affolé maîtrise mal le spectacle des Tuileries : il essaie en vain d'exercer une sagacité ordinaire sur la belle inconnue, sa « mise », son « air », mais elle n'a pas d'équipage[1]. La Péruvienne débarquée dans l'espace européen déploie un filet de périphrases qui révèlent son ignorance : « maisons flottantes » pour navires, « cabane roulante » pour carrosse, « ingénieuse machine qui double les objets » pour miroir[2]. De même les personnages expérimentaux brusquement retirés du laboratoire où ils ont mûri, comme l'*Imirce* de Dulaurens, pour qui tout espace est d'abord une « cave », puisqu'elle n'a connu que cela[3].

Dans la situation plus classique, le monde est neuf, et non pas le regard : le narrateur entraîne son lecteur dans un espace où les apparences obéissent à une autre norme de lecture. Il peut certes l'étonner, mais aussi le rassurer, tirer l'exotique vers le connu : un sérail, ce n'est somme toute qu'un salon avec des dames qui s'occupent à des travaux de dames, nous dit le très français narrateur de l'*Histoire d'une Grecque moderne* lorsqu'il entre pour la première fois dans le harem où son ami turc retient ses vingt-deux épouses : « Les femmes du bacha, qui étaient au nombre de vingt-deux, se trouvaient toutes ensemble dans un salon destiné à leurs exercices. Elles étaient occupées séparément, les unes à peindre des fleurs, d'autres à coudre et à broder, suivant leurs talents et leurs inclinations, qu'elles avaient la liberté de suivre. L'étoffe de leurs robes me parut la même ; la couleur du moins en était uniforme, mais leur coiffure était variée, et je conçus qu'elle était ajustée à l'air de leur visage » (12) ; remarquable démarche pour réduire l'altérité. Voltaire au contraire exhibe l'autre norme dans son étrangeté, ironise sur la relativité des codes : « Ils entrèrent dans une maison fort simple, car la porte n'était que d'argent, et les lambris des appartements n'étaient que d'or... »[4]

Les utopies, lorsqu'elles imaginent des espaces explicitement fictifs, n'ont de cesse d'inventer avec le plus grand sérieux d'autres codes de lecture des apparences sociales, comme pour prévenir toute incertitude ou désordre possibles. On pénètre ainsi dans des sociétés dont l'altérité radicale se marque à ceci que les espaces sociaux y sont encore plus lisibles. Tout le monde par exemple a le même costume (« simple et modeste » en l'an 2440, « asiatique », avec « turban léger »,

1. *Les Égarements,* 90, 81.
2. *Lettres d'une Péruvienne,* XII.
3. *Imirce,* 76.
4. *Candide,* XVIII.

au royaume de Zamé), ou bien seules se détachent les marques des « rangs » pour Fénelon (blanc, bleu, vert, jaune d'aurore, rouge pâle ou de rose, gris-de-lin, jaune-blanc)[1], des âges pour Sade (« Le gris, le rose et le vert sont les trois couleurs qu'ils adoptent pour leurs habits : la première est celle des vieillards, l'âge mûr emploie le vert, et l'autre est pour la jeunesse »)[2], du mérite et de la vertu, signalés par un chapeau brodé de son nom, chez Mercier[3].

Ces complications, désordres et dérangements ont bien entendu pour effet de renforcer la présence de la norme puisque l'original, l'exception sont toujours situés par rapport à elle, le nouveau par rapport au déjà connu. L'espace ici apporte avant tout un savoir intégrateur, conformiste et rassurant, confirmant que le monde, la société, sont comme ils doivent être. On verra plus loin quel jeu peut y apporter le travestissement.

Cet espace qui manifeste une vérité normale est fait aussi de certains gestes, de certaines postures dont la signification est elle aussi immédiatement perçue, faisant partie d'une gestuelle socialement codée. Par exemple un homme à genoux devant une femme ne peut qu'exprimer son amour, et être accepté comme tel tant qu'on ne le fait pas relever. Ainsi l'interprètent les survenants spectateurs, Climal surprenant Valville aux pieds de Marianne, et Valville, symétriquement, surprenant Climal, ou bien les maris jaloux, qui n'y voient aucune ambiguïté, d'où la fureur et le scandale : « J'étais resté à ses genoux ; ceux qui aiment savent combien cette attitude a de charmes ; j'y étais encore quand Bénavidès ouvrit la porte de la chambre ; il ne me vit plutôt aux genoux de sa femme que, venant à elle l'épée à la main : Tu mourras, perfide, s'écria-t-il. »[4]

Ce que disent les corps et les visages au premier coup d'œil fait partie de la tapisserie du monde. Les visages informent aussi par leur altération, et principalement larmes, rougeurs, pâleurs. Les possibilités paraissent être en nombre limité, de signification univoque, et chacun semble posséder cette « science infuse de certains bouleversements de physionomie » que Balzac réserve aux femmes[5]. Il y a finalement peu

1. *Les Aventures de Télémaque,* X.
2. *Aline et Valcour,* 620.
3. *L'An 2440,* VI.
4. Mme de Tencin, *Mémoires du comte de Comminge,* 64.
5. *La Duchesse de Langeais,* 257.

de visages trompeurs puisque l'art du « portrait » consiste justement à expliquer comment la vérité s'y voit. Marivaux signale bien la « tricherie » de la nature qui « enterre » de belles âmes sous des visages indifférents, mais il n'en fait guère usage comme romancier[1]. Il serait cependant faux de croire que les visages puissent être mis sur le même plan que les costumes, décors, et autres indices matériels. Les regards, les mouvements, et « façons » du corps demeurent d'une vérité moins certaine, d'une lecture plus difficile, qui demande un apprentissage, comme en témoignent les aventures des débutants : « Je n'avais vu les femmes qu'au visage et à la taille, j'appris lors qu'elles étaient femmes partout », avoue le jeune paysan au bout de quelques mois de vie parisienne[2] ; « J'interprétais ses regards, je cherchais à lire ses moindres mouvements » : Meilcour hésite entre la « tendresse » et la « politesse libre », et lorsqu'il s'agit de Mme de Lursay se trompe tout à fait, prenant par exemple au sérieux son « air sévère »[3].

Si Potocki aligne dans une même énumération peau, tatouages, barbe, culotte et veste, comme Balzac dans la même coulée de compléments le visage de Mme Gruget, son bonnet, ses jupons, sa chaufferette, sa table, le tout indiquant « quelque passion, quelques vices cachés »[4], c'est qu'il s'agit de personnages secondaires, socialement inférieurs ou marginaux, d'un pirate, d'une pauvre femme. L'indifférenciation sous le regard, comme partie d'un espace signifiant, du visage et des choses, l'effacement de la différence entre l'animé et l'inanimé, n'est pas familière au roman classique qui reste attaché à ne pas les confondre. Le visage de Julie est détaillé et corrigé par Saint-Preux lorsqu'il est devenu une chose, un tableau, et alors seulement.

On peut dire cependant qu'il existe un espace où le savoir est reconnaissance des codes, où les apparences (objets, corps, mouvements) signalent dans un repérage familier, sans obstacle ni délai, une situation dans un ordre social et un état sommaire des cœurs. Ce mécanisme de fond, qui fait comme une basse continue de Mme de Villedieu à Balzac, et même en deçà et au-delà, peut contribuer à faire croire que rien ne change dans le monde. Pourtant le costume, par exemple, à la fin du siècle, ne semble plus classer de façon aussi sûre.

1. *Le Paysan parvenu,* 39.
2. 171.
3. *Les Égarements,* 81, 92.
4. *Ferragus,* 125.

Daniel Roche note une « révolution des apparences », un « effet d'unification et de brouillage social qui n'implique pas la disparition des écarts, le recul des différences, mais les donne à lire autrement par un apprentissage plus subtil des nuances, par les leçons des indices de raffinement »[1]. Le roman doit ainsi enregistrer ce glissement des normes, la plus grande complexité qu'elle entraîne dans la lecture de ce qui s'expose au regard du public : « Je serai parée ; vous aussi : mais sous un costume un peu coquet outré ; nous nous donnerons l'air d'être les maîtresses de ces messieurs, qui seront mis sans éclat, mais dont les dentelles et les bijoux indiqueront des gens distingués. »[2]

Vérités dans le paysage

Après un espace qui n'est souvent que signalisation hâtive pour un héros pressé, voici des haltes souvent bavardes, et dans les savoirs qui s'exposent, ceux qui le font dans un panorama à divers titres édifiant. Chez le spectateur posté devant un espace axiologique, il n'y a jamais l'ombre d'un doute, et son discours n'est que le développement d'une révélation instantanée. Espace plus vaste et plus plein que le précédent, qui était éclaté en objets-signes ou signaux, il se constitue le plus souvent en paysage[3]. Immobilisé dans un état des choses, il n'exclut cependant ni la durée (les oiseaux chantent, les ruisseaux coulent) ni la métamorphose cyclique (lever ou coucher du soleil). Espace qui rendrait plutôt heureux, ne serait-ce que par la distance que créent la spéculation et le discours (monologue ou discussion). Il fait percevoir immédiatement et énoncer des vérités générales, ou même transcen-

1. *La France des Lumières,* 505. Dans son *Tableau de Paris* Mercier affirme successivement que le costume différencie en fonction de l'argent : « ... un drap plus ou moins fin, un gazon plus ou moins large, un équipage ou un fiacre, douze valets ou un simple domestique, une crapaudine de 20 F au doigt ou un brillant de 500 louis, mettront toujours une grande différence parmi les hommes » (I, 424), et qu'il ne saurait dissimuler la différence des « états » : « Quand le commis s'est vêtu comme l'homme à équipage, son cœur est dans la joie. Quand le marchand a l'épée au côté il se croit de niveau avec l'officier. *Tout est confondu* dira quelqu'un à l'œil peu exercé, *on ne connaît plus personne.* Eh non, laissez-les faire ; on distingue tous les états quelque extérieur qu'ils prennent ; *l'air qu'on veut se donner gâte celui qu'on a.* Ceux qui ont recours au tailleur devraient bien méditer cette maxime ; ce qui n'est plus nous saisit d'abord l'œil ou l'oreille. Un faquin sous le plus riche habit se trahit toujours, et quelque chose en lui vous dira que *c'est un faquin* » (II, 126).
2. Rétif de La Bretonne, *La Paysanne pervertie,* CV, 333.
3. « Le paysage... se définit pour nous comme la fiction d'une expérience visuelle », Jean-Louis Haquette, *Les Paysages de la fiction. Création romanesque et arts du paysage au tournant du siècle des Lumières,* thèse de doctorat, directeur Jean Gillet, Université de Paris III, 1994, 14.

dantes. Il fait en quelque sorte penser le personnage à voix haute. A quoi ? A une « aimable retraite », à Dieu, à la Nature, au plaisir, au Mal, les réponses sont aussi variées que les idéologies qui les sous-tendent de façon plus ou moins cohérente.

La « philosophie » de la vie simple et frugale à la campagne, semi-retraite tempérée d'amis et de livres, est un rêve qui se réfère à des temps anciens, bricolé d'après Horace et Virgile. Ce « rêve arcadien »[1] des « plaisirs des premiers âges... ancien patrimoine de l'homme », les « beautés de la nature » l'imposent au narrateur des *Sonnettes* « à dix lieues de la ville »[2]. Quelles « beautés » ? Celles d'une « campagne riante » : « Un ciel pur et serein, un enchaînement de coteaux tapissés de vignobles, un ruisseau qui serpente dans les fleurs, des arbres touffus... le ramage varié des habitants de l'air, le bêlement et les yeux des troupeaux... » Séquence d'ouverture qui n'a certes rien de cardinal, mais contribue à qualifier positivement le personnage, avant les épreuves érotiques qui feront le corps du livre. Même type d'espace pour le « guerrier philosophe » de Jourdan, mais en fin de parcours, lorsqu'il se retire dans une terre et devient « philosophe » : la contemplation d'une « vaste carrière » déclenche des « spéculations » sur « l'innocence des mœurs champêtres » et le « calme heureux » qui va « passer dans nos âmes »[3]. Le topos est autant un modèle imaginaire de vie qu'une philosophie proprement dite. En 1825, encore et toujours, Xavier de Maistre, enfermé dans sa seconde chambre, le retrouve un instant en regardant par la fenêtre « une des plus belles vues qu'on puisse imaginer », celle de la campagne de Turin : elle le fait penser à la « vraie philosophie », à la « science modeste », à l' « amitié sincère et hospitalière »[4].

Lorsque c'est Dieu, ou un principe d'explication transcendant, qui est reconnu, l'espace est considéré comme une partie du monde existant, un échantillon, un exemple, et ce qui est vrai de lui l'est du monde.

Voir Dieu dans le paysage fait partie du mythe biblique : « Les cieux racontent la gloire de Dieu / et le firmament annonce l'œuvre de ses mains »[5] et il est difficile de fixer l'entrée du topos dans l'espace roma-

1. Jean Ehrard, *L'Idée de nature en France dans la première moitié du XVIIIe siècle,* A. Michel, 1994, 752.
2. Guiart de Servigné, 32.
3. *Le Guerrier philosophe,* II, 317.
4. *Expédition nocturne autour de ma chambre,* 35.
5. *Psaumes,* XIX, 2.

nesque. Dans les limites qui sont ici les nôtres, il semble bien que le dernier tiers du siècle ait vu le roman accueillir de plus en plus aisément de longues séquences où un personnage, devant un paysage de nature, a la révélation, ou plutôt la confirmation, de l'existence de Dieu. Faut-il dire que le roman devient « pluchien » ou que l'abbé Pluche est un théologien romanesque ? Il représente un « système de représentations » qui commence à s'effacer à partir du milieu du XVIIIe siècle, un « système du monde » devenu « étroitement conservateur » après 1750, selon Jean Ehrard[1], mais c'est peut-être la raison pour laquelle le roman l'abrite et le conserve longtemps. Le fait est que ses idées sur « la nature entière » comme « une magnifique montre dont les ressorts ne jouent que pour nous apprendre tout autre chose que ce qu'on y voit »[2], et sur « la vue de la nature » comme « théologie populaire où tous les hommes peuvent apprendre ce qu'ils ont intérêt de connaître »[3], nous les lisons mises en récit chez les abbés romanciers comme Hélaine ou Gérard. « Oh Nature ! Que tes ouvrages sont beaux, sont aimables ! (...) heureuse retraite, où tous ces objets me conduisent à reconnaître cette source de toute bonté, cet Être bienfaisant... », s'écrie un inconnu dans les premières pages des *Amants vertueux*[4], après que la « vue » sur les beautés du printemps a été longuement décrite. De même le comte de Valmont transporté au lever de l'aurore « sur nos montagnes », « voi/t/ le Ciel se teindre peu à peu des plus vives couleurs, un globe de feu paraître, s'élever, et par ses rayons naissants effacer les ombres des collines opposées, les neiges se fondre lentement... » ; suivent les ruisseaux, les fleurs champêtres, les gouttes de rosée, les buissons, les zéphyrs, les oiseaux, les bergers, « le bûcheron qui, s'arrachant au repos, laisse sa chaumière pour s'enfoncer dans la forêt prochaine », les laboureurs, les troupeaux, pour finir par : « Quel enchantement j'éprouve ! et quel ennemi de la divinité pourrait résister à un spectacle si touchant ! »[5]

1. *L'Idée de Nature,* 24 ; voir aussi Alain Corbin, *Le Territoire du Vide,* 44.
2. *Le Spectacle de la Nature,* III, 456.
3. III, 468.
4. Hélaine, I, 20.
5. Gérard, *Le Comte de Valmont,* I, 102-103. A comparer à : « ... De tous les villages jusqu'où ma vue peut s'étendre, je vois sortir les laboureurs suivis de leurs chevaux, des voyageurs à pied ou en voiture, des bergers à la tête de leur troupeaux... (...)... Je vois tout le tour de l'horizon s'enflammer insensiblement du plus beau rouge : les nuages prennent partout des couleurs vives et variées : les bords des plus épais deviennent des franges plus brillantes que l'argent : les légères vapeurs qui traversent l'Orient s'y convertissent en or : le vert des plantes affaibli par les gouttes de rosée qui les couvrent, leur donnent la douceur de l'éclat des perles » (*Le Spectacle de la Nature,* IV, 75, 80).

Le topos, ici dans sa forme naïve et bavarde, est : un homme voit dans le « spectacle de la nature » l'image du royaume de Dieu. Le mot « nature » ne doit pas tromper, car l'homme est là, qui travaille dans les champs. Cet espace « naturel » est tributaire d'une « imagerie »[1] qui joint le printemps perpétuel d'un temps cyclique immobilisé, au travail échappé à la malédiction. Dans ses composantes, le paysage n'est guère différent du précédent, qui inspirait des rêveries horatiennes. Il est caractérisé par l'équilibre, la modération, la variété, le tout autorisant à parler d'« harmonie », car les différents ordres, les quatre éléments, les différents types de reliefs s'y répondent. Les contrastes peuvent être plus ou moins accusés, la localisation varier, en particulier devenir exotique : la présence de Dieu y est toujours à lire. Mais on pourrait tracer une très longue suite de variations. Par exemple Bernardin a tendance à tirer le spectacle vers le musée d'histoire naturelle : « On pouvait voir dans l'espace de quelques lieues, un abrégé de ce que la providence divine a créé... »[2] Pour le révolté Sbogar et sa compagne, Dieu n'est qu'un ultime recours contre le néant, point de fuite dans un espace de contradictions insolubles : « Dieu, Dieu ! S'écria-t-elle en lui indiquant du doigt la ligne indécise où la dernière vague se mêlait au premier nuage... il est là ! »[3] Chateaubriand y rétablit le péché (un éclair opportun prévient Atala de la faute, et précède l'entrée en scène du P. Aubry) et la nécessaire intercession du prêtre : il faut le « mystère » de la messe, que le premier rayon de l'aurore rencontre l'hostie, pour que Dieu se manifeste aux yeux de Chactas dans la forêt américaine[4].

Car l'idée de nature permet de glisser facilement vers l'épicurisme doux d'un univers pastoral. Si Nature est un doux guide, et au moins autant image de fécondité et de désir qu'horloge et preuve d'une harmonie finaliste, le savoir acquis à son spectacle sera érotique. C'est de son propre désir que prend conscience le personnage dans sa contemplation : « Ariste, dis-moi, ce mystère ne dit-il rien à ton cœur ? Cher ami ! Veux-tu laisser parler le mien ? Il t'invite avec la nature à me combler de plaisirs. »[5] Le savoir reçu devient autorisation, légitimation. Depuis *Daphnis et Chloé*, un espace pastoral où la fécondité végétale se mêle aux

1. Northrop Frye, *Le Grand Code*, 123.
2. *L'Amazone*, 301.
3. *Jean Sbogar*, p. 93.
4. *Atala*, 103, 111.
5. Dulaurens, *Imirce*, 79.

ébats d'une animalité innocente, la « tendre et sauvage harmonie » faite de « faibles gémissements... sourds meuglements... doux roucoulements »[1], a cette fonction de dire oui au désir des personnages[2].

Le roman peut faire se croiser de la façon la plus perverse les lignes d'idées les plus éloignées au départ, c'est pourquoi il est suspect. Chez Loaisel de Tréogate déisme et érotisme se conjuguent le plus logiquement du monde, puisqu'il s'agit d'un couple conjugal. Le couple, monté comme il se doit sur une colline, contemple « au déclin d'une belle journée » un « paysage magnifique » : lumière du soleil sur les eaux, nuages d'« un rouge tendre qui se fond dans le blanc », contraste avec des teintes plus brunes ; il découvre l'azur, les oiseaux, les ruisseaux, le peuple joyeux encore épars dans les champs. Un transport les précipite alors à genoux devant l'Éternel. Ensuite, descendus dans les bosquets, le « délire d'un cœur amoureux » les livre l'un à l'autre, et Dolbreuse s'enivre « de la jouissance de tous les appas de (sa) jeune amante », qui est son épouse[3]. Comme « le feu qui féconde la nature échauffe aussi tous les cœurs »[4], cet espace naturel légitime le désir, et le temple de la « théologie naturelle » devient une alcôve. Ce qui manque d'arriver à Chactas et Atala dans les « superbes forêts » qui agitent lianes et dômes « comme les rideaux et le ciel de notre couche » avant qu'un orage providentiel n'y mette bon ordre[5].

1. *Atala,* 73.
2. « Ils étaient aussi enflammés par la saison de l'année. C'était déjà la fin du printemps et le début de l'été, et tout était dans sa force ; les arbres en fruits, les plaines en épis... plaisant était le champ des cigales, sucrée, l'odeur des fruits mûrs... on eût dit que... les pommes se laissaient tomber à terre, lourdes d'amour, et que le soleil, épris de beauté, voulait dévêtir toutes choses » (*Daphnis et Chloé,* 807, 837) ; « Nous étions alors aux premiers jours du printemps ; toute la prairie était émaillée de fleurs ; les tilleuls, les lauriers, les aubépines embaumaient l'air ; mille oiseaux se caressaient sur leurs branches ; les taureaux, les béliers poursuivaient les génisses et les brebis sur l'herbe humide de rosée ; le zéphyr agitait à la fois les arbres et les flots argentés. Ce doux murmure des ondes, mêlé au doux bruit du feuillage, aux accents du rossignol, aux bêlements des troupeaux, portait dans mon âme un trouble involontaire ; et j'écoutais, hors de moi, cette chanson des bergères que j'entendais dans le lointain... » (Florian, *Estelle,* 115) ; « Les vents retenaient leurs haleines. On entendait dans les bois, au fond des vallées, au haut des rochers, de petits cris, de doux murmures d'oiseaux, qui se caressaient dans leurs nids, réjouis par la clarté de la nuit et la tranquillité de l'air » (Bernardin de Saint-Pierre, *Paul et Virginie,* 150) ; « Souvent seul, assis sur cette roche, je me suis tordu les mains avec frénésie en écoutant tous ces bruits de printemps et d'amour que la montagne recèle, en voyant les sucriers se poursuivre et s'agacer, les insectes s'endormir voluptueusement embrassés dans le calice des fleurs, en respirant la poussière embrasée que les palmiers s'envoient, transports aériens, plaisirs subtils auxquels la molle brise de l'été sert de couche » (George Sand, *Indiana,* 325).
3. *Dolbreuse,* 74.
4. *La Comtesse d'Alibre,* 98.
5. *Atala,* 103.

Peut-on aussi confondre dans les romans la « théologie naturelle » et le « déisme sensible »[1] lorsque la beauté d'un espace, et l'émotion qu'il fait naître, viennent faire penser et dire que Dieu existe, est là ? Les mots que Voltaire met dans la bouche de Freind : « Servez-vous de vos yeux et vous reconnaîtrez, vous adorerez un Dieu »[2] pourraient le laisser croire. En vérité la suite montre que Dieu peut être vu dans le ciel d'un point de vue « philosophique », comme le machiniste suprême : « Mon cher Parouba, il n'y a point de voûte ; ce cintre bleu n'est autre chose qu'une étendue de vapeurs, de nuages légers, que Dieu a tellement disposés et combinés avec la mécanique de nos yeux qu'en quelque endroit que vous soyez vous êtes toujours au centre de votre promenade, et vous voyez le ciel, qui n'est point le ciel, arrondi sur votre tête. »[3] En ouverture à *Mme de la Carlière*, un semblable regard tourné vers le ciel et les nuées y voit une « opération de nos laboratoires qui s'effectue en grand au-dessus de nos têtes », mais il n'y a plus, on s'en doute, ni opérateur ni architecte.

Cette prise de distance, ce recul analytique par rapport au « spectacle », ce démontage des apparences sont une première rupture par rapport au modèle antérieur du spectacle harmonieux et édifiant.

La confrontation avec un paysage peut en effet être l'occasion d'une remise en question métaphysique de la Providence, de la bonté de la nature, de Dieu même. L'espace de la guerre manifeste le mal social, la méchanceté des hommes, comme celui des villages Abares et Bulgares que traverse Candide après la bataille[4], ou les flammes et fureurs de la révolte d'esclaves que voit le narrateur du *Ziméo* de Saint-Lambert[5], ou bien le paysage nocturne de la Madeleine, église inachevée qui fait naître « l'idée funeste » de la « dépopulation et du vandalisme »[6]. Il est beaucoup plus fréquent que les phénomènes naturels dans leur violence destructrice accusent la présence d'un mal métaphysique.

Dulaurens fait d'abord découvrir à Imirce, jeune fille expérimentale, avec l'aurore dans un jardin plein de fleurs, « la magnificence et toute la pompe de la création », qui « remplissaient /s/on âme d'un res-

1. Paul Bénichou, *Le Sacre de l'écrivain,* 36.
2. *Histoire de Jenni.*
3. X, 540.
4. *Candide,* III.
5. *Ziméo,* 47-48.
6. Regnault-Warin, *Le Cimetière de la Madeleine,* 5.

pect mêlé de crainte»[1] ; on lui explique alors que cet astre n'est pas le «maître», qu'elle n'admire que le soleil ; elle constate ensuite elle-même que ce maître peut être effrayant, tuer même avec le tonnerre, que la destruction est dans la nature. Comme certaines forêts et montagnes, les tempêtes disent l'agression, la menace. Nature s'y fait connaître comme redoutable, dans une «brutale absurdité» dit M. Delon[2]. Ailleurs, loin de la modération de la nature française, l'effet des orages est décuplé, volcans et tremblement de terre révèlent le mal de façon plus éclatante encore[3]. A la fin du siècle, le volcan, et surtout celui du Vésuve, est ainsi devenu un des sites romanesques qui suscite dans les discours le plus de philosophie : écoutons Juliette[4], ou Corinne : «On a dû se demander, en contemplant un tel séjour, si la bonté seule présidait aux phénomènes de la création, ou bien si quelque principe caché forçait la nature, comme l'homme, à la férocité. — Corinne, s'écria lord Nelvil, est-ce de ces bords infernaux que part la douleur ?»[5] Nous sommes très loin des «vues» de l'abbé Hélaine, de ses lapins providentiels dans la lumière du printemps. C'est pourtant la même démarche.

Entre l'harmonie finaliste et les déchirures du mal, les opportunistes proposent une vision prudente, où le bien et le mal s'équilibrent. Pour Florian, les glaciers de Savoie sont certes une «effrayante image de la nature, sans soleil, abandonné au dieu des tempêtes» mais «En regardant ces belles horreurs, j'ai remercié l'Être tout-puissant de les avoir rendues si rares»[6], et il leur oppose une «délicieuse vallée». Saint-Lambert, aux horreurs déjà citées, oppose la mer étincelante, la lumière, les oiseaux, les ruisseaux : «Un sentiment mêlé de reconnaissance pour le grand Être et de pitié pour les hommes me fit verser des larmes.»[7] Baculard d'Arnaud est un bon représentant de ces médiocrités bien balancées : «Si des volcans, des inondations ravagent la terre, si sa surface est défigurée par des montagnes d'une hauteur immense et surchargée d'une neige éternelle, par des forêts impénétrables qui

1. *Imirce,* 77.
2. Joseph Vernet et Diderot dans la tempête, *RDE,* 15, 1993, 32.
3. Voir *Candide,* V ; Marmontel, *Les Incas,* XX et XXVIII ; à comparer avec *Clélie,* où, en ouverture, la terre en tremblant sépare les protagonistes, sans métaphysique.
4. Sade, *Œuvres complètes,* Cercle du livre précieux, X, 354, 418.
5. Mme de Staël, *Corinne,* 338.
6. *Nouvelles,* 192.
7. *Ziméo,* 48.

semblent recéler les profondeurs de la nuit ; si son sein déchiré offre des précipices affreux, des cavernes lugubres, n'y voyez-vous pas de vastes campagnes couvertes de riches moissons, des collines parées de fleurs et de fruits, des bois délicieux qui tempèrent l'excessive chaleur, des fleuves nourriciers... »[1] La rhétorique tient lieu de vision.

Reste la beauté. Peut-elle s'imposer avec autant d'immédiateté et d'évidence ? Par éclairs, d'une fenêtre de voiture, si l'on est innocent : « On me faisait par intervalles admirer la beauté du paysage, le calme de la nuit, le silence touchant de la nature... »[2] Mais le roman, même à la fin du XVIIIe siècle, a du mal à intégrer la pure émotion esthétique. Il faut qu'il motive, explique, justifie. Le coucher du soleil « ne nous parut jamais si beau » dit le narrateur des *Contes immoraux*, puis très vite le paysage est mis en consonance avec son « âme », puis qualifié de « merveille de la création », puis l'enchantement finalement relié à celui d'être « ensemble », avec la femme aimée (152). Ou bien la beauté devra passer par la médiation de l'œuvre d'art. Une relation s'est inversée. Les héros de Mlle de Scudéry visitaient des cabinets de tableaux et en trouvaient une application à leur vie : ce qui était peint et qui était décrit, ressemblait à ce qu'ils vivaient. Désormais c'est l'inverse, les paysages ressemblent, disent-ils, à des tableaux (ils sont pittoresques), à des romans (ils sont romantiques), à des poèmes (ils sont poétiques). Du moins, on en débat. Dans le château d'Écosse où elle vient de se réfugier, le paysage de montagne (en deux pans opposés) que Malvina voit « en s'approchant d'une des croisées de son appartement », qu'« elle considère attentivement », est certes un « superbe spectacle ». Mais il est tout de suite pris (par la méchante mistriss Birton) dans une comparaison avec les jolis paysages de France et d'Italie « disposés avec goût sur le papier vert qui ornait son cabinet »[3]. Plus tard une promenade en montagne et les superbes effets du soleil sur la glace, la neige, les arbres et les rochers, déclenchent la récitation enthousiaste d'un poème d'Ossian[4]. C'est dans un discours sur l'art que la beauté s'expose.

Théologique, philosophique, érotique, esthétique : ce que le personnage-spectateur lit pour nous dans l'espace n'est pas à discuter,

1. *Sidney et Volsan,* 71-72.
2. Vivant Denon, *Point de lendemain,* 76.
3. Mme Cottin, *Malvina,* I, 23.
4. I, 142.

apparaît sur le mode immédiat de la révélation d'une Vérité : celle de Dieu, d'une Nature, beaucoup plus rarement celle de la Société des hommes et de ses conflits. Le lieu aimable initial se mue en un espace travaillé par une énergie, redoutable ou délectable.

Cependant le motif évolue aussi, dans ses rapports avec les autres éléments du roman. A la fin de notre période, c'est-à-dire avant et après la Révolution, il a tendance à être davantage intégré à l'action. La théologie pluchienne s'exprime en pauses contemplatives où le discours du personnage, déclenché par ce qu'il voit de l'espace, le qualifie certes[1], mais sans avoir de conséquence déterminante sur l'action. La prise de conscience du mal dans l'espace naturel est davantage liée à des états de crise, dans un parcours d'apprentissage, davantage intégrée au parcours narratif : c'est par exemple près du Vésuve que Corinne recevra la confidence de sir Nevil. De même l'espace érotique pastoral puisqu'il provoque l'amour, joue forcément un rôle important dans les rapports entre personnages.

Enfin, on glisse d'un rapport de contemplation à un rapport d'identification. Le narrateur de *Paul et Virginie* dit bien qu'il s'élève vers l'auteur des harmonies de la nature et la description de sa retraite, placée sous ce signe, est censée dire le Créateur dans les multiples correspondances qui constituent l'harmonie paradisiaque de ce lieu aimable ; mais la forme de cet espace, qui offre des « dispositions intéressantes » pour quelqu'un comme lui, est aussi et surtout mise en écho avec ce qu'il est lui-même : « Un homme qui aime mieux rentrer en lui-même que s'étendre au dehors » (170). Ce que René voit depuis l'Etna : « Une création à la fois immense et perceptible, et un abîme ouvert à mes côtés » est, dit-il vite, « l'image de sa vie et de son caractère »[2]. De même le contraste entre « agitation sans but » et « inaction sans fin » que Jean Sbogar perçoit au Lido dans le site du cimetière juif[3] est à l'image de son destin. L'espace devient emblématique du « je » qui l'exprime. Le rapport n'est plus d'inclusion, le sujet ne se contente plus de contempler et déclamer devant le paysage qu'il surplombe, son enthousiasme ou son horreur devant

1. « Je me formai l'idée la plus aimable de cet étranger », écrit Charlotte après avoir entendu sa tirade (citée plus haut) sur la « vue » qui s'offre à ses yeux (Hélaine, *Les Amants vertueux,* I, 23).
2. Chateaubriand, *René,* 154-155.
3. Nodier, *Jean Sbogar,* X, 91-93.

la Création, le Grand Tout, ou la Nature dont il fait partie. Il voit dans le paysage son propre destin, comme individu, superposé à celui de l'humanité. Il y a dans cette scène du Lido, un caractéristique emboîtement d'analogies: Jean Sbogar pense que ce qu'il contemple ressemble au destin de l'homme et au sien, cette pensée se peint sur son visage (il ressemble donc lui-même à ce qu'il pense), et selon Antonia il ressemble alors à Adam après la chute. Le personnage transparent finit par être véritablement exténué par l'analogie qui le traverse, comme d'autres l'étaient par leur « naissance », leur « qualité ». Le discours qui était obliquement adressé au lecteur, pédagogique donc, peut être remplacé par un possible silence, par la rêverie, que le narrateur devra bien prendre en charge. Voici le jeune *Édouard*, dans les montagnes du Forez, depuis la maison de vacances de ses parents, surplombant un « paysage » auquel il ne peut s'arracher: comme il s'agit d'une « forge », il est plus difficile d'en faire sourdre Dieu. L'enfant reste « fixé sur cette plate-forme comme par un enchantement »: la philosophie s'est muée en « songe », le personnage rêve, le narrateur discourt[1].

Se reconnaître

On vient de le voir: la métaphysique proposée par l'espace tend à devenir pour le sujet une clé de son destin, une image et une explication. Pour apprécier justement cette évolution, il faut la situer dans le cadre plus large d'une autre figure fondamentale du rapport à l'espace: celle où le moi, toujours dans l'instant et sans médiation, reconnaît dans l'espace quelque chose de lui-même, perçoit que l'espace, d'une façon ou d'une autre, lui ressemble.

Le rapport perçu entre espace et moi-personnage a pris depuis longtemps les formes modestes, ponctuelles, et topiques qui se sont nouées autour de la notion de « convenance » ou de « conformité ». Mais elles peuvent signifier aussi bien la conscience d'une analogie, que celle de la convention[2]. Lorsque Marivaux écrit: « Cette nuit fut accompagnée de

1. Mme de Duras, *Édouard,* 66-67.
2. Les deux mots, « convenance » et « convention » se rejoignent dans l'acception « classique » de « rapport de conformité » *(Grand Larousse de la Langue française, Trésor de la Langue française)* .

cette belle horreur... qui *convient* à la situation d'un amant qui a perdu ce qu'il aime... »[1], l'espace est donné comme conventionnel ; il est celui qui « convient » au style de la « noble tendresse » et des « idées grandes », pour celui qui sait le lien existant entre « une nuit tranquille éclairée de la lune... » et le sentiment de « l'amant qui a perdu ce qu'il aime » parce qu'il l'a très souvent lu dans les romans, en particulier ceux de la fin du XVIIe siècle, selon M.-T. Hipp. En revanche lorsque Mme de Tencin ou Réveroni Saint-Cyr, à plus de cinquante ans de distance, écrivent : « ... un bois de haute futaie faisait ma promenade ordinaire. La solitude et le silence qui y régnaient y répandaient une certaine horreur *conforme* à l'état de mon âme »[2], et : « A la vérité cette nature agreste et dure *convenait* à la situation de son cœur »[3], ce qui s'exprime n'est plus la conscience d'une convention, mais celle d'un rapport d'analogie. Le sujet-personnage ne s'interroge pas sur le fondement de cette « conformité » et rien ne permet de dire qu'il y ait la moindre ironie.

Ainsi un sentiment dans ce qu'il a de passager, d'instable, et de personnel se reconnaît dans des espaces-types fixés par une longue tradition, paysages, saisons, comme le plus intime peut se dire avec les mots de tout le monde

Par exemple, il existe un paysage de l' « horreur » qui est « assorti » à une certaine « mélancolie ». Nous en préciserons plus loin le dessin[4]. Pour les acteurs, l'analogie est évidente et ne demande aucune explication ; ils en notent seulement les effets, un certain plaisir : « ... l'horreur de ce séjour[5], la sombre mélancolie qu'il inspirait, avait plus de charmes pour mon père que le paysage le plus riant et le plus varié. »[6] Dans les saisons, comme le désir se reconnaît dans l'espace du printemps, l'hiver convient à la « douleur » : « arbres dépouillés... vaste tapis de neige... chemins déserts... villages inhabités... ces images plaisaient à Malvina, elles sympathisaient avec sa douleur... »[7], et le « déclin de l'automne » (« ces feuilles qui tombent de toutes parts, cette campagne flétrie, ces images de deuil et de désolation ») à la « noirceur des pensées »[8]. Une

1. *Pharsamon,* 536 ; je souligne.
2. *Les Malheurs de l'amour,* 289.
3. *Pauliska,* p. 105.
4. Voir « Types », 176-178.
5. Une « grotte ».
6. La Guesnerie, *Mémoires de Mylady B...,* I, 46.
7. Mme Cottin, *Malvina,* I, 12.
8. Léonard, *Lettres de deux amants,* III, 5.

sémiotique des saisons fort ancienne, prébiblique, appuyée sur une conception « naturelle » de la durée, fait de l'automne et encore plus de l'hiver la fin d'un cycle, tristesse et mort. Lamartine confirmera : « ... le deuil de la nature /Convient à la douleur et plaît à mes regards. »[1]

Lorsque l'analogie est explicitée, c'est qu'elle sort de l'évidence des connexions fixées par les topoï. Son champ d'application est alors, en principe, beaucoup plus vaste. N'importe quelle portion de l'espace semble pouvoir devenir emblématique si le personnage y reconnaît l'image de ce qu'il éprouve. Silvandre s'arrête devant un saule : « ... quelque temps à considérer ses racines, et voyant qu'elles étaient presque toutes hors de la terre, il allait comparant l'état de son arbre à celui de son amour : Pauvre tronc, disait-il en lui-même, que ta vie et la mienne sont maintenant attachées à bien peu de choses[2] ! Comme Édouard devant les jardins abandonnés de Versailles : « ... je contemplais ces jardins enchantés créés par l'amour ; ils ne déplaisaient pas à mon cœur : leur tristesse, leur solitude étaient en harmonie avec la disposition de mon âme »[3], M. de Mortsauf frappe de sa canne le sol desséché : « Voilà ma vie ! »[4]

Au lieu du sentiment de l'instant, le moi peut reconnaître alors ce qui en lui est plus stable, plus profond, une identité. Le solitaire de *Paul et Virginie* voit ses « dispositions » représentées dans son vallon (170). Wolmar trouve que l'Élysée de Julie convient à un certain caractère, celui de qui n'a pas besoin de lointains, n'a donc pas cette « inquiétude » d'être ailleurs (IV, 11). Juliette et les siens se reconnaissent dans la nature « criminelle » du Vésuve, « satisfaite » d'avoir englouti Olympe : « Ceci, c'est nous ! », s'écrie l'héroïne de Sade[5].

Ce mécanisme fonctionne mieux devant une nature ignorée ou désertée par l'homme. Ne doivent pas venir s'interposer les autres, leurs travaux, leur affairement. D'où la préférence pour les champs désertés de l'aurore ou du couchant[6], pour la nuit, pour la forêt, la montagne. Alors peut s'exprimer l'ancienne affinité entre homme et

1. *Méditations,* « L'Automne ».
2. D'Urfé, *Astrée,* V 23.
3. Mme de Duras, *Édouard,* 130.
4. Balzac, *Le Lys dans la vallée,* p. 87.
5. *Œuvres complètes,* Cercle du livre précieux, IX, 354, 418.
6. « Le jour s'affaiblissait ; le ciel était serein ; la campagne devenait déserte ; les travaux des hommes avaient cessé, ils abandonnaient la nature à elle-même » (B. Constant, *Adolphe,* 92).

nature[1] dont la poésie fera grand usage, et qui a été à nouveau théorisée en Angleterre à propos des jardins[2]. Le monde « naturel » est le matériau préféré de l'analogie dans la fabrication d'un espace-reflet explicite du moi.

Mais on va justement assister à l'entrée de l'espace urbain dans ce jeu d'analogie. Le sentiment commence à s'y reconnaître, avec les termes conservés de la tradition, l'« horreur », le « désert », la « forêt ». Paris d'abord est promesse de bonheur pour Marianne, elle éprouve une « douce sympathie »[3], elle lit « dans cette multitude de choses différentes » une possibilité d'« agréments » ; plus tard, la ville sera pire qu'une « forêt » : « Plus je voyais de monde et de mouvement... plus j'y trouvais de silence et de solitude pour moi : une forêt m'aurait paru moins déserte, je m'y serais sentie moins seule, moins égarée. »[4] Saint-Preux « entre avec une secrète horreur dans ce vaste désert du monde »[5]. Bien plus tard, dans la « populeuse » rue du Bac, pour un jeune homme désespéré d'avoir perdu celle qu'il aime, et humilié, l'« horreur » n'est plus faite de précipices et de torrents, mais de la foule : « Ces hommes qui allaient tranquillement à leurs affaires me faisaient horreur. »[6]

Reconnaître dans un espace son sentiment, son caractère ne trouble pas la marche de l'histoire ; c'est comme un écho qui accompagne la marche du héros. En revanche, lorsque son passé surgit, l'analepse fait une rupture, déchire la durée. « La vue de cette belle rivière qui avait été présente à tous ses bonheurs passés et qui avait aussi vu naître le commencement de son extrême malheur... toucha l'âme » d'Astrée « si vivement que, donnant cesse à son promenoir, elle fut contrainte de s'asseoir sur le bord du ruisseau » (II, X).

Le souvenir est toujours d'amour, et en même temps qu'un passé surgit la figure d'un autre, d'une deuxième personne, par le simple jeu de la contiguïté : « J'ai revu ce bois, ce ruisseau, ce banc de verdure où

1. N. Frye, *Le Grand Code,* 126 ; la nature faite pour l'homme, *designed,* dit Clarence G. Glacken, dans *Traces on the Rhodian Shore, Nature and culture in western thought from ancient time to the end of eighteenth century,* Berkeley, 1967.
2. Voir les textes de J. Addison et Mark Akenside cités dans l'anthologie de M.-M. Martinet, *Art et nature en Grande-Bretagne au XVIIIe siècle,* Aubier-Montaigne, 1980, p. 80 et 111.
3. « Conformité, rapport d'humeur » précise F. Deloffre d'après Richelet.
4. *La Vie de Marianne,* 17, 135.
5. Rousseau, *Julie,* II, XIV.
6. Mme de Duras, *Édouard,* p. 148.

vous étiez assise... »[1], ou par des associations plus analogiques : « Je vous avouerai du moins que la beauté de la nature, l'ombre et le silence des bois, me jettent malgré moi dans une rêverie dont je vous trouve toujours l'objet. »[2]

« Quoi ! Votre cœur ne vous dit-il rien ici, et ne sentez-vous point quelque émotion secrète... ? »[3] : même à l'icône concernée, il n'est pas facile de faire partager une révélation qui demeure purement subjective ; à plus forte raison à un valet éberlué : « Vois-tu ce détour, ce chemin coupé, c'est là, où, à genoux à ses pieds, j'ai vu sa belle bouche me prononcer ces mots... »[4] Dans les lettres surtout, c'est l'occasion d'un moment de lyrisme élégiaque, de faire un peu chanter la prose à coup d'énumérations ou d'anaphores : « La porte par laquelle Céline l'amena dans ma chambre le jour de votre départ et de son arrivée ; le siège sur lequel il s'assit ; la place où il m'annonça mon malheur, où il me rendit mes lettres, jusqu'à son ombre effacée d'un lambris où je l'avais vue se former... »[5], « Je ne pouvais faire un pas autour de ma demeure, sans que l'image de mon épouse ne s'offrit à ma pensée. C'était parmi ces saules et ces peupliers que... C'était de là que... C'était sous ces berceaux de chèvrefeuille... C'est ici que... C'est là le vieux tilleul où... Voilà le vieux if consacré... »[6]

Les espaces de l'intimité amoureuse deviennent signes mémoratifs : le cabinet, la chambre, le jardin, son bosquet. Mais rares sont les cas où le passé revient fortuitement. Le bel exemple tiré de *Julie*[7] est doublement exceptionnel : parce que la chambre d'auberge ne fait pas partie des lieux « nobles » habituels, parce que le surgissement du passé est imprévu : « En entrant dans la chambre qui m'était destinée, je la reconnus pour la même que j'avais occupée autrefois en allant à Sion. A cet aspect je sentis une impression que j'aurais peine à vous rendre. J'en fus si vivement frappé que je crus redevenir à l'instant tout ce que j'étais alors... »[8] Le plus souvent l'image de l'autre est recherchée dans des lieux où l'on ne peut manquer de la voir appa-

1. Léonard, *Nouvelle Clémentine,* 92.
2. Crébillon, *Lettres de la Marquise,* XXXI.
3. Rousseau, *Julie,* IV, XVII.
4. Marivaux, *Pharsamon,* 442.
5. Mme de Graffigny, *Lettres d'une Péruvienne,* XL.
6. Loaisel de Tréogate, *Dolbreuse,* p. 122.
7. Sur lequel Jean-François Perrin a fondé son modèle de « scène de réminiscence », de Rousseau à Proust, *Poétique,* 102, 1995.
8. *Julie,* V, IX.

raître, le souvenir attendu et provoqué, avec la délicieuse douleur qui l'accompagne[1]. On revient sur les lieux et l'on trouve la tristesse que l'on vient y chercher: «J'ai été le matin dans votre parc: hélas!... Je parcours cent fois le jour les lieux que nous habitions ensemble... J'ai parcouru tristement les lieux où vous étiez la veille.»[2]

Sans doute le plus caractéristique est-il lorsque des espaces sont fabriqués pour susciter le sentiment, l'image de l'autre et les perpétuer: monuments, autels, jardins, tombeaux. L'ensemble de ces espaces agencés offre, dans des proportions variables, un matériau très souvent naturel, une composante religieuse sensible dans les métaphores («consacrer... autel... temple...»), et un aspect de monument, qui se marque par des objets, des inscriptions, ou par une représentation analogique de ce qui doit être rappelé à l'esprit. Ce sont à la fois des jardins, car la nature y a été aménagée, des temples où se pratiquent des rites, et des monuments qui veulent rendre présent, sous forme de signes, ce qui a disparu. Un exemple que l'on peut considérer comme fondateur, étant donné le prestige dont jouit le roman, est le «temple» que Céladon a aménagé dans la forêt en l'honneur d'Astrée, longuement visité et décrit, avec ses autels de gazon, ses tableaux allégoriques, ses inscriptions et ses poèmes[3]. Il représente le versant clair de ce type d'espace car il est vaste, les personnages le parcourent et en assurent le déchiffrement et même en débattent. A l'opposé, la version sombre serait représentée par cette sorte de mausolée fétichiste que Renoncour fait aménager pour que lui soit rappelée sans cesse Sélima disparue: «J'emportai à Venisi tout ce qui avait servi à Sélima pendant sa vie, ses livres, ses habits et ses autres meubles... Mon premier soin fut de faire couvrir les murs et le pavé de ma chambre... d'un drap noir. Les fenêtres furent bouchées... Je fis suspendre aux murailles les habits de Sélima, afin qu'ils puissent frapper continuellement mes yeux. Je posai son cœur sur une table couverte d'un grand tapis noir, au-dessus de laquelle était un tableau qui la représentait au naturel et dans toute sa beauté. Aux deux côtés de la table étaient des guéridons qui soutenaient des flambeaux... Telle était la disposition de

1. Pour une période postérieure à la nôtre essentiellement, voir Lucienne Frappier-Mazur, La description mnémonique dans le roman romantique, *Littérature,* 38, 1980.
2. Crébillon, *Lettres de la Marquise,* LXVI ; Rousseau, *Julie,* I, XXV ; Léonard, *Nouvelle Clémentine,* 92.
3. *L'Astrée,* II, V ; éd. Jean Lafond, p. 129-164.

cette espèce de tombeau... »[1] Il n'est plus question de nature, Renoncour y est seul, l'espace est étroitement clos, étouffant, morbide. Le roman oscille entre ces deux extrêmes : le culte de l'amour entrouvert sur la nature et le commerce des autres, et la boîte close de l'idolâtrie égocentrée.

Le dernier tiers du siècle renforce la présence de la composante naturelle. Ce sont des jardins que les amants séparés aménagent, analogues à ceux du passé : « ... j'avais de mes propres mains enlacé des branches d'arbres, formé des berceaux, élevé des lits de gazon, où couraient en serpentant des guirlandes de fleurs. Mon petit jardin était, en petit, ce qu'était celui de notre petite maison »[2], ou bien : « J'ai fait construire dans mon jardin un berceau parfaitement semblable à celui où j'étais auprès de vous... »[3] Les monuments funèbres se dressent dans les grottes ou les forêts, mêlent la nature et l'artifice : « Elle prit l'occasion de la mort de son père pour se plonger dans un deuil lugubre. (...) elle fit bâtir dans l'épaisseur d'une forêt un palais : aux pieds des murs roulait un ruisseau profond dont les eaux étaient verdâtres. Elle creuse des fontaines dont les ornements étaient des furies qui vomissaient les eaux. Au lieu d'en parer l'extérieur de ces coquillages auxquels la nature donne des formes bizarres, elle employa des ossements humains... »[4] Sur un bûcher de bois de pin et de plantes aromatiques, Dolbreuse incinère solennellement le cadavre de son épouse : il rend ainsi son corps à la nature (« toutes les parties du corps de mon épouse, élancées vers les cieux en corpuscules étincelants, allaient se rejoindre au feu, principe et âme de l'univers »), puis renferme les cendres dans une urne de cristal. Elle sera l'objet d'un culte quotidien : tous les matins, la diffraction des « premiers feux du jour » dans le cristal semble « une pompe éclatante agissant à la voix et sous les yeux d'un Dieu, pour faire remonter vers les cieux ce qui en était émané... »[5]. Chez Bernardin de Saint-Pierre, Paul arrange le jardin pour Virginie, le narrateur écrit et grave les inscriptions, mais le jardin reflète tout le groupe, les deux familles, par les « appellations char-

1. Prévost, *Mémoires et Aventures d'un Homme de Qualité,* I, 97.
2. Durosoi, *Clairval Philosophe,* 220-223.
3. Léonard, *Lettres de deux amants,* I, 204.
4. Luchet, *La Reine de Bénin,* 82 ; aussi : « ... le pavé et les colonnes, de marbre noir, soutenaient un plafond d'où tombait une lampe funèbre. Sur un massif entouré de marches était un tombeau au-dessus duquel on voyait un tableau qui représentait une femme et un petit enfant sur ses genoux... » (Ducray-Duminil, *Alexis,* II, 78).
5. Loaisel de Tréogate, *Dolbreuse,* 120.

mantes» qu'elles donnent aux arbres, aux fontaines, aux rochers: «Ces familles heureuses étendaient leurs âmes sensibles à tout ce qui les environnait» (115); il devient monument lorsque le papayer rappelle Virginie disparue («... le considérant comme un monument de sa bienfaisance, il baisait son tronc, et lui adressait des paroles pleines d'amour et de regrets», 174), et à la fin, en effet, il ne restera plus que «des ruines et des noms touchants».

Telle page de *Victorine,* dans sa médiocrité naïve, est, en 1789, une récapitulation hétéroclite de ces diverses pratiques d'inscription dans un espace-culte: «Il se l'était[1] rendu encore plus cher, en me le consacrant. Je trouvai mon chiffre gravé sur tous les arbres; une couronne de roses au-dessus d'un siège de mousse; des touffes de violettes et de pensées, au milieu desquelles coulaient deux ruisseaux (...) Tous deux venaient se réunir à l'ombre hospitalière d'un chêne respectable: et, pour que l'allégorie fût complète, on voyait sortir d'entre ses racines deux tiges de lierre qui devaient en grandissant s'attacher à son tronc.»[2] Ceci pour l'héroïne et son amant. Mais il y a aussi une «sauvage» dans l'histoire, Azakia qui languit après son Nosrou disparu: «Elle avait trouvé un creux de rocher semblable à quelques égards à l'endroit où Nosrou lui avait dit la première fois qu'il l'aimait. Elle y éleva une espèce d'autel. Au moment où le soleil se couchait, moment où elle avait connu le premier bonheur, elle le couvrait de fleurs...» (77). La pratique du monument envahit l'intérieur de la maison aussi: comment dire sa gratitude à un ami? En lui faisant un «temple de la reconnaissance» en chambre, «son portrait entouré de génies caressants, et couronné de fleurs, avec cette inscription: A notre bienfaiteur», que les enfants embellissent de fleurs tous les matins[3].

Cette tendance à confronter le personnage à un espace qui lui dit et redit, parfois jusqu'à l'obsession morbide, ce qu'il sait et ne veut pas oublier, peut certes être reliée à la vogue des jardins «anglais» systématiquement parsemés de «fabriques» et d'inscriptions, mode appuyée sur les analyses d'une psychologie associative empiriste; il faut aussi rappeler le goût pour l'«architecture parlante»[4], les monu-

1. Un bosquet dans un jardin.
2. Gorgy, *Victorine,* p. 37.
3. Baculard d'Arnaud, *Sidney et Voisan,* 76.
4. Voir François Dagognet, *Pour une théorie générale des formes,* Vrin, 1975, chap. IV.

ments édifiants dans l'espace urbain et noter comment des pratiques aussi païennes et idolâtres ont pu coexister dans les romans les plus conformistes avec un discours chrétien.

Voir dans l'espace ce qui n'y est pas peut présenter des risques. Le rituel du souvenir devenir délire. Déjà la pratique du « furieux » amant de Fanny à la fin de *Cleveland*, qui garde son « portrait sur une espèce d'autel dans le cabinet le plus secret de son appartement... » (617), est comme une caricature de celle de Renoncour citée plus haut. Saint-Preux après le choc du souvenir vit une nuit de cauchemar poursuivi par l'image de Julie mourante recouverte d'un « voile impénétrable », dans sa chambre d'auberge, jusqu'à l'hallucination : « Je me mis à errer dans la chambre, effrayé comme un enfant des ombres de la nuit... »[1] De même Valcour égaré dans la forêt après avoir quitté Aline, s'endort au pied d'un chêne antique et voit un « fantôme effroyable » apparaître « à ses sens déchaînés », celui du père d'Aline secouant la tête de sa fille dans des flots de sang : « Je le vois encore... J'écris que je rêvais... mais je n'oserais pas l'affirmer... l'impression fut trop vive... » (1041-1045). L'espace impose un savoir aberrant, qui, un moment, fait écran.

Pire encore, certains personnages, en fin d'histoire, sont sanctionnés par une folie durable : ils ne voient plus dans l'espace que ce qui évoque ce qu'ils ont perdu, le moment où ils l'ont perdu ; le curé Sévin dans *Émilie de Varmont*, Malvina abandonnée et meurtrie, Faublas choqué par la mort de ses maîtresses, sont incapables, dans leur délire, d'y voir autre chose : « Le soir, comme de coutume, au coucher du soleil, mon fils a cru voir l'épouvantable orage et sonner l'horloge fatale : "Neuf heures ! Elle est là !" »[2] Faublas sera guéri par un médecin qui reconstitue pour lui un espace analogue à celui de la nuit de son deuil, un pont, une rivière, à quoi il ajoute une tombe, pour lui faire progressivement admettre la mort des deux femmes. Chez Sévin chaque objet, chaque lieu signifie Émilie, qu'il ne reconnaît pourtant pas lorsqu'elle lui rend visite : « Prenez donc garde ! vous allez donner du pied contre ce chèvrefeuille ! J'aimerais mieux qu'on me marchât sur le corps. C'est elle qui l'a palissé ! »[3] ; Malvina revit chaque soir le

1. *Julie,* V, IX.
2. Louvet, *Fin des amours du chevalier de Faublas,* 1208.
3. *Émilie de Varmont,* III, 115.

moment où elle a perdu Edmond et son enfant: «Votre femme a exigé... qu'on plaçât un cercueil dans le bosquet où vous l'avez trouvée ce soir... Son esprit est singulièrement frappé de l'idée qu'elle doit mourir chaque soir à dix heures, heure fatale à laquelle la lettre de mistriss Fenwich fut remise entre ses mains.»[1]

La rêverie où s'efface la distinction entre sujet et objet n'offre pas les mêmes ressources pathétiques et trouve moins de place dans le roman. Saint-Preux dans le Valais[2], Obermann au Mont-Blanc (VII) trouvent dans l'ascension d'une montagne une sorte de perception d'eux-mêmes tellement renouvelée qu'elle est une perte de soi : « On oublie tout, on s'oublie soi-même, on ne sait plus où on est » (I, XXIII) dit Saint-Preux, et Obermann : « ... on songe, on s'abandonne... on rêve, on ne médite point... » ; mais Saint-Preux analyse et disserte, tandis qu'Obermann constate que sa « mémoire n'a presque rien gardé » (VII) Adolphe aussi, dans une errance nocturne, en plaine cette fois, retrouve la faculté de s'oublier soi-même, la « méditation désintéressée »[3]. Mrs Henley se perd et se dissout, elle, dans une rêverie plus modeste fixée sur un « vieux tilleul»: «Je ne me connais à rien, je n'approfondis rien; mais je contemple et j'admire cet Univers si rempli, si animé. Je me perds dans ce vaste tout si étonnant... (...)... je regarde, et des heures se passent sans que j'aie pensé à moi, ni à mes puérils chagrins.»[4]

Le roman pose le sujet devant un espace qui s'ouvre devant lui, expose une vérité qui laisse peu de place au doute, à l'incertitude de l'interprétation, ou aux hasards de l'expérience. Le savoir lui arrive comme un loi révélée et lui fait reconnaître l'ordre social, une clé de l'univers, sa propre identité. La société en ordre, l'univers expliqué, l'assurance que je suis bien moi, tout semble plutôt rassurant. Les essences sociales informent les apparences sociales, l'univers se comprend sans effort à partir d'un petit « canton » représentatif et d'une idée, d'un système, le moi qui se reconnaît dans la nature se grandit, tâche même d'échapper à la durée[5]. Ce premier type de rapport avec l'espace est sans doute l'appui dont le personnage a besoin pour les aventures de toutes sortes. Mais si

1. Mme Cottin, *Malvina,* III, 147.
2. *Julie,* I, XXIII.
3. B. Constant, *Adolphe,* 92.
4. Mme de Charrière, *Lettres de mistriss Henley,* V^{e} lettre, 118.
5. Voir L. Frappier-Mazur, *Littérature,* 38, 1980.

l'ordre de la société vacille tant soit peu, si la clé de l'univers est justement désordre et violence, si le moi se dissout dans son reflet, ce rapport à l'espace risque de devenir troublant.

SAVOIRS DÉVOILÉS

Le savoir ne s'offre pas toujours comme une vérité stable et permanente. Il existe des espaces où la vérité se découvre, se dévoile, et même se succède à elle-même dans des formes différentes. Elle fait ainsi péripétie : par un passage rapide de l'erreur à la vérité, ou d'une vérité à une autre (la première se révélant avoir été erreur), une révélation soudaine, une métamorphose, l'espace bascule, une obstruction est levée et la vérité se manifeste.

Envers de l'illusion

L'espace étant disposé pour tromper un ou plusieurs spectateurs, faire naître une illusion, l'explication de cette disposition, la description de cet espace, détruit l'illusion et fait apparaître la vérité comme l'*envers de l'illusion.* Une telle figure implique l'existence de trois acteurs : celui qui a arrangé l'espace pour tromper, la victime de la tromperie, et celui qui dévoile l'ensemble par son discours. Le lecteur par le jeu de la focalisation peut occuper la place du trompé-désillusionné, ou du trompeur manipulateur lucide.

Ainsi Cleveland croit voir sa fille mangée par les Rouintons[1] : un dispositif spatial élémentaire engendre une erreur qui ne sera dissipée que plusieurs centaines de pages plus loin ; et de même Fanny peut croire que Mme Lallin a séduit Cleveland (386) à cause du spectacle que le perfide Gélin lui a fait voir. Dans les *Désordres de l'amour* c'est sa propre femme qu'un mari tente de compromettre en mettant au point la mise en scène d'un faux rendez-vous[2]. Espace fait d'obscurité, de costumes substitués, de ressemblances approximatives : « ... leur taille, leur air, et le son de leur voix avaient beaucoup de rapport, et la Piémontaise pouvait,

1. Prévost, *Le Philosophe anglais ou histoire de M. de Cleveland,* 231.
2. Mme de Villedieu, 107-109.

dans l'obscurité, faire l'erreur d'un rendez-vous», écrit Mme de Villedieu (107). La trajectoire du regard peut y être détournée par un obstacle qui engendre l'erreur. Cet espace est le favori du roman d'aventures et de sentiments, depuis les romans grecs où trahisons supposées et morts apparentes sont déterminantes : à Chéréas on a fait « voir » que Callirhoé lui est infidèle et le roman de Tatius commence par une fausse mise à mort particulièrement sanglante[1]. Dans l'*Astrée*, Madonte est compromise par un faux accouchement mis en scène par Lériane[2]. Inlassablement, en créant des leurres, ce roman met ses héros en situation de croire à la mort ou à l'infidélité de celui ou celle qu'ils aiment.

Parmi les illusions créées par ces jeux d'espace figure également celle d'une surnature effrayante, évoquée par une pyrotechnie élémentaire, flammes et fumigènes. Les raisons de faire peur sont parfois triviales, parfois plus politiques : d'un côté la version basse et burlesque où tel lutin qui hante un château n'est que le fermier qui veut l'acquérir à bas prix[3], de l'autre la version «philosophique» où des imposteurs, le plus souvent des prêtres, trompent le peuple, dans des pays lointains ou imaginaires. Il faut voir comment ceux des Nopandes entretiennent les flammes d'un enfer propre à tenir en respect un peuple crédule dans *Cleveland* (251), comment sont mises en scène les exécutions des « esprits forts» dans *Voyages et aventures de Jacques Massé* (114-115). Cleveland lui-même n'hésite pas à arranger une « vengeance divine» à coup de poudre et de flammes (208).

Dans cet espace instable et trompeur, où le vu n'est pas (d'abord) le vrai, il n'est pas gratuit de parler de «mise en scène», puisqu'on retrouve tant de «machines» de théâtre (fumée, paravent, praticables, écrans, trappes, etc.). Dans l'exemple initial de Tatius, ce sont bien des acteurs et leurs accessoires qui ont fait croire à la mort de l'héroïne...

Ce qui est surpris

La vérité cachée, secrète, l'espace invite à la *surprendre* lorsqu'il permet de voir sans être vu (ou entendre sans être entendu). C'est une séquence qui a certes une fonction narrative évidente dans le cas de la

1. M. Fusillo, *Naissance du roman*, 45, 102 ; *Romans grecs*, 391, 929 ; voir aussi 531-539 (Héliodore, *Éthiopiques*).
2. I, VI, 246-249 ; éd. Jean Lafond, 226-235.
3. Subligny, *La Fausse Clélie*, 259.

narration homodiégétique, puisqu'elle permet au narrateur de raconter ce à quoi il n'a pas participé en tant qu'acteur, et que le lecteur doit cependant savoir. Mais sa fréquence, et le contenu du savoir qu'elle apporte, invitent à aller au-delà de cette commodité. Il y a toujours beaucoup à apprendre des belles endormies, femmes au bain, ou d'un huron nu dans la rivière, ou d'une femme qui lit votre lettre : l'émoi est extrême. Lorsqu'il s'agit d'un couple, la leçon est explicite, généralement euphorique dans le roman libertin ou pornographique, douloureuse dans les romans « honnêtes » où c'est toujours le spectacle d'une trahison. Ce qui est surpris est toujours en rapport plus ou moins direct avec une activité érotique, ou bien avec une information qui devait rester cachée concernant le sexe ou la filiation. L'espace est partagé par l'obstacle qui forme cadre pour la vision : paravents, palissades de jardins, portes entrouvertes, planches entrebâillées, cloisons percées sont inlassablement mis en œuvre. Il rend possible et limite à la fois ce regard particulier, exprimant à la fois le désir et l'interdit[1].

Le travestissement aussi peut donner accès à un savoir caché, qui sera par son moyen également *surpris*. En effet dans une société où l'apparence et son déchiffrement sont comme on l'a vu plus haut déterminants, il va permettre au personnage de se glisser dans d'autres mondes. Quel que soit le projet d'action, il s'agit de se mettre à l'abri d'un pouvoir, d'échapper au contrôle de son regard en camouflant identité sociale ou identité sexuelle. Il ne faut pas s'attendre à ce que le noble protagoniste qui se déguise en valet, en peintre, en déménageur, en pêcheur[2] pour voir celle qu'il aime, paraisse porter quelque intérêt que ce soit à la « condition » dont il a emprunté l'apparence. Le souci des narrateurs est plutôt de nous rassurer en affirmant que le héros n'y a rien risqué de son « honneur »[3]. A la fin du siècle cependant, avec Rétif de La Bretonne, changer d'apparence sociale devient autre chose qu'un stratagème de nobles amants, ou de « mouches » de police. Le « paysan perverti » non seulement connaît et apprécie la qualité d'anonymat d'un certain espace urbain, mais il va jusqu'à dire, à propos de

1. Voir Henri Lafon, Voir sans être vu : un cliché, un fantasme, *Poétique,* n° 29, 1977. Cette structure très stable, Balzac la transporte dans l'espace parisien, en jalonne le drame de *Ferragus* : femme honnête vue et suivie dans la rue d'un quartier louche, porte qui s'ouvre sur la femme surprise avec un homme, qui est son père, conversation écoutée de la pièce voisine par le mari (37, 67, 126).
2. ... pour venir en barque chanter sous la tour où est enfermée sa belle ! (Subligny, *La Fausse Clélie,* 313-314).
3. Desmarets de Saint-Sorlin, *Ariane,* 374.

ses sorties « dans les rues en veste sale et déchirée, en gros souliers ferrés » : « Quel plaisir d'embrasser tous les états ! Par mes habits, je m'élève aujourd'hui au niveau des Grands[1], et le lendemain je descends et me confonds avec les plus bas des hommes. Ces changements subits et disparates étendent mon existence ; je suis de toutes les classes... », préfigurant les insaisissables et redoutables Ferragus ou Vautrin, virtuoses caméléons de la capitale.

Lorsqu'est modifié dans l'apparence ce qui indique le sexe, lorsqu'on met par exemple « des cornettes et des rubans » à un grand gaillard (résultat : « ... sa taille était admirable mais il paraissait d'une grandeur démesurée et son air était un peu dégingandé » !)[2] le personnage peut alors pénétrer un monde qui lui était inaccessible jusqu'alors, celui du sexe opposé, dans ses activités propres et ses espaces réservés. *L'Astrée* offre un long et subtil épisode où Céladon devenu druidesse voit vivre sa maîtresse hors du regard masculin et fait par l'expérience l'apprentissage de la psychologie féminine, subtilité en vérité inégalée par la suite[3]. On verra en effet la femme déguisée en homme entrer dans l'espace de la guerre, de l'armée, du duel ; l'homme déguisé en femme avoir accès à la toilette, à la chambre, au couvent ou au sérail. Ils s'apparentent ainsi aux ingénus, étrangers, explorateurs pénétrant dans un monde en principe inconnu (devenant le « loup dans la bergerie » comme le dit G. Genette de Céladon travesti). Ils sont également confrontés au désir de leur propre sexe, c'est-à-dire à une certaine image d'eux-mêmes[4]. Mais sur cette sorte de miroir le roman semble vouloir ne faire apparaître que des caricatures burlesques, maris jaloux et sots, lubricités grotesques[5]. Le savoir auquel donne accès le travestissement reste marqué par les stéréotypes masculins, les images les plus traditionnelles de la féminité et de la masculinité. Le Commandeur de Prévost évoque avec mépris son passage dans le monde féminin : « On n'aurait pas mis de différence entre une femme et moi, non seulement pour la parure, mais pour l'air d'affectation et de mollesse »[6], et Des Grieux reste gêné d'avoir été féminisé quelques instants devant le prince italien. La cavale de Faublas de

1. *Le Paysan perverti,* CXLI et CXLII.
2. Mme Durand, *La Comtesse de Mortane,* I, 127.
3. Voir Servais Kevorkian, *Thématique de l'Astrée,* Champion, 1991, 43-44.
4. Mme de Villedieu, *Mémoires d'H.-S. de Molière,* II, 85, 91, 107-109 ; Préchac, *L'Héroïne mousquetaire,* 164, 230.
5. Godart d'Aucour, *Thémidore,* 99, 146.
6. *Mémoires pour servir à l'histoire de Malte,* 162.

costume en costume met en valeur son inaltérable virilité. Les incursions dans le monde de l'autre, que permet le travestissement, semblent avoir pour résultat d'affirmer la solidité des frontières : *Le Lord impromptu* de Cazotte, où le travestissement des deux protagonistes est poussé assez loin pour faire le nœud de l'intrigue[1], finit par rétablir l'ordre normal, la mère comme mère, le fils comme fils, et comme lord. Cependant, chez ce même auteur, l'hésitation qui constitue le « fantastique » du *Diable amoureux* est faite aussi, au début, du trouble d'Alvare devant le caractère androgyne de l'apparition. Et les travestissements acrobatiques de Faublas manifestent en profondeur « une nostalgie de l'unité »[2]. Il faut donc sentir aussi, au-delà du bouclage généralement rassurant des diégèses, le vacillement que le roman fait partager au lecteur, même de façon plaisante, ludique : « Mlle de Brumont, êtes-vous bien sûre d'être un jeune homme ? »[3], ces renversements où des limites sont franchies, des frontières effacées, dessinant « la possibilité d'une confusion discordante, d'un mélange qui menace les fondements d'un ordre établi dans un au-delà du préjugé »[4].

Ce qui surgit

Le plus spectaculaire basculement de l'espace est peut-être celui qui s'opère dans la figure de la reconnaissance lorsqu'elle repose sur un objet (« la reconnaissance par les signes extérieurs » d'Aristote)[5], changement à vue d'identité lié au surgissement d'un indice-objet, puisqu'une modification locale de l'espace perçu y modifie le sens du tout. Une vérité *surgit* d'un détail. Un objet de la sphère intime (bijou, portrait, pièce de vêtement, médaille) focalise toute l'attention, éclaire brutalement le présent à la lueur d'une faute ou d'un malheur passés :

1. Rebecca, élevée en garçon puis séduite, tue son séducteur en duel, mène une vie d'aventures sous le costume masculin, protège son fils en le faisant vivre en fille, lui apparaissant tantôt en mousquetaire tantôt en femme.
2. Comme le démontre Michel Delon, en analysant le motif de la « fenêtre qui sépare deux mondes » : « Faublas à la fenêtre. La nostalgie de l'unité dans le roman de Louvet », *Seminari Pasquali di analisi testuale,* 10, Pisa, 1995.
3. Louvet, *Six Semaines de la vie du chevalier de Faublas,* 836 ; une version sérieuse : « Je ne suis pas Antoinette, je suis Adolphe » (Nodier, *Thérèse Aubert,* 354).
4. Caroline Jacot-Grappa, *Homo dissonans. Figures de l'être dissocié au XVIIIe siècle : différence et identité, exclusion et indétermination,* thèse de doctorat, directeur Georges Benrekassa, Université de Paris VII, 1993, chap. VI, « La différence travestie », 371.
5. *Poétique,* 1452*a,* 1454*b.*

« Le comte examinait une espèce de cœur pendu à un ruban, qui sortait de la chemise du Chevalier ; il s'approche, il considère le cœur... Ah, ciel, s'écria-t-il, que vois-je !... c'est mon fils... »[1]

De même lorsque le masque tombe, que le voile, le chapeau, la chemise se soulèvent, que la visière du casque est haussée, l'identité est révélée : « Une fausse chevelure blonde et des sourcils teints me rendent-ils si différente de moi-même, qu'on puisse jusque-là s'y tromper ? Désabusez-vous donc, Pacheco... » ; « ... Vous êtes dans l'erreur, je ne suis point chevalier : je suis Mlle de Bouqueville... » (avec, comme preuve de l'erreur, « un sein qui me persuada sur l'instant... ») ; « Trebace et Émilie haussèrent alors la visière de leurs casques : de quoi Palamède eut un étonnement aussi grand que s'il eut vu des enchantements » ; « je vois enfin une femme cachée par un grand chapeau... La femme se retourne : c'était Caliste »[2].

Ce qui change dans l'espace, et apporte l'information qui renverse l'idée du vrai dans un temps très court, peut donc être réduit à très peu : une lettre ouverte, une gazette déployée[3] livrent une nouvelle brutalement, avec les effets émotifs afférents. Ou bien la porte s'ouvre, et quel que soit le côté où est placé le lecteur (du côté de ce qui est découvert, ou du côté du découvreur), encadre une vérité nouvelle, en fait un tableau : Des Franz n'oubliera pas la vision de Sylvie couchée avec Gallouin[4]. Les effets de lumière, comme celui, élémentaire, qui met fin à l'obscurité (laquelle est toujours une plongée hors de la norme morale, hors de portée de l'interdit), établissent la vérité de la transgression, sur le mode sérieux, ou souriant : « Le baron armé d'une bougie fatale, s'arrêta dans l'embrasure de la porte ; et quelle scène il éclaira ! : son fils avec deux femmes, qui ne sont ni l'une ni l'autre son épouse, se tenant la main, chacune croyant tenir la main de Faublas, et dont l'une n'est pas celle que Faublas croyait ! »[5] Chaque fois une vérité nouvelle bouleversante surgit d'une modification locale de l'espace de la communication. C'est ainsi que Terence Cave voit dans la reconnaissance l'image même de la littérature de fiction : « ... it becomes possible to argue

1. Bernard, *Les Heureux Malheurs,* 227.
2. Lesage, *Histoire de Gil Blas,* 740 ; Dupré d'Aulnay, *Les Aventures du faux chevalier de Warvick,* 18 ; Desmarets de Saint-Sorlin, *L'Ariane,* IV, 208 ; Mme de Charrière, *Caliste,* 219.
3. La gazette change le mode d'irruption de la nouvelle, la rend publique (Sénac de Meilhan, *L'Émigré,* 1901 ; Mme de Staël, *Corinne,* 332 ; Florian, *Selmours,* 110).
4. *Les Illustres Françaises,* 409.
5. Louvet, *La Fin des amours du chevalier de Faublas,* 866.

that recognition represents the most quintessentially fictional type of plot: it is the signature of a fiction, the local detail that stands for the whole. »[1]

C'est un espace humain, arrangé, fabriqué, loin de la « nature », et qui concerne les manigances des hommes entre eux, loin de toute métaphysique, de tout « système » d'explication du monde. Le savoir y prend une qualité théâtrale, et fantasmatique. Théâtrale, parce que roman et théâtre échangent ici quelque chose[2]. La vérité se présente en effet comme spectacle mouvant, dynamique, instable : envers d'une illusion, vérité qui surgit, ou bien qui est surprise alors qu'on la cachait[3]. Or la configuration de cet espace qui cadre, cache, ou montre au gré d'écrans opaques interposés, pivotants, fait apparaître et disparaître, est celle d'un espace théâtral. Fantasmatique ? les hommes qui jouent aux dieux créateurs d'illusion, inventent un bout de monde crédible, les sexes, les identités qui s'échangent, le temps nié, les secrets de la vie surpris, que veut-on de plus ? Changement, retournement, substitution dans tous les rôles : parentaux, sociaux, sexuels. Les signes se brouillent, les mains se trompent, l'émoi et la surprise règnent. Bien sûr, finalement l'ordre est le plus souvent rétabli, mais le lecteur a frissonné, ou souri.

En vérité cette instabilité de l'espace est tout ce qui reste de l'antique métamorphose, de cette figure où, d'un coup de baguette, il change du tout au tout. Elle subsiste dans les contes faisant délibérément appel au merveilleux (comme *Vathek*), ou bien lorsque le diable se manifeste : les ruines de Portici s'illuminent et la petite chambre campagnarde s'orne alors d'un escargot géant, le ciel est parcouru

1. *Recognition. A study in poetics,* Oxford, 1988, 492.
2. Le roman a une position ambivalente à l'égard du théâtre : il l'exalte comme haut lieu de la civilisation urbaine, et n'a de cesse d'en donner une image dépréciée : les actrices sont d'aimables putains, la scène elle-même, dont les artifices peuvent être pitoyables, est annulée par le spectacle de la salle. Tout en le surpassant dans les jeux avec le temps et les points de vue, il peut lui prendre et amplifier les plus efficaces de ses effets. Inversement, plus le théâtre meublera avec précision sa scène et réglera en conséquence les déplacements des personnages, mieux il pourra reprendre au roman un type de péripétie qui repose sur la figuration de l'espace, comme on le voit chez Beaumarchais lorsqu'il fait surgir et disparaître un personnage de derrière un fauteuil, d'un cabinet, ou par une fenêtre, comme Louvet, à la même époque, le fait avec son Faublas, qui apparaît et disparaît entre le lit, le cabinet, la cheminée, le jardin, etc.
3. Les « histoires secrètes » ont pour ambition de traiter ainsi l'Histoire comme un décor dont le roman dévoile les coulisses. Voir Jean-Marie Goulemot, *Discours, Révolutions et Histoire,* UGE, 1975, 162.

d'éclairs[1]. Le plus souvent elle est rationalisée, expliquée et si un verger devient jardin, un boudoir salle-à-manger par l'irruption d'une table servie, c'est par l'effet d'une activité humaine qui n'a rien de mystérieux, pas plus d'ailleurs que l'action dévastatrice de la nature qui change le jardin de *Paul et Virginie* en lieu de « désolation » (136).

SAVOIRS RAPPORTÉS

Le savoir ne s'offre plus comme une révélation, ne se surprend plus, ne va pas surgir comme une surprise, il survient à l'extrémité d'un processus qui demande une certaine durée, et un certain espace à parcourir (voyage, exploration, visite, initiation), puis une parole qui en rende compte. Il faut aller le chercher, l'apprendre, le rapporter, le dire. Il faut du temps, passer par la médiation d'un trajet ou un discours, parfois les deux. A l'échelle intime, Obermann nous en offre une image rêveuse : « Quand nous aurons regardé ensemble... nous rentrerons, et nous raisonnerons. Ainsi deux amis d'un certain âge sortent ensemble dans la campagne, examinent, rêvent, ne se parlent pas, et s'indiquent seulement les objets avec leur canne ; le soir, auprès de la cheminée, ils jasent sur ce qu'ils ont vu dans leur promenade » (LXXX, 400).

Espaces lointains

Toute un pan du roman ne cessera sous des formes variées d'offrir le discours de celui qui a eu accès à des espaces inaccessibles au lecteur, et qui rapporte ce qu'il a vu et pensé.

Le discours romanesque a intégré toutes sortes de discours que nous dirions documentaires, et en premier lieu ceux des historiens, des géographes et des voyageurs. Reste peut-être à faire la longue histoire du rapport entre le texte narratif de fiction et les textes qui se présentent comme décrivant et expliquant le réel. Rappelons seulement que le roman grec côtoie par exemple la « paradoxographie »,

1. Cazotte, *Le Diable amoureux,* 319, 371 ; Potocki, *Manuscrit trouvé à Saragosse,* XIIIe journée ; voir aussi *La Poupée,* où la sylphide finit par se donner à son amant dans une « lueur extraordinaire » (Bibiéna, 134).

le « recensement de curiosités » avec des « digressions géographiques et ethnographiques »[1]. Que le lecteur de Mlle de Scudéry peut trouver à rêver et s'instruire en lisant par exemple la centaine de pages bien documentées de la description du « palais d'Ibrahim », ou les descriptions de châteaux dans lesquelles il peut facilement deviner sous des noms transparents ceux de Fresnes, Le Raincy, Champigny, Vaux-le-Vicomte ou Chambord[2]. Que les lecteurs des romans de Mme de Villedieu par exemple se voyaient encore offrir un tableau précis d'entrées ou fêtes royales[3]. Qu'en 1740, dans l'« histoire » plutôt « galante » de « Mlle Cronel dite Frétillon », et bien que la narratrice se dise d'une incompétence compréhensible, il n'est apparemment pas question de passer par Le Havre sans dire un mot de la citadelle et des vaisseaux du roi[4]. Que les livres X et XI des *Mémoires et aventures...* de Prévost sont un reportage sur Londres et le sud de l'Angleterre[5]. Que bien après *Séthos,* qui instruit ses lecteurs sur l'Égypte ancienne, le *Voyage du jeune Anarchasis* fera de même, plus systématiquement, pour la Grèce ancienne, avec un succès considérable, tandis que Toni et Clairette ne traversent pas en vain Londres, l'Espagne, l'Italie, l'Allemagne, la Hollande, Vienne[6]. Qu'il y aura beaucoup à apprendre sur différents pays d'Europe dans le *Cosmopolite* de Fougeret de Monbron et dans le *Compère Mathieu* de Dulaurens[7], comme sur l'Angola dans *Zingha* de J.-L. Castilhon[8]. Que les réécritures « troubadour » du comte de Tressan ne manquent pas d'instruire le lecteur, par des notes le plus souvent, de ce qu'est un « cadenas », un « soulier à poulaine » ou un « oratoire » au Moyen Age[9]. Que Sade pille les récits de voyageurs,

1. M. Fusillo, 67-70.
2. Voir dans Michelle Cuenin, et Chantal Morlet-Chantalat, Châteaux et romans au XVIIe siècle, *XVIIe siècle,* 118-119, 1978, comment la disparition de ce genre de descriptions peut être interprétée comme l'indice d'une évolution chez les lecteurs de romans.
3. *Les Désordres de l'amour,* 17-18 ; *Vie de H.-S. de Molière,* 93-97 ; voir aussi Mlle de Scudéry, *Célinte,* et bien sûr *La Promenade de Versailles.*
4. Gaillard de la Bataille, *op. cit.,* II, 91-92 ; l'intérêt pour les fortifications est plutôt l'apanage du jeune homme noble (voir par exemple Prévost, *Mémoires et aventures d'un Homme de Qualité,* 274).
5. Voir J.-M. Goulemot, *Discours, Révolutions et Histoire,* 372.
6. Bricaire de la Dixmérie, *Toni et Clairette,* III, chap. 14, 15, 16 ; IV, chap. 1, 2, 11.
7. Par exemple pourquoi certains matériaux sont peints à Amsterdam (III, 7).
8. Comme sur certaines « cabanes » du bocage vendéen dans *Les Chouans* (297).
9. « Rien n'était plus bizarre et même plus extravagant que la forme des accoutrements de ce temps ; et les souliers à la poulaine, dont le bec remontait jusqu'à plus d'un demi-pied, n'en étaient pas le plus ridicule... » (*Le Petit Jehan de Saintré,* 32) ; les « oratoires » sont comparés aux « plus tranquilles et plus délicieux boudoirs » (27)...

les compilations et les traités ethnographiques[1]. Qu'on pourrait dire[2] que Mme de Staël a incorporé un « De l'Italie » à *Corinne.*

De cet inventaire sciemment hétéroclite, qu'on pourrait facilement amplifier et prolonger, on peut déduire que les narrateurs rendent compte d'un savoir portant sur des espaces dont le lecteur est séparé par le temps, l'étendue, ou la condition sociale.

Bougeant se moque de ces « montreurs de curiosités », en situant plutôt la question sur le plan de la poétique du roman : « Quand la matière sur laquelle ils travaillent est trop ingrate par elle-même, ils trouvent l'art d'augmenter et d'orner leur tableau de divers objets plus intéressants qu'ils présentent l'un après l'autre, comme le plan de Londres, la cour de Portugal, le gouvernement de Venise, les Temples de Rome... » (98). Et en effet ces incrustations documentaires vont à l'encontre d'une poétique qui répugne à l'ornemental, privilégie la linéarité, la continuité et la brièveté de l'action. Elles doivent être motivées, et le sont plus facilement dans le « roman pédagogique », ou bien plus généralement, dès qu'un roman met ses personnages en mouvement dans un espace étranger, ou à quelque titre exotique. Ne le seraient-elles pas, que toute une part du roman, à la fin du XVIIIe siècle, accepte fort bien le discontinu de la digression, n'a pas peur des ruptures créées par ce savoir indiscret[3], manifeste ce que Thomas Pavel appelle une « porosité narrative », une « perméabilité aux informations extratextuelles »[4].

Cependant le père Bougeant n'a pas tort de se méfier, car il y a dans les « curiosités » le danger d'un rapport avec les lecteurs fait de pédagogie et de séduction. Certains sont rassurés sans doute de vérifier qu'on leur dit toujours la même chose de certains lieux, de certains pays, de retrouver des topoï inébranlables, comme celui d'une Venise romanesque toujours composée à partir d'une combinaison de violence (aussi bien dans les relations privées que dans l'arbitraire

1. Voir Michel Delon, La Copie sadienne, *Littérature,* 69, 1988.
2. Ainsi que l'écrit dans sa préface Simone Balayé. Cela ne signifie nullement que le document y reste extérieur à la fiction, un article du même auteur montrant au contraire comment l'Italie, ses espaces, jouent « un rôle essentiel dans la symbolique et l'imaginaire de ce roman » (Corinne et la ville italienne, ou l'espace extérieur et l'impasse intérieure, *Mélanges Franco Simone,* Slaktine, 1984).
3. Didier Masseau constate une « dérive des formes » qui se traduit par nombre d' « œuvres hybrides, à la limite de la fiction, de l'exposé didactique et de la fable symbolique » (*Le Roman à la veille de la Révolution. Formes narratives et pratiques de lecture,* thèse de doctorat, directeur Jean-Marie Goulemot, Université de Tours, 1992, p. 788).
4. *L'Univers de la fiction,* 1988, 128-129.

politique, avec le poids d'une police toute-puissante), et de libertinage (débauche, prostitution, jeu et fêtes)[1]. D'autres trouvent sans doute des espaces « singuliers », monstrueux[2] qu'ils attendaient. Mais c'est ici également que le roman peut facilement faire le « philosophe ». Lorsque Voltaire montre qu'il s'est documenté sur la construction du palais de Bélus (dans l'incipit de *La Princesse de Babylone,* 343), ou Marmontel sur les Incas dans le roman du même nom, c'est pour proposer à l'admiration les merveilles d'une civilisation ennemie des Juifs de la Bible, ou bien détruite par les conquistadors chrétiens, et c'est de la « philosophie ».

Ainsi le personnage voyageur décrit et nous instruit de vérités partielles sur l'espace du monde, que son discours rend indiscutables. Que le bilan de René, après avoir fait défiler « les débris de Rome et de la Grèce », « les monts de la Calédonie », « l'ancienne et riante Italie », ne présente que du « passif »[3], soit celui d'un savoir décevant, ne doit pas nous leurrer. Le roman ne cessera de manifester sa curiosité pour les espaces lointains, d'une distance matérielle ou sociale, de susciter l'intérêt et l'émerveillement du lecteur en lui rapportant le savoir de l'ailleurs. Ailleurs, ce peut être les Pyrénées, les Alpes, mais aussi, car il n'est plus question de se limiter aux civilisations méditerranéennes, très loin, jusqu'à l'île de France, jusqu'au Mississippi. Mais la distance nécessaire à l'opération n'est pas toujours géographique. Les descriptions de châteaux et les relations de fêtes ont été remplacées par celles des intimités érotiques luxueuses d'une élite, livrée à la curiosité d'un lectorat embourgeoisé. Comme les articles de certains magazines d'aujourd'hui, *La Petite Maison* de Bastide est aussi unc visite chez un homme « magnifique » et un reportage publicitaire sur les derniers produits des arts décoratifs contemporains, avec des notices sur les meilleurs artistes. Paris lui-même, surtout pour un jeune homme ignorant du monde, et d'autant plus s'il est provincial, doit également être expliqué : ce que fait Mouhy en 1735, en mentor tout à fait compétent. Un chapitre de son *Paris ou le Mentor à la mode* est un extrait de « guide touristique » : grimpé sur les tours de Notre-Dame, M. d'Orneville commente le spectacle au chevalier d'Elby, qui vient de Bordeaux, et lui nomme les « édifices les plus élevés et les plus considérables »

1. Si l'on prend pour guide, entre autres, *Le Cosmopolite, Candide* (XXIV, XXVI), *Histoire de Juliette* (X, 477), *Le Diable amoureux* (332-352).
2. Voir *Zingha,* de Castilhon.
3. Philippe Berthier, René et ses espaces, *Saggi i ricerche,* XXVIII, 1989.

(p. 102-107). Bien plus tard, les événements révolutionnaires donnent à la capitale une étrangeté nouvelle, et le roman de voyage repasse alors par Paris pendant et surtout après la Révolution, sous le Directoire, la plupart du temps pour susciter l'horreur de ce qui s'y est passé[1]. Le redoutable envers du diurne quotidien de la grande ville, ces « nuits de Paris », où Mouhy-mentor en 1736 conseille de ne pas trop s'attarder, Rétif, « hibou-nocturne », y plongera pour en rapporter ce qu'il a vu, frayant la voie à de futurs romans.

Visites-débats

Du discours qui rapporte pour instruire et émerveiller au discours qui énonce ce qui doit être, ce qu'il faut choisir, l'espace s'est rétréci : il s'agit de lieux clos, et qui ne nous font pas sortir de l'Europe, qui se visitent, dont on débat. La vérité ne s'offre plus comme un spectacle, ni comme un trésor ou une « curiosité » rapportée de loin, on peut, il faut intervenir, juger, prescrire. L'espace ici est celui des bibliothèques, des collections, des jardins. Le créateur n'étant plus le Créateur, mais l'homme, responsable de ces artefacts, la vérité manifestée en sera plus facilement contestable.

Rares sont les évocations comme celle du « cabinet » de lecture, dans ce château de Lirias retrouvé par Gil Blas[2], où l'espace est figuré, ouvert sur « une campagne toute riante », plein d'« armoires basses remplies de livres ». Le plus souvent rien n'est dit sur la configuration des lieux. Dans *Angola* (XVI), le visiteur est certes frappé par la « beauté » de la bibliothèque de la reine. Mais l'espace s'évanouit, devient celui de la page, de la liste, du catalogue où défile une énumération de titres : « Le *portrait d'un homme*, par *Van Dick*... Un *repas de paysans*, par *David Teniers*... Un *paysage de Wouvermann*... »[3], ceux que le solitaire-philosophe retiré du monde a choisi pour le bonheur de sa solitude, choix justifié contre d'autres, ou bien ceux que le visiteur découvre et dont il dira ce qu'il faut

1. Daniela Gallingani, *Forme del romanzo in Francia tra Rivoluzione e Imperio,* Analisi, Bologna, 1990, chap. V.
2. X, VII, 1059.
3. *Le Compère Mathieu,* II, I, 11.

penser : « ... nous suivîmes Émilor à la bibliothèque d'Ariste. En lisant les titres des livres, il portait en deux mots son jugement sur l'auteur et sur l'ouvrage. Nous commençâmes par M. de Voltaire... »[1] Espace dont le contenu est donc soumis à une évaluation polémique.

De l'œuvre d'art choisie et exposée dans l'espace domestique, il faut dire quelque chose : « Il ne vit que quelques misérables tableaux qui semblaient l'inviter à parler de la peinture. »[2] Ce sera un discours d'évaluation critique, pour justifier le choix ou le contester, que l'on entendra pendant la visite de la collection, ou de la galerie de tableaux : le Phocion de Marivaux, Pococurante visité par Candide, le compère Mathieu et Vitulos en Hollande, la Juliette de Sade à Florence, Corinne dans sa villa de Tivoli, commentent et jugent plutôt qu'ils ne décrivent. De la description de tableaux, topos qui remonte encore une fois au roman grec et latin, appuyé sur une pratique raffinée hors du roman, il ne reste presque que la discussion[3]. L'aspect emblématique, le reflet dans l'image décrite de la situation des protagonistes, si fort dans l'*Astrée* et encore important dans les romans des Scudéry[4] passe au second plan, pour revenir avec Mme de Staël[5]. Reste donc l'affleurement des polémiques de l'époque, celles qui animent les conversations des amateurs. Débat portant par exemple sur le choix du sujet, grand ou petit : Marivaux l'aborde par la dérision ironique : il faut réserver la peinture pour les « grandes histoires », par exemple si « une chatte dans votre maison a pris bien adroitement une souris, ou si la cuisinière a fait un bon ragoût... » ; Mercier lui, en 1771 est hélas tout à fait sérieux, autant que Fénelon lui-même et dans les mêmes termes, lorsqu'il imagine qu'en 2440 chaque tableau sera « l'équivalent d'un livre moral et instructif » (XXXII). Débat portant sur la prépondérance du dessin ou de la couleur, qui voit s'affronter la couleur flamande et le dessin

1. *Imirce,* 113.
2. Marivaux, *Le Télémaque travesti,* 862. « L'amateur classique n'est pas l'être de l'effusion silencieuse, du mutisme empathique. C'est un être de parole... », Bernard Vouilloux (Diderot, Jacques, le Maître, le Spectateur et l'Amateur. Raconter le tableau, argumenter le goût, *Argumentations,* 7, 1993).
3. Normalement comprise dans l'ekphrasis d'œuvre d'art de la littérature grecque ; voir P. Laurens, Éros apteros, ou la description impertinente, *Revue des Études grecques,* CI, 1988.
4. Voir Chantal Morlet-Chantalat, *La Clélie de Mlle de Scudéry,* 1994, 526 et s.
5. Voir Simone Balayé, De la signification romanesque de quelques œuvres d'art dans *Corinne, Mélanges Monchoux,* Toulouse, 1979, et J.-L. Haquette, *Les Paysages de la fiction,* 160-163.

italien[1]. Les termes du débat restent traditionnels : il s'agit toujours de l'illusion de vérité que l'œuvre picturale doit créer, et des moyens pour y arriver : « Je n'aimerai un tableau que quand je croirai voir la nature elle-même », dit Pococurante à Candide ; les narrateurs de Sade ou de Xavier de Maistre ne se placent pas d'un autre point de vue. Le roman se fait l'écho d'un débat qui lui est extérieur, ou la tendance dominante semble être plutôt à exalter les Italiens, et surtout Raphaël[2], et à dénigrer les Hollandais. Même un romancier aussi anticonformiste que Dulaurens fait dire à son personnage que les Hollandais pratiquent une « imitation servile de la nature », avec chez certains des « sujets ignobles et ridicules » (lui qui peut décrire le meurtre d'un homme tué d'un coup de louche et noyé dans la soupe !) ; et ce qu'il dit du « Christ porté au tombeau » de Rembrandt, que « c'est bien dommage que la correction de dessin y manque », est en somme conforme à la balance des peintres de Roger de Piles, avec le 6 sur 20 en dessin qu'il attribue à ce peintre[3]. La visite de la collection permet d'exprimer dans le roman certaines lignes de fracture du champ de l'esthétique des arts graphiques, mais le plus souvent sans qu'un rapport soit établi avec l'esthétique du genre romanesque.

Les bibliothèques, on l'a dit, ne se présentent pas tant comme des volumes spatiaux, que sous forme de listes. Elles figurent ainsi un choix parmi les livres existants, car il ne s'agit plus du travestissement de ces catalogues burlesques de titres imaginaires comme on peut en lire chez Rabelais, Furetière[4] et encore dans les *Aventures de Pomponius*. Elles représentent donc un jugement sur la littérature, ou même la culture livresque, une évaluation de ce tout, à partir d'une partie. La partie représente le meilleur de ce tout lorsqu'il s'agit de la bibliothèque du personnage, et au travers, son bon goût. En revanche, lorsque la bibliothèque examinée est celle d'un autre, elle est critiquée comme mauvaise représentation de ce que doivent être la littérature, la culture. Ces évaluations, outre les règlements de compte personnels, sont l'occasion pour les auteurs de se situer dans le champ littéraire, comme usagers du livre, comme gardiens d'un héritage, comme

1. François Dagognet explique quelle « géographie spirituelle » sous-tend ces querelles du Nord contre le Midi (*Pour une théorie générale des formes,* 26 et s.).
2. Voir Potocki, *Manuscrit trouvé à Saragosse,* XIIIe journée.
3. *Cours de peinture par principes,* Gallimard, 1989, 241.
4. *Le Roman bourgeois,* 1082.

hommes de lettres, comme romanciers enfin[1]. La bibliothèque est donc de toutes manières résultat d'un choix, une réduction, qu'il s'agisse de celle du sage en campagne, ou de celle du prisonnier, ou de celle que le pédagogue juge bonne pour son élève. Ce geste originel de réduction est aggravé, lorsque les bibliothèques se transforment dans le dernier tiers du siècle en un espace pléthorique et étouffant, qu'il faut épurer. Plus le siècle avance, plus s'affirme le désir de trier, éliminer, faire disparaître. Le jugement devient acte dans l'idéal de la fiction, surtout utopique. Fini le temps où le contenu d'une collection était énuméré avec émerveillement comme est décrit le « cabinet magnifique » dans lequel pénètre le « page (pas encore) disgracié » de Tristan l'Hermite, où l'on trouve « de petites peintures agréables et bien finies », « les plus rares et les plus précieuses gentillesses qui se tirent du sein de la mer », « quelques petites figures d'or ou d'argent doré... qui étaient autant de chef-d'œuvre de quelques célèbres sculpteurs », miroirs, carreaux de velours, et enfin « longue tablette d'argent suspendue... où je vis quantité de beaux livres arrangés »[2]. La bibliothèque pouvait être placée sous le signe du plaisir, être « comme un parterre de fleurs sur lequel promen/er/ /son/ imagination »[3]. Désormais c'est un espace voué à la concentration, à la restriction, à l'opposé aussi du déploiement encyclopédique. L'ambition de l'athée Hervas, dans le *Manuscrit* de Potocki, « d'écrire un volume in-octavo sur chaque science », s'achève dans la dérision et la mort : les volumes sont mangés par les rats, il y perd sa santé, se suicide[4]. La bibliothèque idéale se constitue par le « retranchement » (le mot qu'utilisent aussi bien Renoncour que Saint Preux, comme précepteurs)[5] et tend ainsi vers le « petit recueil » ou l'« abrégé », sinon le livre unique qui contient tous les autres. La bibliothèque royale de l'an 2440 ne sera plus qu'un « petit cabinet » où tout tient en cinq armoires, une par nation : Grèce, Rome, Angleterre, Italie, France[6]. Le plaisir qui gouvernait la bibliothèque ou la collection du sage, est devenu « dégoût » chez Pococurante, et chez d'autres comme une crainte d'être débordé par l'abondance, ou contaminé par l'infection du mauvais goût.

1. Voir l'article décisif de Georges Benrekassa, Bibliothèques imaginaires : des Lumières à leur postérité, *Romantisme,* 44, 1984.
2. *Le Page disgracié,* éd. Jacques Prévot, 84.
3. Dulaurens, *Le Compère Mathieu,* II, I, 17.
4. XLIXe journée.
5. *Mémoires et aventures d'un Homme de Qualité,* 143 ; *Julie,* I, 12.
6. Mercier, 252-255.

Contre cela, l'utopie rêve de bûchers monumentaux : « Nous avons rassemblé dans une vaste plaine tous les livres que nous avons jugés ou frivoles ou inutiles ou dangereux ; nous en avons formé une pyramide qui ressemblait en hauteur et en grosseur à une tour énorme : c'était assurément une nouvelle tour de Babel... Nous avons mis le feu à cette masse épouvantable, comme un sacrifice expiatoire offert à la vérité, au bon sens, au vrai goût. »[1] L'histoire dans la brusquerie de ses accélérations remplacera ces feux de l'utopie, rendant illisibles des pans entiers de bibliothèques, comme l'expose très précisément un émigré lucide le président de Longueuil[2]. Ainsi l'espace bien rangé des listes, des catalogues, espace textuel, n'accède à la figuration que pour être rogné, retranché, attaqué, réduit, brûlé : espace de lutte, de guerre, où la culture doit être ce qui a résisté à l'épreuve, un concentré : « Quand il n'y aura plus de bibliothèques et que peu de livres seront comme sauvés, on cachera probablement les plus petits, ceux qui contiendront tout à la fois plus de doctrine et le moins de mots, de même que dans un incendie, dans un pillage, dans une fuite, on emporte d'abord les diamants. »[3]

Un personnage de *Clélie* confie : « J'aime si fort les jardins que je ne puis jamais me résoudre d'en parler simplement en passant » (IX, 324). C'est que les jardins, outre leur commodité pour la retraite ou l'amour, sont aussi des lieux qu'on fait visiter, qu'on montre[4]. Comme tableaux ou livres, cet espace de nature arrangée est un produit culturel qui donne lieu à description et appréciation : « Après le déjeuner on visita la solitude, les agrandissements que le Solitaire avait pratiqués, on fut charmé de la distribution des eaux, et on alla se promener jusqu'à leur source, qui était une espèce de grand réservoir, comme un lac ; à une demi lieue de la maison il y avait une espèce de grotte creusée sous le rocher... »[5] Passée la surprise devant les « beautés », l'« agrément » s'explique et se commente. Il n'est d'abord question que de jardins beaux, réussis, et du plaisir qu'ils donnent, plaisir qui s'explique et s'exprime avec une vivacité inconnue dans les bibliothèques ou les galeries de tableaux : « Mélite fut enchantée, et ne

1. Mercier, *An 2440,* 248.
2. Sénac de Meilhan, *L'Émigré,* LXXXVI.
3. Joubert, Journal intime, 20 juin 1803, *Carnets,* I, 385.
4. Louis XIV n'a-t-il pas rédigé lui-même un guide pour la visite des jardins de Versailles ? (cité par Gabrielle Van Zuylen, *Tous les jardins du monde,* 143-145).
5. De la Barre de Beaumarchais, *La Retraite de la Marquise d'Uzanne,* II, 274.

s'exprima pendant un quart d'heure que par des cris d'admiration. »[1] Longtemps donc le jardin est l'espace d'une promenade où l'on décrit (peu), où l'on admire (beaucoup) et commente le plaisir éprouvé. Or la plus considérable description de jardin dans le roman du XVIIIe siècle, celle de l'« Élysée » de Julie, ajoute à l'admiration extasiée, non seulement le récit de la fabrication, ce qui n'est pas véritablement une nouveauté[2], mais la polémique : un quart au moins du texte est consacré à ce qu'un jardin ne devrait pas être et qu'il est pourtant souvent, chez les autres. Du documentaire admiratif (qui, dans la lignée de Mlle de Scudéry, nous disait : admirez lecteur les jardins de tel château, et à travers eux, l'ordonnateur-propriétaire) on est passé à un examen critique (qui nous prévient : attention, il y de bons et de mauvais jardins, une bonne et une mauvaise philosophie du jardin). En somme de l'épidictique au judiciaire. Que s'est-il passé ? Un certain jardin a été pris sous un double feu, ayant le tort d'être un topos depuis longtemps repéré, celui du « jardin de roman », et de se référer à un style de jardin considéré comme passé de mode. Parterres, bosquets, labyrinthes ornés de jets d'eau, statues, tels sont les éléments d'une description qui serait un supplice où le lecteur risquerait d'« expirer d'angoisse à mi-chemin », comme l'écrit déjà La Morlière en 1747, parce qu'il peut la lire dans le premier roman qui se rencontrera sous sa main. Or ces éléments constituent, même sommairement, l'image d'un jardin dans la tradition d'un goût « français », jardin « régulier » ou « formel »[3], tel qu'on le retrouve par exemple dans des descriptions de Prévost ou même Bastide[4]. Conjonction de l'usure d'un cliché et d'une mutation décrite aussi bien par les jardiniers-paysagistes de l'époque que par les historiens d'aujourd'hui[5]. Certains mots changent de valeur : « ordre », « symétrie » par exemple. Chez Mme de Graffigny,

1. Bastide, *La Petite Maison,* 47.
2. On peut lire par exemple dans *La Retraite de la Marquise de Gozanne* (écrit par De la Barre de Beaumarchais en 1734) : « ... tout y est ménagé avec la dernière justesse, et ces points de vue du côté de l'eau ne sauraient être mieux pris, ces allées et ces fonds ouverts me charment ; en même temps j'admire l'adresse avec laquelle sont cachés ces rochers arides qui sont à côté. Tout cela ne sera dans sa perfection que dans deux ans, parce que les arbres seront assez grands pour cacher tous les objets désagréables... (...) Heyder /l'architecte/ arriva dans ce moment : « Venez, lui dit la Comtesse, j'admire ici votre adresse à profiter de tout ce que la campagne offre de plus avantageux, et à détourner de la vue ce qui aurait pu lui être désagréable » (II, 40).
3. Liane Lefaivre et Alexandre Tzonis, La géométrie du sentiment et le paysage thérapeutique, *DHS*, 9.
4. *Mémoires d'un honnête homme,* VI, 225 ; *La Petite Maison,* 122-123.
5. Voir Jean-Robert Pitte, *Histoire du paysage français,* Tallandier, 1983 ; William H. Adams, *Les Jardins en France,* L'Équerre, 1980 ; Gabrielle Van Zuylen, *Tous les jardins du monde,* 1994 ; Michel Baridon, Jardins et paysages. Existe-t-il un style anglais ?, *DHS,* 18, 1986.

« symétrie » dénotait l'« art » qui « rend plus touchants les charmes de la simple nature »[1] ; une trentaine d'années plus tard l'« ordre » et la « symétrie » sont ennuyeuses, insipides, on leur oppose le « beau désordre », le « désordre naïf », ou « touchant », « l'irrégularité magnifique ». Mme de Charrière, en 1793, a quelque raison d'ironiser, par la plume d'une de ses héroïnes : « ... je suis amoureuse de deux allées droites, bien ratissées, dont plus d'un contrefaiseur de la nature a demandé la destruction. »[2] Les jardins de romans, qui doivent bien garder une « commodité » que la « grotte », le « labyrinthe », le « lit de gazon » perpétuent, se font reconnaître quand il le faut comme « anglais » par l'une ou plusieurs caractéristiques tirées d'une sorte de vulgate romanesque du goût « anglais » en matière de jardin : refus de la symétrie, recherche de la variété, adoption du « sinueux », respect de la nature, recherche de l'utile (fruits), présence de « fabriques », de lieux emblématiques, de monuments, d'inscriptions. L'essentiel est un discours polémique, soit carrément critique (« ... l'ennuyeuse symétrie a dessiné ces parterres émaillés de sables stériles, et ces tristes gazons dépouillés de leur verdure... »[3], soit laudatif, mais par rapport à un contre-modèle évoqué (« Le jardin de notre vrai philosophe... ne renfermait point de ces plantes d'ornement que l'on acquiert à grands frais, et qui n'ont d'autre mérite que d'être des productions d'un sol étranger... »)[4]. Il est donc décevant d'essayer de mesurer en quoi les jardins décrits par Rousseau, Bernardin de Saint-Pierre, le prince de Ligne, Marmontel ou Vivant Denon sont, dans leurs éléments, conformes ou non à un modèle « anglais » dont il ne faut pas chercher dans les romans la représentation exacte[5]. Le jardin « anglais » dans les romans français est avant tout un espace qualifié d'« anglais » par la

1. *Lettres d'une Péruvienne,* XXXV, 348.
2. *Lettres trouvées...,* XXV.
3. Mirabeau, *Le Libertin de qualité,* 75.
4. Baculard d'Arnaud, *Sidney et Volsan,* 68.
5. Mlle de Scudéry dans ses romans décrit longuement des jardins où le souci est constant des échappées sur la nature, de la variété des sensations, des points de vue, où la possibilité d'y rêver est la qualité la plus appréciée, jardins parfois agencés par de nobles dames elles-mêmes (voir la vertueuse Élisante, qui « s'est rendue si savante dans cet art... merveilleux qui consiste à bien ménager la terre et le soleil et qui fait les plus sensibles délices de la campagne quand on sait s'en servir aussi bien... », *Clélie,* VII, 357). Il ne faudrait pas perdre de vue cette filiation romanesque « baroque » en relisant la description du verger de *Julie.* Et puis, à voir ce qui caractérise comme « anglais » certains jardins de romans du XVIIIe siècle, on se dit que tel jardin de *Clélie,* après tout, pourrait bien avoir aussi quelque chose d'« anglais »..., voir les travaux de Chantal Morlet-Chantalat (*Clélie...,* VI) et Anne Desprechins (Les Jardins de Clélie, *Les Trois Scudéry, colloque du Havre*).

voix autorisée du narrateur, à l'aide de quelques mots ou expression de reconnaissance[1]. La conséquence de la polémique sous-jacente est que, dans le dernier tiers du XVIIIe siècle, les descriptions de jardin ne manquent jamais, peu ou prou, d'expliquer le ou les principes qui ont déterminés leur agencement. Le prince de Ligne conclut deux pages de description par : « ... il n'y avait d'art dans tout cela que pour prolonger la nature dans sa beauté, et réunir à la fois le Nord et le Midi. »[2] Les textes sont autant explicatifs que descriptifs : « Toutes les parties de ce riant tableau sont d'accord sans monotonie : la symétrie même en est piquante : la vue s'y promène sans lassitude et s'y repose sans ennui. Une élégance noble, une richesse bien ménagée, un goût mâle et pourtant délicat ont pris soin d'embellir ces jardins... »[3] Même Vivant Denon commente et fait ressortir un principe, celui de variété : « ... de petites îles agrestes et pittoresques, qui variaient les tableaux et augmentaient le charme du lieu. »[4] Dans le dessin de ces derniers jardins, et fort heureusement, on peut vérifier que le roman montre sa capacité d'inventer des jardins inclassables, qui marient des éléments de « goût français » à des « sinuosités », à l'« ouverture sur nature », signe de l'aisance avec laquelle le genre sait parfois évoluer dans l'hétérogène, et pratiquer le compromis. Mais la polémique en a accentué le caractère ostensiblement raisonné. Finalement, le jardin tend vers un espace où un savoir s'expose en classant, organisant, maîtrisant, condensant : « Ces jardins étaient l'abrégé des campagnes du Nouveau Monde... », « Il avait disposé ces végétaux de manière qu'on pouvait jouir de leur vue d'un seul coup d'œil. »[5]

La campagne aussi fait beaucoup raisonner et l'on renoue avec les débats de la pastorale[6] sur les agréments respectifs de la ville et de la campagne. Mais cette fois, à partir de 1750 environ, la question est par avance tranchée : il faut l'aimer, la préférer à la ville. Le « divertisse-

1. Par exemple, dans le jardin où Félicia (II, XVII) va s'égarer avec Sidney : « l'apparence du désordre », la fraise sur laquelle « on marchait », les « fruits », ou ailleurs, telle « solitude » aménagée (Cazotte, *Lord impromptu,* II, 119 ; Baculard d'Arnaud, *Sidney et Volsan,* 68). Le phénomène, vu du roman, ne semble pas avoir en France l'intensité et la profondeur qu'il eut en Angleterre, tel que l'analyse Keith Thomas dans ses aspects théologiques et économiques ; il manque peut-être à la France d'avoir connu un bouleversement du paysage rural qui explique la réaction du jardin-paysage (*Le Jardin de la nature,* 341).
2. *Contes immoraux,* X, 151.
3. Marmontel, *Contes moraux,* III, « L'Heureux divorce », 180-181.
4. *Point de lendemain,* 79.
5. Marmontel, *Les Incas,* II, 122 ; Bernardin de Saint-Pierre, *Paul et Virginie,* 111.
6. « Pastorale espagnole » dit plus exactement Roger Guichemerre, présentant *Aronde* de Segrais, dans *Dom Carlos et autres nouvelles françaises,* Gallimard, « Folio », 1995, 105.

ment champêtre» que Fanny organise pour Cécile à la fin de *Cleveland* (tome paru en 1739) est un franc spectacle où les «vendangeurs de la plaine», pour le prix d'un repas, vont «s'assembler à la vue du pavillon» pour danser, habillés dans une «parure» dont le matériau (étoffes, linges et rubans) mais aussi le «modèle», ont été fournis par Fanny (601). Une dizaine d'années plus tard, l'espace champêtre est plus que jamais théâtral, mais il met en scène, dans une «société imaginaire», «le bonheur exhibitionniste et narcissique» du maître[1]. Ce qui va y être montré et démontré, c'est une sorte de retour à la terre des propriétaires, sous la forme de la gestion personnelle[2] des lumières de l'agronomie, de la bienfaisance. Il faut en effet pratiquer une bienfaisance raisonnée et délicieuse. La chasse aux pauvres a ses plaisirs: «Viens tu m'aideras à découvrir les malheureux qui se cachent et nous serons payés de notre recherche par la joie de les soulager. On sort toujours plus heureux de la cabane où l'on a surpris le pauvre par des secours inattendus...»[3] Pour le travail des champs proprement dit, un propriétaire éclairé doit expliquer ce qu'il faut y faire: «Je lui choisis la semence, le plant, l'engrais, la culture qui lui convient... Je confronte la théorie des savants avec l'expérience des laboureurs...»[4] Le roman propose à ses lecteurs l'image rêvée du seigneur-agronome d'avant-garde, qui partage son savoir et met sa bienfaisance en scène dans la fête. Le couple des maîtres est au centre de cet espace: il marie, il dote, on l'aime, on se presse autour de lui, on pleure, la même effusion réunit l'épouse libertine de Louvet: «Pressés autour de ma charmante maîtresse, les femmes l'accablaient de remerciements et d'éloges, les filles la couvraient de fleurs, les enfants se disputaient sa robe pour la baiser»[5] et la vertueuse comtesse de l'abbé Gérard: «Et nos bonnes gens?... Il a fallu ouvrir toutes les portes pour les laisser, entrer. Sans apprêt, sans compliment, ils se sont jetés en foule dans les appartements; ils se sont pressés autour de nous; ils ont baisé les mains d'Émilie, et puis les miennes. Ils les ont mouillées de pleurs...

1. Béatrice Didier, La fête champêtre dans quelques romans de la fin du XVIIIe siècle, *Fêtes de la Révolution,* Société d'Études robespierristes, 1977 ; voir aussi Roland G. Bonnel, Le rural et le pastoral dans les *Contes moraux* de Marmontel, *SVEC,* 305, 1992.
2. Dès 1753, dans *La Jardinière de Vincennes,* Mme de Marouville en « faisant valoir son bien elle-même » trouve « le revenu bien plus considérable que le fermier ne me l'avait fait attendre » (V, 14), préfigurant ce qui se passe à Clarens : « Leurs terres ne sont pas affermées mais cultivées par leurs soins » (IV, X).
3. Dorat, *Les Malheurs de l'inconstance,* II, XXVIII, 282.
4. Marmontel, Le Scrupule, *Contes moraux,* I, 229.
5. *La Fin des amours du chevalier de Faublas,* 906.

Vivent nos hameaux ! C'est pour eux que sont faites ces scènes d'attendrissement, dont ne sont pas dignes tous nos gens de cour... »[1] C'est donc un espace qui prend facilement la forme d'un tableau centré sur le propriétaire[2]. Il est au centre de la « veillée » organisée dans une grange pour sa fête : « Nous trouvâmes la grange illuminée, et tapissée de lierre, formant des arcades, des guirlandes et le chiffre du Commandeur... Les "Vive M. de Sermeuil !" marquèrent notre arrivée. On vint le prendre par la main et le conduire sur une espèce d'estrade. Sitôt qu'il y fut, un pan de tapisserie, qui tomba, laissa voir un fauteuil enjolivé de fleurs et de rubans au-dessus duquel pendait une couronne... »[3] D'autre part c'est un espace à transformer, à réformer. La « retraite » devient active, le « lieu aimable » terrain d'exercice de l'agronomie. Il ne suffit plus de regarder la nature et de lire de bons livres en compagnie d'amis choisis. Il faut au moins pratiquer le jardinage[4], faire valoir son bien, et conseiller les voisins pauvres qui n'ont pas la chance d'être abonnés au *Journal économique*. Seuls quelques mauvais esprits ricanent sur cette agronomie romanesque, rappellent que le sourire des villageois est « niais », que les vendangeuses sont « sales et à demi-gelées », qu'il « n'est pas possible de préférer du pain noir et de la crème dans la sale gamelle d'un bûcheron à un souper excellent »[5]. Et Prévost met en scène avec finesse tout le pathétique de l'aliénation mentale qui conduit une princesse hongroise à brûler toutes les preuves de sa naissance, et se faire bergère, avec troupeau et costume, grâce à huit cents pistoles bien placées, dont l'intérêt va au « bon fermier » chez qui se déroule la mascarade[6].

Ces espaces culturels font naître un discours dialogique, mais sans ambivalence : le lecteur comprend sans difficulté quels livres, quels tableaux, quel type de jardin, quelle conduite de propriétaire il faut apprécier. Ce sont des espaces-modèles qui résultent de choix d'action : trier et éliminer (la collection), agencer, fabriquer (le jardin), échanger, gérer (le domaine campagnard). Ils s'offrent comme exemplaires : le savoir transmis est ici un devoir-faire.

1. Gérard, *Le Comte de Valmont,* IV, II, 381.
2. « Julie au milieu d'eux, si charmante et si respectée... » (Rousseau, *Julie,* éd. Coulet, II, 238).
3. Gorgy, *Blançay,* 89.
4. « Il donne tous les jours quelques heures à cultiver les fleurs et les fruits de son jardin » (Gérard, *Le Comte de Valmont,* II, IV, 283).
5. Mme de Charrière, *Trois femmes,* 52 ; *Lettres neuchâteloises,* IIe lettre ; prince de Ligne, *Contes immoraux,* XI, 158.
6. *Le Monde moral,* 464-474.

Explorations, initiations

Exploration et initiation sont des configurations où savoir et espace sont étroitement liés, puisque l'acquisition du savoir se fait dans et par un déplacement dans l'espace

L'exploration nous fait partager le processus qui fait passer un personnage d'une perception de l'apparence à la connaissance d'une vérité. Par exemple, lors de l'arrivée d'un personnage dans la capitale, la première impression de Paris est ensuite corrigée, confirmée ou aggravée[1]. C'est la figure du « démenti » que l'on rencontre le plus souvent : le rêve ou la première expérience étant démentis par l'exploration de la capitale (120). Selon Jacques Rustin et Jean-Paul Schneider, jusqu'en 1761 le roman oscille entre une fascination pour la capitale des lumières et des plaisirs, et une répulsion pour ce que la ville offre d'agitation, d'embarras, d'étendue vertigineuse, de saleté, de misère et d'inégalité. Ensuite la « vision répulsive » domine, la « découverte n'est plus jubilatoire », elle n'est plus que « la réalisation pure et simple du fantasme qui fait de la capitale le centre de tous les vices » (23), et donc s'appauvrit, à l'exception de celle que vivent les héros de Rétif de La Bretonne. Le processus est encore plus net lorsqu'un personnage entre dans un pays d'utopie. Il apprend en même temps qu'il progresse. Il faut du temps et de l'espace pour que l'inconnu soit connu, l'incompréhensible expliqué, qu'il s'agisse des Nopandes, de l'Eldorado ou des Gnomes ; là, par exemple, le nouvel arrivé ne peut d'abord comprendre, puisqu'il a pénétré dans un monde souterrain, « d'où venaient les grains, les boissons, les fourrages des bestiaux, les étoffes, le bois, l'huile qu'on brûlait ; et en général tout ce qui se consumait dans un pays, qui fournissait si peu de choses au-delà du métal », il devra attendre qu'on lui raconte l'histoire de ce pays[2].

Il a fallu auparavant échapper à la noyade d'un naufrage, nager, survivre à l'assaut de cruels animaux, naviguer longtemps sur un fleuve dangereux, franchir une barrière montagneuse, des rapides, ou

1. Le motif a été étudié avec précision par Jacques Rustin et Jean-Paul Schneider, jusqu'à *La Nouvelle Héloïse,* et Jacques Rustin pour la seconde partie du XVIIIe siècle.
2. Lesuire, *L'Aventurier français,* II, 45 ; voir aussi Jean-Marie Goulemot, Écriture et lecture de l'ailleurs, l'Eldorado ou le fusil à deux coups des ingénus qui feignent de l'être, *RSH,* 155, 1974.

une muraille. C'est dire que le trajet a le caractère d'une épreuve, et l'exploration ressemble à une initiation, parce qu'il nous semble reconnaître, aussi bien dans les dangers traversés que dans la configuration des espaces traversés, cette mort rituelle suivie d'une résurrection et d'une nouvelle naissance qui caractérise l'épreuve initiatique[1]. En effet comme l'initiation est un rite, l'espace y a une fonction éminente : on ne peut être initié n'importe où à n'importe quoi, espace et savoir paraissent ici le plus évidemment liés[2].

L'initiation, certains romans s'y réfèrent plus ou moins explicitement : « Tout cela avait l'air d'une initiation », dit le héros de *Point de lendemain* (94), et Alvare, au début du *Diable amoureux,* même si le mot n'est pas écrit, demande bien à être initié au « pouvoir de réduire les esprits sous notre obéissance ». Au-delà, en considérant cette fois la structure des histoires, on peut dire que, outre les œuvres déjà citées, des romans comme *L'Ingénu*[3], *Le Manuscrit trouvé à Saragosse,* ou *Vathek*[4], ont un caractère initiatique. En effet, le héros acquiert chaque fois, sous l'autorité d'un(e) initiateur(trice), un savoir qui doit rester secret et qui va (ou risque de) métamorphoser son être. Or il le fait en traversant un certain nombre d'espaces particuliers, qui sont autant d'épreuves pour lui, espaces qui ont pour caractéristique essentielle de le soustraire du quotidien normal, en l'enfermant, en le déplaçant, en le dissimulant, en le soumettant à des perceptions ou à des affects extraordinaires. Or chaque fois le désir d'apprendre est étroitement lié au désir sexuel. Ce qui est sans doute la raison pour laquelle l'ensemble des épreuves a un caractère déceptif[5] comme l'a montré Claude Reichler pour l'initiation libertine. Alvare ne saura jamais vraiment ce qui s'est passé pendant la dernière nuit avec Biondetta, et la ferme où il a vécu cette dernière épreuve n'a laissé aucune trace dans le réel ordinaire ; ce que Vathek apprend dans le royaume d'Eblis auquel il finit par accéder après une longue descente jalonnée de crimes, lorsque les caractères qui étaient indéchiffrables se fixent enfin

1. Mircea Éliade, *Initiations, rites, sociétés secrètes,* Gallimard, « Idées », 1959 ; Simone Vierne, *Rite, roman, initiation,* 1973.
2. De là vient aussi l'intérêt des architectes pour l'initiation : voir le projet de souterrain initiatique de Lequeu, d'après *Sethos,* dans Ann Grieve, Égyptien ou gothique : le souterrain initiatique de Jean-Jacques Lequeu, *Europe,* Le roman gothique, mars 1984.
3. Voir Fatima Gutierrez, Epifanias del imaginario : el cuento. Voltaire y el mito iniciàtico, *Narrativa francesa en el s. XVIII,* Madrid, 1988.
4. *Sethos* raconte bien certaines épreuves initiatiques dans l'Égypte ancienne, mais plutôt comme des mystifications montées par des prêtres (Terrasson, *Sethos,* I, 151).
5. Voir Claude Reichler, Le récit d'initiation dans le roman libertin, *Littérature,* 47, 1982.

à ses yeux (68, 204), c'est qu'il est voué à une éternité de souffrance, le cœur comme un brasier ; le « secret de la vie souterraine » auquel finalement Alphonse a eu accès « ... ne durera plus longtemps. Bientôt vous apprendrez qu'un tremblement de terre a détruit ces montagnes ; à cet effet, nous avons préparé d'immenses quantités d'explosifs »[1]. Quant au héros de *Point de lendemain,* la « fraîcheur et l'air pur » du matin chassent le « merveilleux » de son esprit : « Au lieu d'une nature enchantée, je ne vis qu'une nature naïve » (97). L'espace initiatique doit s'effacer après l'épreuve, signifiant par sa disparition l'accès à une vie nouvelle.

Sans vouloir étendre abusivement l'usage de cette notion, on se risquera toutefois à dire qu'un espace a quelque chose d'initiatique lorsqu'il est traversé par un personnage dans des conditions qui le placent hors des normes ordinaires de la perception, et même de la sécurité, pour finalement lui donner accès à un savoir qui a un caractère secret.

C'est le cas par exemple dans certaines séquences narratives topiques que nous avons déjà rencontrées. Il y a celle, euphorique, érotique, où différentes sections d'un espace sont traversées, sous la direction d'un guide, dans une progression vers le lieu où sera révélé le plaisir, que ce soit en image (quelque belle endormie ou femme au bain) ou en acte, avancée donc vers le cabinet, la chambre, le lit, souvent désignés comme temples, sanctuaires, autels, etc.[2]. Inversement, la traversée pénible d'une forêt, la descente d'un souterrain (jamais un souterrain ne monte !)[3], d'escaliers, la progression dans un boyau, une galerie, conduisent le personnage à apprendre, une fois arrivé dans le caveau, la grotte, la crypte, qu'il va souffrir, peut-être mourir, en tout cas être puni[4]. Potocki s'éloigne du topos en faisant découvrir au jeune sheik des Gomelez, au bout d'un labyrinthe souterrain, un « endroit enchanteur », petite baie avec une eau claire et une cascade, où surgit une femme-fée aussi belle qu'innocente[5].

Tout en ayant, sur le plan de la narration, un effet de dilation, l'es-

1. *Manuscrit trouvé à Saragosse,* LXVe journée, 662.
2. « Je suivis la Jonquille qui me fit traverser plusieurs appartements en me serrant la main avec une action dont elle portait l'explication dans ses yeux » (Fromaget, *Le Cousin de Mahomet,* I, 123). Voir « Désirs », p. 40.
3. Mais l'ascension de Saint-Preux dans le Valais, comme celle vers Meillerie en compagnie de Julie, peuvent être considérées comme des séquences initiatiques.
4. D'Ussieux, *Jean sans peur,* 117 ; Mercier de Compiègne, *Rosalie et Gerbois,* 156 ; Mme de Genlis, *Les Chevaliers du Cygne,* I, 364 ; Sade, *Aline et Valcour,* 904 ; *La Nouvelle Justine,* VI, 309-311 ; VII, 305 ; Nodier, *Jean Sbogar,* 147-149.
5. *Manuscrit,* LXIIIe journée, 644-646.

pace initiatique a donc ici pour fonction de couper le personnage du monde des repères stables, de le désorienter, et de lui opposer une difficulté où il doit faire la preuve de certaines qualités. C'est pourquoi il est généralement sombre, resserré, fractionné.

Sous cette forme (qui nous rappelle l'importance, selon M. Éliade du « retour à la Grande Mère chthonienne », « entreprise particulièrement dangereuse » dans les rites initiatiques)[1] affaiblie et fragmentaire, passant par l'imaginaire du fantasme, le roman s'approprie une archaïque approche du savoir.

Dans cette dernière famille de configurations, l'espace sert à montrer que la vérité n'est pas facile, qu'elle n'est pas dans ce qui est donné d'emblée. Elle est ce qui est lointain, étranger, qu'il faut rapporter, expliquer, dans ce qui devrait être dont il faut débattre plutôt que dans ce qui est (qu'il faut retrancher, réformer), dans ce qui est caché, profond, qu'il faut atteindre douloureusement parfois. L'espace ici aide le roman à figurer un savoir auquel on n'a accès que dans un processus, par une activité, un faire.

LUMIÈRES

Le roman tellement obsédé, si l'on en croit les préfaces, par le souci d'« instruire », semble d'abord n'avoir pensé qu'à la valeur d'exemple de ses fables. Il est pourtant de plus en plus conscient de sa capacité à absorber dans sa fiction des textes autres (ethnographie, géographie, théologie, agronomie, horticulture, etc.). En manifestant son hégémonie boulimique, il charrie vers le lecteur une collection hétéroclite de savoirs sur l'espace qu'il habite, et fait œuvre d'instruction. Bien entendu, il est plus facile pour nous aujourd'hui d'y repérer les erreurs, les illusions, voire les mensonges.

L'important n'est peut-être pas là mais en ceci qu'il nous montre des hommes qui en effet apprennent et s'instruisent dans un rapport à l'espace, qu'il figure donc en acte plusieurs formes de savoir, qu'il mette en récit le geste du savoir. Il nous raconte ses formes d'acquisition, de la plus archaïque, l'initiation, à la plus moderne, le débat, mais

1. Mircea Éliade, 133.

aussi de la plus rationnelle à la plus instinctive, du déchiffrement des indices à la révélation, ou à l'intuition des analogies. C'est en cela, dans son obstination à refuser que l'espace soit opaque, qu'il appartient aux Lumières.

On peut même dire qu'il préfère les interprètes infaillibles, et qu'il n'aime guère, ou ne sait pas traiter, les « interprétants »[1] malheureux, si ce n'est pour nous faire sourire un court moment. On objectera un certain nombre de personnages célèbres pour leur incapacité à comprendre vite ce que leur dit l'espace, comme Candide, l'Ingénu ou Justine. Mais l'Ingénu finit par être capable de remarquer les signes de la culpabilité chez celle qu'il aime, la philosophie finale de Candide n'est pas sans rapport avec son passage dans l'espace heureux de la maison du vieillard turc, et Justine n'est pas sotte, mais victime d'apparences trompeuses.

Restent les motifs où l'espace ne donne pas de réponse sûre, quelques rares énigmes temporaires. Ferriol a beau observer « la figure du lit, l'état du drap et des couvertures » de Théophé (104), il n'en saura pas plus sur elle ; mais le lecteur, à ce point, a déjà compris que la passion qui le possède est la seule vérité qu'il atteindra jamais. Jacques devant le double spectacle du convoi de son capitaine, ne saura jamais s'il est mort ou vivant ; mais nous aurons appris qu'un enterrement n'est pas la mort et qu'en l'aimant et en le racontant il lui assure une véritable survie (63-68). Alvare ne saura pas qui était l'homme « vêtu d'un pourpoint noir tailladé en couleur de feu, orné de quelques passements en argent », et s'il a couché avec une jeune fille ou avec une tête de chameau ; mais puisque le théologien garantit que c'est une « illusion »... Le roman décidément n'aime pas mettre ses héros ni ses lecteurs dans la situation de se trouver devant un espace énigmatique. Il faut à la fin que tout se sache, se comprenne, se déchiffre. Même si être éclairé, c'est se gâter[2]. Les plus grands, comme on vient de le voir, mettent le lecteur en position d'en savoir un peu plus que le héros perplexe. Saint-Preux ne peut être abandonné dans l'état de trouble et de confusion mentale où le laisse son cauchemar de l'auberge de Villeneuve (V, IX). Édouard le ramène vers Clarens pour qu'il puisse vérifier que Julie n'est pas morte ; mais nous, nous remarquons bien qu'il se contente de l'entendre parler, reste derrière la haie et les buissons,

1. Naomi Schor, De la fiction comme interprétation, *Lectures du détail,* 1994, 174.
2. Crébillon, *Les Égarements,* 209, 247.

ne va pas jusqu'à la voir, perpétue ainsi ce qui les sépare, ne lève pas, comme il le croit, le « voile ».

Il faut donc de préférence que le personnage soit confronté à un espace compréhensible qui conduise à quelque vérité, même si elle est discutée. Il y a toutefois des degrés et une évolution ; il semblerait que, à la fin du siècle, l'espace rural soit représenté comme plus lisible que l'espace urbain, qui tend à devenir d'une complexité inquiétante. Et de même, que la « nature » soit plus facile et plus sûre à connaître que les hommes et leurs artefacts. Elle est connue dans l'immédiat, tandis que l'espace construit-fabriqué civilisé demande souvent du temps et du discours.

Deuxième partie

TYPES

CHAPITRE I

L'ESPACE « ROMANESQUE »

Lorsque Bougeant s'attaque au roman, il choisit d'en faire un pays, la Romancie et cela lui donne sans doute la possibilité d'écrire sa satire sous la forme d'un « voyage » imaginaire. Mais la tâche lui est grandement facilitée par le fait, connu de tous ceux qui l'ont précédé dans cette critique et à qui est empruntée l'essentiel de son argumentation, que l'ensemble de topos auquel il veut réduire le roman contemporain comporte une bonne part d'éléments spatiaux. Il ne faut cependant pas se laisser enfermer dans cette Romancie[1]. Les attaques portées contre le roman dans ce premier tiers du XVIIIe siècle, que ce soit par l'Église, ou un moment par l'État lui-même, reposent sur un sentiment juste. Le roman existe désormais indiscutablement en tant que genre, est perçu comme tel, commence en fait à établir son hégémonie dans la production littéraire en prose. C'est pourquoi je postulerai l'existence d'un espace romanesque « romanesque », reflet de la vitalité du genre, une sorte d'espace romanesque moyen, nécessaire, qui englobe, juxtapose en lui les différentes filiations, les différentes expériences[2], socle qui sera remarquablement stable ; l'ironie ponctuelle de tel ou tel, qui sur les souterrains, qui sur les accidents de carrosses ou les jardins inévitables, n'y changeront rien.

1. Jean Sgard et Géraldine Sheridan en disent bien les limites dans leur préface (Bougeant, *Voyage merveilleux du Prince Fan-Férédin dans la Romancie,* Université de Saint-Étienne, 1992).
2. Comme on peut très bien le voir dans les romans de jeunesse de Marivaux, dans lesquels on peut reconnaître, si on veut, des espaces pastoraux, « comiques », « noirs », etc.

Voyons d'abord sa « scénographie »[1].

La « polarité primordiale » qui oppose l'« espace bâti » à la « terre nue »[2] y est toujours perceptible, mais le roman se loge en priorité dans l'espace « bâti ». La « terre nue » est avant tout lieu de mouvement, de passage. Cet espace est fondamentalement structuré, d'une part, par une opposition entre ville et campagne (où sont représentés des formes différentes de « bâti ») et, d'autre part, dans une moindre mesure, par une opposition entre nature cultivée et nature sauvage. Ville et campagne forment un double ensemble dont les lieux peuvent être inventoriés comme suit. La ville comprend habitations (maison, jardin), rues, promenades, spectacles, églises, boutiques. La route conduit à la campagne, qui est centrée sur le château. La campagne comprend donc : château (ou maison de campagne), parc, terrasse, à côté : le village (ensemble indistinct, d'où ne se détache qu'une habitation – celle de la servante, de la nourrice, du curé, d'une paysanne, etc.), plus loin les champs. S'ajoutent, échappant à ce partage : 1 / La cour : centre du pouvoir politique, séjour du roi, elle sera repoussée à l'extérieur des histoires que racontent les romans. C'est même une des caractéristiques importantes de notre période que ce glissement de l'espace romanesque loin de la cour et des « palais ». La cour devient au XVIIIe un espace qui caractérise socialement le personnage, soit en motivant sa mobilité (lieu d'un devoir qui l'éloigne, parfois une « commodité »), soit en devenant lieu de passage, l'espace d'une épreuve (en particulier pour les parvenu(e)s). Mais ce n'est plus là que (l'essentiel d')une action se déroule[3]. 2 / Le couvent, qui se situe aussi bien dans la ville que dans la campagne, tout en leur étant à toutes deux extérieur. 3 / Une nature sauvage ou à peu près : celle de la forêt, de la grotte, d'un relief escarpé que l'on n'ose appeler montagne, de l'espace maritime (composé lui-même de : mer, navire, rivage, île).

1. « C'est la description d'une côte, d'un pays, tel qu'il se présente à nos yeux... » (Furetière, *Dictionnaire universel*, 1690).
2. Paul Zumthor, *La Mesure du monde*, 91.
3. Même dans le très royaliste *Comte de Valmont* (IIe partie, t. IV) où le héros est rappelé à la cour, l'action ne s'y déroule pas vraiment ; elle est une occasion de critiquer une certaine « dégradation » de la noblesse (lettre VI, 39 et s.), les intrigues, les ambitions, opposée au monde du « service » et des camps ; cependant il faut noter que c'est un des rares romans où apparaisse comme personnage la reine, « aussi sage, aussi équitable que bonne » (323). Dans *Dolbreuse* de Loaisel de Tréogate, l'hommage appuyé à « Louis et la belle Antoinette... deux époux jeunes et bienfaisants » (99) est extérieur à l'action.

Ville et campagne ont en commun l'inclusion, l'« écart » et le mouvement. En effet, si l'on cherche, non, comme nous l'avons fait plus haut, ce qui lie ces espaces au faire ou à l'être des personnages, mais ce qui articule ces espaces entre eux, on peut dire qu'ils sont en rapport suivant des principes d'inclusion et/ou d'« écart ».

Principe d'inclusion : un certain nombre de ces lieux sont subdivisés : l'habitation en salle, chambre, cabinet, le couvent en parloir, jardin, chapelle, chambre ; or le rapport le plus insistant entre ces divers espaces n'est pas celui de contiguïté entre les divers lieux inclus (qui ne peut être totalement absent bien entendu), mais un rapport d'inclusion qui fait qu'un lieu en inclut un autre, plus « resserré ». Cet espace nous dit plutôt que le théâtre contient la loge, le jardin la charmille ou le pavillon, la tour le cachot[1], etc. Principe d'« écart » : il y a toujours un lieu « écarté » par rapport au lieu normal : la maison de campagne, le château sont à l'« écart » de la ville, comme d'ailleurs couvents et « petites maisons », jardins et parcs à l'« écart » des demeures, et aussi le « cabinet » à l'« écart » de la « salle ».

C'est que ville et campagne dans leurs composants ont pour caractère commun d'être plutôt structurées suivant une sociabilité, celle de la bonne compagnie des gens de qualité (sans doute idéale, rêvée), que suivant la réalité sociale (il est facile de pointer sur tout ce qui « manque »). Ils constituent avant tout un espace de relations, organisé suivant les différents « commerces », c'est-à-dire les différentes possibilités de rencontre et de communication. Elles sont différentes selon l'« honnêteté » (il est beaucoup plus compromettant d'être seul avec un homme sous une charmille que dans l'allée d'un jardin, etc.), et selon le plus ou moins d'ouverture à l'imprévu (il y a beaucoup plus de chances de rencontrer un inconnu dans une église que parmi les invités d'une maison de campagne ou d'un souper). Se combinent un critère moral et un critère de poétique pragmatique : il ne faut pas trop choquer le lecteur, et garder en éveil son intérêt[2]. Ainsi l'espace des relations permises est comme doublé par celui des relations à divers degrés clandestines, secrètes et risquées : il faut des fenêtres qui

1. « ... l'espace occidental privilégie le rapport de contenant à contenu, c'est-à-dire le lien le plus simple qui unisse les choses tout en continuant à les distinguer... » (Henri Van Lier, Objet et esthétique, *Communications,* 13, 1969).
2. Ce qui n'implique pas, comme on l'a vu, que cet espace ait pour seule fonction de favoriser les rencontres.

ouvrent sur des regards, des trajets dérobés, des jardins discrètement donnant sur la rue, etc.[1].

La seconde caractéristique commune à la ville et à la campagne dans ce style d'espace est que les rues et les routes en font une configuration de mouvements[2]. Mouvements traités de façon extrêmement elliptique, concentrés d'espace-temps qui ne se soucient pas de vouloir rendre la distance, entrées ouvertes à l'imprévu. Les rues jouxtent les habitations comme un appel du défendu, source de regards, possibilité de fuite, axe de mouvement et de rencontre sinon elles n'existent pas. La route, qui passe par l'auberge, traverse la forêt, n'existe elle aussi que pour les accidents du voyage, et les rencontres de hasard, bonnes ou mauvaises.

Ville et campagne diffèrent profondément sur deux points : la verticalité et le rapport au « public ».

La ville a perdu la verticalité qui la caractérisait dans les représentations du Moyen Age, son affirmation orgueilleuse. Murailles, pont-levis, tour, restent au seul château. L'escalier dérobé, le mur du jardin à escalader, le regard levé vers « la femme à la fenêtre » (un « type » déjà au Moyen Age selon Zumthor)[3] nous permettent seuls d'imaginer une verticalité, presque inexistante. L'espace de la ville découpé dans un bâti opaque n'a pas plus de couleur, ni odeur, ni de bruit que de hauteur. Toute la verticalité se concentre sur le château, imposante ou terrifiante. De son passé féodal, il a gardé l'élévation de la tour et l'enfoncement du cachot, du souterrain même, qui matérialisent d'abord, comme on l'a vu, l'exercice d'un pouvoir, celui d'enfermer, de cacher. Également, dans ce qui parfois l'entoure, les rochers s'élèvent, et les précipices plongent. La maison de campagne, moins « écartée » que le château (destinée aussi à des séjours plus brefs), est dépourvue de cette dimension, plus ouverte sur une compagnie amicale de loisir et de plaisir, et plus bourgeoise, dégagée du rapport ostensible avec le pouvoir de la seigneurie.

Les champs n'ont pas plus de relief marqué que de cultures. Une rivière parfois, comme élément d'un loisir aimable, promenade, ou

1. Le « palais » où l'action s'enferme lorsque le rang des personnages l'exige, par exemple dans certaines « nouvelles historiques », réunit ville et château, comprenant à la fois lieux écartés du secret, lieux publics de représentation, et lieux d'enfermement.

2. L'expression est empruntée à Andrzej Siemek, à propos du *Sopha* de Crébillon, L'espace mondain dans l'écriture romanesque du XVIIIe siècle, *Le Siècle de Voltaire. Hommage à R. Pomeau,* Oxford, Voltaire Foundation, 1987, 856.

3. *La Mesure du monde,* 83.

bien comme obstacle au mouvement. Quelques éléments minimaux de décor surgissent pour intercepter les regards, lorsqu'il faut cacher : « garennes », bruyères coupées de buissons, haies, bois, arbre. Seuls les guerriers font surgir pour leurs manœuvres quelque relief stratégique. Le paysage est concentré dans le « lieu aimable » de l'ermitage ou du jardin.

— Le rapport au « public »[1] : alors que l'habitation urbaine est bordée par la présence des autres, qui peuplent les promenades, les spectacles, les églises, le château est caractérisé par l'isolement et la clôture ; un glacis humain l'entoure, un désert, qui n'est pas un espace public de représentation, puisqu'il n'y a pas de regards qui comptent lorsqu'on sort du château, ceux du village n'existant pas. A la rigueur, plus loin, le voisin, autre château analogue, pour les visites ou les procès. L'autre est donc celui qui survient, la rencontre. Avec le jardin, le parc, la terrasse, le château ouvre la vue sur la nature, dans sa version aimable (vallons, bois, eaux...), ou « horrible » (torrents, précipices, monts). Au-delà, le vide de la campagne amplifie le caractère effrayant de la menace éventuelle représentée par le méchant ou le hors-la-loi.

Ni ville ni vraiment campagne, la nature sauvage, si elle existe, peut jouxter le château. Mais sa forme la plus affirmée, bordant le traditionnel ensemble château-village, est la forêt. Dans ses caractéristiques, le caractère « mythique », bien étudié pour le Moyen Age[2] demeure inscrit : on peut s'y perdre, ou s'y réfugier ; on y fait des rencontres dangereuses (brigands) ou heureuses (belle endormie, charmant blessé), l'ermite y dispense son savoir et son réconfort. Sombre espace qui peut s'ouvrir sur le « lieu aimable » de l'ermitage, la nature y est protectrice, nourricière même, ou agressive. La grotte est également un refuge et une cachette pour les bons ou les méchants.

L'espace maritime ne saurait loger l'essentiel d'une histoire, mais des péripéties cruciales s'y déroulent, étant donné l'importance des déplacements. Elle fait en effet naître de « prodigieux hasards »[3], car elle représente le risque du voyage à son plus haut degré, dû aux éléments (la tempête est la seule occasion où la mer peut accéder à l'existence dans un texte descriptif), ou aux hommes (les pirates en font

1. Le « public » commence très tôt, au sortir des lieux d'intimité, dès la sortie du « cabinet », et ce « public » est constitué principalement de ceux qui sont susceptibles, d'une façon ou d'une autre, d'entrer dans la sphère « privée ».
2. Paul Zumthor, *La Mesure du monde,* 67.
3. Marivaux, *Les Effets de la sympathie,* 213.

l'antichambre de l'esclavage). Le vaisseau, comme toute habitation, est essentiellement constitué de chambres, le pont, le gréement n'étant jamais mentionnés qu'en cas de tempête ou d'assaut. Il ressemble au château par le désert plutôt inquiétant qui l'entoure ; il est aussi moyen de déplacement et une sorte d'auberge où l'on rencontre des gens attendus ou non. L'île est le refuge des naufragés, et un réservoir d'inconnu. La mer est bordée d'un rivage où l' « horreur » de son espace[1] trop vaste incite à la rêverie les promeneurs solitaires, lieu de rencontre aussi, puisque les naufragés, morts ou vifs y sont rejetés.

Outre cette composition et cette disposition particulières, cet espace peut se définir par une série de caractéristiques.

1 / La première est d'être potentiellement très extensible en étendue géographique de référence, la configuration décrite étant en quelque sorte transportable. L'héritage du roman grec « d'aventures et d'épreuves »[2], le lien gardé depuis l'ancienne épopée entre l' « aventure » et l'espace[3] lui donnent une sorte d'élasticité infinie, une capacité de s'étendre s'il le faut dans ses références géographiques, jusqu'aux confins du monde connu, exploitée aussi bien par le roman « baroque » que par des œuvres comme *Cleveland, Candide, Aline et Valcour* ou *Éponine.*

Cette diversité reste au niveau de la référence, c'est un espace très homogène, qu'une « couleur locale », marquée plutôt par quelques traits sommaires de comportement nationaux, n'entame pas profondément, où le caractère elliptique des descriptions ne permet pas de différencier les paysages.

2 / Cet espace a l'air caractérisé par sa soumission à l'action des personnages, son instrumentalité. Il est un usage de l'espace : s'il est entendu que tout espace a une fonction, celui-ci serait avant tout fonctionnel. Il sert à : isoler ou réunir, contraindre ou protéger, montrer ou cacher, être vrai ou trompeur, etc. On voit que (souvent) le même espace peut avoir des fonctions opposées : c'est une instrumentalité flexible, réversible, d'où la facilité avec laquelle il accueille les renversements des jeux d'illusion et de travestissement[4].

1. La « répulsion », dit Alain Corbin, *Le Territoire du vide,* I, I, A ; II, III, A.
2. « Pour que l'aventure puisse se déployer il lui faut de l'espace, beaucoup d'espace » (Mikhaïl Bakhtine, *Esthétique et Théorie du roman,* 250) ; « les aventures... projettent l'action dans les lieux les plus reculés du monde alors connu » (Fussilo, *Naissance du roman,* 230).
3. Paul Zumthor, *La Mesure du monde,* 383-386.
4. Il est à l'image de « cette commodité charmante qui se présent(e) aux héros de romans dans tout ce dont ils ont besoin » (Marivaux, *La Voiture embourbée,* 35).

3/Il connaît peu de gradations, peu de nuance et d'entre-deux: c'est un espace discontinu d'oppositions tranchées. Pas plus qu'entre la ville et la campagne il n'y a de banlieue, il n'y a entre le jour et la nuit de crépuscule. Il ne distingue pas de saisons, seulement des orages, ou des printemps paradisiaques. Les éléments oscillent entre l'«aimable» et l'«horrible»: l'eau entre torrents et fontaines, l'air entre tempêtes et zéphyrs; le feu, lui, est toujours foudre ou incendie.

4/C'est un espace facilement et immédiatement lisible. Caractéristique qu'il faut lier au fait qu'il est peu décrit: les objets ne s'y regroupent pas volontiers en collections pour nous aider à imaginer, à visualiser un espace comme plein et continu. Il s'agit d'une tendance générale, et non seulement de la disparition de telle description[1]. On peut expliquer cette réticence par un rejet du modèle «baroque», dont la prolixité descriptive est moquée. Par le souci classique de ne pas interrompre le fil de l'action. Par un accord présupposé avec le lecteur, qui connaît et reconnaît ce qui est nommé: on l'a bien vu pour certains éléments visibles du train de vie, où la caractérisation suffit, sans que costumes et appartements soient décrits. On le voit encore lorsque des topos qui se prêteraient normalement à l'expansion descriptive, comme le «lieu aimable», avec son catalogue tout prêt de végétaux, d'animaux, ses quatre éléments, ses cinq sens à satisfaire et les sept caractères agréables du paysage[2], se trouvent exténués, réduits à quelques signes de reconnaissance: «Une belle prairie entrecoupée de ruisseaux se présenta devant eux...»[3] Ainsi, cet espace peut paraître schématique. En vérité il vaut mieux considérer qu'il repose sur une «sémiotique de la transparence qui se dispense aisément des détails», car elle est fondée sur des «effets de cohérence», sémiotique qui requiert du lecteur compétence et connivence[4].

5/La distinction entre ce qui est «noble» et ce qui est «bas» y est fermement maintenue: le roman ne désespère pas d'entrer dans les «grands» genres. Chateaubriand, évoquant dans la préface d'*Atala* les «détails fastidieux» de ces romans qui vont jusqu'à

1. Comme celle des châteaux par exemple, après 1670, expliquée par M. Cuénin dans *XVIIe siècle*, n° 1-2, 1978.
2. Ernst Robert Curtius, *La Littérature européenne et le Moyen Age latin*, 318-319.
3. Voltaire, *Candide*, XVI.
4. Thomas Pavel, Convention et représentation, *Littérature*, 57, 1985.

décrire bonnets de nuit et robe de chambre, prolonge Desfontaine trouvant ignobles certains épisodes de la *Vie de Marianne,* comme le séjour de l'héroïne à l'auberge. Tout ce qui touche au corps sexuel et digérant, au peuple, à l'argent est repoussé, ne peut apparaître que pour faire rire, sur le mode burlesque, à la cuisine, dans l'obscurité des malentendus en chambre. Le merveilleux du conte peut également libérer un espace où des « catalogues » cocasses ou somptueux ne craignent pas d'énumérer des éléments de la vie « basse », quotidienne.

6/Cet espace se réfère malgré tout à un monde qui existe, à un « espace possible » parmi ceux de *La France des Lumières* : la résidence alternative à la ville et à la campagne[1], l'importance des lieux de représentation parisiens, les déplacements toujours mécanisés, instrumentalisés (se déplacer à pied dans cet espace est signe de détresse), l'importance du château, autant d'indices d'un mode de vie nobiliaire. Il est cependant du côté du « royaume paysan », « des structures de la stabilité »[2], de ce qui change si lentement que cela a l'air immobile. En ce sens il est archaïque : en laissant croire que l'apparence par exemple, dans l'espace parisien, classe toujours de façon aussi certaine[3], en mettant souvent en scène une forme de pouvoir seigneurial anachronique.

Il est en même temps archaïque parce qu'il rappelle, en dehors même de toute ironie, des modèles littéraires anciens et connus : roman du premier XVIIe siècle, récits du Moyen Age, roman grec. On l'a vu à plusieurs reprises : les « lieux aimables » nous renvoient jusqu'à la poésie de l'Antiquité, jusqu'aux jardins de la Bible, l'espace théâtral de l'illusion et du travestissement au roman « baroque », et par-delà au roman grec, l'étendue de certains déplacements, l'importance des rencontres, du hasard, au roman grec encore, « d'aventures et d'épreuves ».

Il est en cela doublement rassurant : il rappelle le roman qu'on connaît déjà, et lâche l'imaginaire dans un ordre ancien où tout est resté à sa place. Le hasard lui-même (dans toutes les auberges, à tous les coins de rue et de bois) est domestiqué par le topos, attendu : ce qui s'est déposé et solidifié de littérature antérieure, traces devenues

1. « Cycle de la vie nobiliaire... », écrit Daniel Roche (*La France des Lumières,* 124).
2. 101.
3. Voir « Savoirs », 99-100.

chemins, atténue l'aléatoire. Il a tendance à rendre plus simple, en le fixant, ce qui est en train de changer et de devenir plus complexe.

Le roman fait de lui un usage distant et désinvolte, contradictoire. Il est évident que cet espace est nécessaire, car s'y inscrivent des valeurs graves comme la reconnaissance sociale, le jeu du pouvoir, les interdits qui règlent l'amour. Mais en même temps il faut qu'il demeure inférieur, serviteur docile, car l'essentiel est dans le cœur, dans ses passions bonnes ou mauvaises, toujours plus nobles en essence que ce qu'offre l'étendue matérielle.

CHAPITRE II

L'ESPACE PROCHE

Si l'on prend[1] un bref récit comme *Le Spleen* de Besenval, fort économe en espace et de penchant plutôt mémorialiste et moraliste, on y reconnaîtra vite un noyau spatial « romanesque » correspondant au type que nous venons de décrire : une certaine façon, dans les deux récits, d'opposer la « campagne » à la cour ou à la ville, la paix à la guerre, de se déplacer avec une facilité magique, de faire du couvent une retraite, d'un château une prison, de la chambre ou du « cabinet » des refuges élémentaires (espace que ce récit partage avec, par exemple, *Célinte*, autre récit bref). Cependant quelques porcelaines brisées, un tableau déchiré, détails d'intérieur triviaux, le seigneur devenu agronome, la retraite dans la ville de Paris vont détonner, nous indiquant un (ou plusieurs) autre(s) type(s) d'espace.

D'autre part, des lieux déjà rencontrés dans cet espace « romanesque » réapparaissent dans un autre état, nous avons du mal à les reconnaître. L'auberge, carrefour idéal abstrait de rencontres et de surprises, est devenue l'auberge du Grand-Cerf, volume sonore où l'on s'interpelle d'un étage à l'autre, parcouru par un frère quêteur, un espace où se devine la cave, avec ses bonnes bouteilles derrière les fagots, une chambre verte, une cheminée où est posée, dans le coin, la carte, un clou où pend la clé du coffre[2]. La nuit, qui suffisait à engendrer les malentendus tragiques, s'est métamorphosée en une chambre étrangement mais précisément meublée, avec, « demeurée ouverte dans le mouvement qu'on avait fait pour démeubler », la porte d'« une

1. Pour éviter la trop facile comparaison avec un récit de la veine « comique » ou « picaresque ».
2. Diderot, *Jacques le Fataliste*.

de ces armoires qu'on pratique quelques fois dans le lambris pour réparer l'inégalité d'un mur ou le mettre à niveau avec la cheminée», porte qui, repoussée violemment, renverse les flambeaux, crée l'obscurité fatale où la Sara du *Doyen de Killerine* reçoit un coup de couteau de son époux (254-255). Le couvent, classique refuge, est changé en un espace carcéral démultiplié en cellules, corridors, dépendances, cachot, jardin, salle de récréation, parloir, salle de communauté, etc.[1]. La «retraite» est un monastère «dans une vallée profonde, sur les bords de la rivière d'Aoust», avec «un petit bois d'un aspect sauvage, un petit jardin mal cultivé, produisant un peu de cidre, et seulement assez de légumes pour fournir une subsistance grossière à deux ou trois solitaires..., une chapelle, des cellules éparses et dont les murs se perdent dans un amas de ronces et de plantes parasites»[2].

Juxtaposé au premier, ou bien greffé sur lui, c'est bien un autre style de présence de l'espace qui se manifeste, repérable à un certain nombre de caractéristiques propres.

La garantie d'un effet de vérité est recherchée dans une référence à la topographie, la géographie. Les lieux, les villes, les rues sont désignés avec exactitude, nommés. Certains fixent ostensiblement la modestie de leur espace, cherchant l'assentiment du lecteur dans l'opposé d'un dépaysement, comme ces romans d'un «comique» assagi, mettant en scène des petits-bourgeois parisiens, *Le Voyage de Mantes* ou *La Promenade de Saint-Cloud.* D'autres jouent sur l'autorité de la carte de géographie ou du guide de voyage. De même que, dans les *Femmes de mérite,* une jeune fille suit «sur la carte» le voyage de son amant[3], on peut, avec les noms de villes, de rues suivre les courses-poursuites de Faublas, les errances de Pauliska ou de Justine. On sait que Sade, probablement en train d'écrire les épisodes ibériques d'*Aline et Valcour,* demande à sa femme, pour Lisbonne, «... le nom d'une auberge... de la rue où elle est située et des bâtiments qui l'avoisinent», «la même chose et les mêmes détails» à Tolède et à Madrid, et «de plus, à Tolède, le nom de deux ou trois rues du beau monde et autant dans le quartier des courtisanes, avec celui des principales promenades...»[4].

1. Jacques Rustin, Problèmes de structure et inventaire de l'espace dans *La Religieuse* de Diderot, *Études sur le XVIIIe siècle,* Strasbourg, 1980.
2. *Dolbreuse,* II, 47.
3. Yon, 73.
4. *Œuvres,* I, 1196, n. 1.

Mercier de Compiègne, dans l'« Avis de l'auteur » qui précède *Rosalie et Gerblois,* s'attarde sur l'intérêt « de descriptions qui fixassent l'attention des lecteurs sur les lieux qu'ils aient vus et parcourus ». C'est une tendance qu'il ne faut pas associer de façon exclusive au roman « comique », même si l'on sait l'exactitude des topographies mancelle et parisienne dans le roman de Scarron[1]. Nous avons pu constater ce souci d'exactitude, à propos de l'espace de la guerre, dans des nouvelles du XVIIe siècle « classique ». N'oublions pas non plus, avec Jean Lafond, que « la géographie du Forez romanesque correspond pour les lieux, les trajets, la configuration du terrain au Forez réel »[2].

Réduction et fragmentation. Cette réduction peut être figurée par le simple fait que l'action s'enferme dans des lieux clos de peu de volume, allant jusqu'à la gageure du *Voyage* de Xavier de Maistre. Une séquence peut se loger dans une voiture, un fiacre, un carrosse, une cellule, un boudoir[3], jusque dans le seul lit[4].

Mais la réduction peut procéder du cadrage, déterminée seulement par une focalisation qui choisit de ne représenter que telle ou telle portion d'espace. Mme de Clèves, un instant, ne voit plus, « par un des rideaux qui n'était qu'à demi fermé », que le geste de Nenours prenant adroitement son portrait sur la table (317). Marivaux peut ainsi loger un regard, ou la mutation d'un sentiment, entre deux portes, en deux pas : « On conduisit Mlle Habert à sa chambre, et dans l'espace du peu de chemin qu'il fallait faire pour cela, Agathe trouva plus de dix fois le moment de jouer de la prunelle... »[5], ou bien : « Je me levai donc pour l'aller prendre, et dans ce trajet qui n'était que de deux pas, ce cœur si fier s'amollit... »[6] Le salon, on l'a vu[7], se fractionne facilement en nids de communication

1. Jean Serroy, *Roman et réalité, Les histoires comiques au XVIIe siècle,* Minard, 1981, 491.
2. *L'Astrée,* éd. Jean Lafond, 35, n. 1.
3. On a vu avec quelle précision pouvaient être évoqués boudoirs ou cachots.
4. Le plus souvent dans la tradition « comique » du malentendu nocturne : « ... je soulevai drap et couverte d'une main, avançant l'autre pour tâter comme était posturée ma gente épouse ; et tâtant doucement, je pose un pied dedans le lit, puis pose encore l'autre pied, et puis les avance tous deux, tant et si bien, qu'à la parfin, jambes cuisses et corps se coulent dedans » ; or ce n'est pas celle qu'il croit... (Billardon de Sauvigny, *Histoire amoureuse de Pierre le Long,* 83).
5. *Le Paysan parvenu,* 89.
6. *La Vie de Marianne,* 132.
7. « Désirs. Approches », 38-39.

secrète, avec toute la proxémique clandestine des frôlements, des gestes furtifs[1], des baisers volés[2], des lettres glissées[3].

Cet espace peut aussi se composer comme un paysage, être à la fois un ensemble et se fragmenter en détails. Le roman « comique », dans sa recherche d'effets burlesques, doit décrire (et Scarron dit avec humour quel effort cela représente)[4] avec précision le rapport des corps et des objets ; il faut deux pages pour dire la configuration mouvante que forment les différentes parties du corps de Ragotin, son cheval, la selle, et les différents éléments de son équipement, pour en arriver à : « ... un pied accroché par son éperon à la selle et l'autre pied et le reste du corps attendant le décrochement de ce pied accroché pour donner en terre, de compagnie avec la carabine, l'épée, et le baudrier, et la bandoulière » (I, XX). Sur le mode sérieux, et même « sensible », de préférence dans les intérieurs (qui, même de façon implicite, constituent autour une clôture protectrice), l'espace fait tableau. Les personnages sont situés les uns par rapport aux autres, ou bien par rapport à des éléments du décor, à des objets, de façon sommaire : « Je me rendis au salon, où ma belle faisait de la tapisserie, tandis que le curé du lieu lisait la gazette à ma vieille tante. J'allais m'asseoir près du métier »[5], ou précise : « Le Maître, à gauche, en bonnet de nuit, en robe de chambre, était étalé nonchalamment dans un grand fauteuil de tapisserie, son mouchoir jeté sur le bras du fauteuil et sa tabatière à la main. L'hôtesse, sur le fond, en face de la porte, proche de la table, son verre devant elle. Jacques sans chapeau sur la droite, les deux coudes appuyés sur la table et la tête penchée entre deux bouteilles, deux autres étaient à terre à côté de lui... »[6] Le « site », comme le dit Diderot, que forment les attitudes et la disposition des corps le plus souvent immobilisés exprime un instant de pause ou de crise. La suspension du mouvement (« autant de statues à peindre ») peut être

1. « Il la voit ; il est près, tout près d'elle ; rien ne les sépare qu'une petite table ; il touche sa robe, quelques fois sa main... », « elle laissa tomber un ouvrage qu'elle tenait dans sa main, il s'empressa pour le relever, et en le lui présentant, sans en avoir le dessein, sa main toucha celle de Mme de Granson... » (Mme Riccoboni, *Lettres de Fanny Butlerd,* LXI ; Mme de Tencin, *Le Siège de Calais,* 45).
2. « ... comme j'avais une main appuyée sur le clavecin, au moment le plus pathétique et où j'étais moi-même émue, il appliqua sur cette main un baiser que je sentis sur mon cœur » (Rousseau, *Julie,* VI, 2).
3. Laclos, *Les Liaisons dangereuses,* LXXVI.
4. *Le Roman comique,* I, XIX, fin.
5. Laclos, *Les Liaisons dangereuses,* XXIII.
6. *Jacques le Fataliste,* 173.

légèrement burlesque : « Ma prétendue fit un cri en le voyant... Moi j'étais en train de lui tirer une révérence que je laissai à moitié faite ; il avait la bouche ouverte pour parler et demeura sans mot dire. Notre hôtesse marchait à lui, et s'arrêta avec des yeux stupéfaits... »[1] ou bien pathétique, comme la scène de la reconnaissance de Dursan par sa mère dans la *Vie de Marianne,* tout aussi précisément mise en espace (527).

Le détail crée toujours une rupture, qui peut être violemment pathétique, lorsque le corps par exemple est réduit au sang : « Ah monsieur, me dirent-elles, il est arrivé quelque malheur. Nous avons vu tomber plusieurs gouttes de sang du plancher de la chambre de mademoiselle. »[2] Dans les ensembles, la focalisation s'y resserre sur de micro-espaces : « La main de Cécile était immobile sur l'échiquier ; sa tête était penchée en avant et baissée. Le jeune homme, aussi baissé vers elle, semblait la dévorer des yeux. C'était l'oubli de tout, l'extase, l'abandon. »[3]

La « matinée à l'anglaise » fournit au roman français un modèle marquant de ces tableaux d'intérieur[4]. Elle réunit autour d'une « table » et d'une « table à thé », près d'une fenêtre, Saint-Preux, Julie et son mari, Fanchon, leurs enfants, dans la lecture de la gazette (pour les hommes), la broderie et la dentelle (pour les femmes et la fille aînée), les jeux et la lecture (pour les enfants). Les personnages sont situés les uns par rapport aux autres, par rapport aux meubles et au décor. S'ajoutent quelques détails, l'« oreiller » appuyé sur le dossier de la petite chaise, le geste de l'enfant aux « onchets » (« le cadet comptait furtivement des onchets de buis, qu'il avait cachés sous le livre »). Ensuite nous est dit le jeu des regards et les raisons de l'« attendrissement » causé par ce « spectacle », car les acteurs sont également les spectateurs émus.

Lorsque l'espace éclate, se fragmente en éléments qui peuvent être énumérés, les descriptions redeviennent possibles. Le discours narratif peut éventuellement se livrer aux délices de la « détaille »[5] des costumes

1. *Le Paysan parvenu,* 105 ; voir, franchement grotesque, le tableau d'une fin d'orgie dans *Félicia,* II, XXIII, 1159.
2. Prévost, *Mémoires et aventures d'un homme de qualité,* 42 ; de même : « Grand Dieu, dit-elle, je marche sur son sang ! A ces mots l'infortunée s'évanouit » (Mme de Genlis, *Mlle de Clermont,* 48).
3. Mme de Charrière, *Lettres écrites de Lausanne,* 159.
4. *Nouvelle Héloïse,* V, III.
5. Suivant le mot de Bernard Vouilloux, dans son analyse de : Du réalisable. Portrait, réalisme, détail : à propos des *Illustres Françaises, Champs du signe,* Toulouse, PU du Mirail, 1993.

qui « laissent voir »[1] des plantes qui composent un jardin, ou des meubles des logis parcourus, dans un mouvement du regard et des corps. Perception d'un grain plus fin de l'espace qui entraîne une interprétation plus fine, surtout pour les costumes : on a vu comment Jacob reconnaît une « femme à directeur »[2] ; Mme de Merteuil évoque avec économie et précision la façon dont Mme de Tourvel est « mise » : « ... avec ses paquets de fichus sur la gorge, et son corps qui remonte au menton ! »[3]

Intimité. Cet espace rapproche les personnages les uns des autres de façon nouvelle, crée une intimité, c'est-à-dire un nouveau rapport entre extérieur et intérieur qui est aussi un nouveau rapport entre le personnage et les autres.

Dans l'espace « romanesque », l'« écart » d'un pas de côté, l'occasion d'une « palissade », d'un « cabinet », d'une « chambre », d'un moment à saisir[4] suffisent pour créer une intimité fragile, aléatoire, soumise aux besoins du récit ; sans motivation perceptible, les importuns peuvent aussi bien disparaître opportunément pour laisser le temps d'un long dialogue[5] que surgir brutalement en jaloux l'épée à la main[6]. Un rapport plus complexe s'établit ici avec ce que l'autre représente, dans des jeux de parois, de murs, d'obstacles, de portes et de clés. Intimité signifie que l'espace protège mieux la relation étroite entre les personnages. Mais elle n'est jamais définitive, jamais stable. Et elle n'est pas non plus forcément euphorique.

Certes, on pense d'abord aux « champs clos » de l'amour que nous avons déjà décrits, où dans les chambres, les boudoirs, les alcôves, les

1. « Une robe ouverte, un corset garni d'une échelle de rubans couleur de rose, noués galamment, laissaient voir une gorge adorable... sa jupe tant soit peu relevée... offrait aux yeux un pied d'une délicatesse et d'une tournure achevée... » (La Morlière, *Angola,* 77) ; « Cette couleur tendre était relevée de petites fleurs bleu et argent et de quelques bouquets serrés par des nœuds d'amour... des bracelets de devises galantes et couleur de roses lui rendaient les bras plus ronds... un petit plumet bleu, couché de côté sur le front, une coiffure négligée, tout contribuait à lui donner un air tendre... » (Bibiéna, *Le Petit Toutou,* II, 125).
2. « Savoirs, Jeux de normes », 91.
3. Laclos, *Les Liaisons dangereuses,* v° 1.
4. « ... cette princesse, suivant une allée dans laquelle elle était, parvint en un cabinet qui était au bout, tissu d'arbres fort épais de branches fort touffues. Voyant donc la belle occasion qu'il avait, Aronde... » ; « ... je vis Adélaïde qui entrait dans son appartement ; je ne doutai pas qu'elle ne fût seule » (Segrais, *Aronde,* 140 ; Mme de Tencin, *Mémoires du comte de Comminge,* 64).
5. « ... la veille de son départ il se glissa le soir dans un cabinet où elle était seule... (...)... Ils s'entretinrent encore longtemps et ils eurent le loisir de s'expliquer toutes leurs pensées » (Catherine Bernard, *Inès de Cordoue,* 376-377).
6. Mme de Tencin, *Mémoires du comte de Comminge, ibid.* ; Lesage, *Aventures du chevalier de Beauchêne,* 206.

lits, le plaisir défendu tient à une suspension de la présence de l'autre, et souvent à une simple porte ouverte ou fermée[1]. L'intimité honnête et familiale, qui s'étale en tableaux, est plus rare, espace d'attendrissement où l'on pleure beaucoup. Mais la clôture de cet espace intime peut devenir un piège, essentiellement pour la femme. Voici Tervire enfermée (la femme de chambre est partie en emportant la clé) dans sa chambre avec un abbé arrivé par l'escalier dérobé qui mène au jardin. Appeler? « Croyez-moi, point de bruit; tout est couché, tout dort, et quand vos cris feraient venir du monde, tout ce qu'on en pourra penser, c'est que j'aurai voulu abuser du rendez-vous et de l'heure où nous sommes, mais on n'en croira pas moins que je suis ici de votre aveu. »[2] C'est aussi ce que dira Valmont à Cécile, une fois introduit dans sa chambre: « Que voulez-vous faire..., vous perdre pour toujours? Qu'on vienne, et que m'importe? A qui persuaderez-vous que je ne sois pas ici de votre aveu ?... »[3] Même piège refermé sur l'épouse d'un brutal: « Le plus court pour toi, puisque tu es ma femme, et qu'il n'y a plus pour toi d'asile dans le monde, c'est de faire tout ce que je te dirai... »[4]

Les amants de Dupré d'Aulnay, qui ne sont heureux qu'emprisonnés ensemble, regardant leur « captivité comme une faveur miraculeuse de l'amour » et la libération comme une « heure fatale »[5] expriment bien, et paradoxalement, l'ambivalence de l'espace intime. Il se referme mieux autour du personnage et tient à distance l'autre, qu'il soit obstacle ou secours, mais sans jamais annihiler sa présence. Et sans jamais fixer le mouvement: on peut toujours fuir, espérer fuir, glisser dans l'espace voisin, trouver dehors le refuge, l'aide, sauter par la fenêtre[6], gagner la maison voisine par les toits, la fenêtre d'un grenier[7], pousser « rudement » une petite porte « qui se trouvant mal fermée » s'ouvre, entrer dans un autre appartement, y trouver une femme qui vous fait sortir « dans une petite rue »[8], franchir malgré tout murs

1. « Pour n'être pas troublé dans l'importante leçon que j'avais à lui donner, j'allai fermer la porte, et revins avec ardeur lui prouver la fausseté de son opinion... » (Crébillon, *La Nuit et le moment,* 103).
2. Marivaux, *La Vie de Marianne,* 476.
3. Laclos, *Les Liaisons dangereuses,* XCVI.
4. Rétif de La Bretonne, *Ingénue Saxancour,* 41.
5. *Les Aventures du faux chevalier de Warwick,* 103, 110.
6. Dans la cour d'un rôtisseur comme d'Artagnan (Courtilz de Sandras, *Mémoires de Monsieur d'Artagnan,* 101).
7. Comme le Doyen de Killerine (376).
8. Comme Inès de Cordoue en danger d'être surprise par son mari dans un appartement qui n'est pas le sien (C. Bernard, *Inès de Cordoue,* 387).

et fossés[1], une sorte de circulation est assurée, car le caractère plus établi de la fermeture est compensé par une autre caractéristique fondamentale, la contiguïté.

Contiguïté. Une des caractéristiques de cet espace est sa capacité à imaginer et faire imaginer un ensemble de volumes contigus[2]. L'espace n'est plus fait d'espaces isolés dans un sorte de vide, mais d'espaces qui s'ouvrent, donnent les uns sur les autres. Cette caractéristique se développe également dans la dimension verticale. Les maisons ont des étages, on y monte et descend (même par les cheminées). L'escalier est devenu un élément pertinent de l'espace domestique, lieu de rencontres, passage obligé, communication décisive avec l'extérieur.

La contiguïté ne se borne pas à la maison : certains passent d'une maison à l'autre, comme d'autres (aventuriers baroques et leur parodiques doubles) passaient d'un pays voire d'un continent à l'autre. La rue prolonge l'espace domestique en permettant une circulation vive et clandestine entre divers espaces communicants. Portes et escaliers qui permettaient apparitions et disparitions sont remplacés par la double entrée des maisons, les « corps de logis percés », les coins discrets. La ville tout entière devient un labyrinthe où êtres et choses[3] peuvent disparaître, comme engloutis.

Le voisinage devient du coup une dimension spatiale et sociale pertinente. D'une maison à l'autre on se regarde, on se surveille[4], on se séduit, on se raccompagne, on met à l'abri pour un temps la femme martyrisée[5], on se surveille, on tombe amoureux. Il ne s'agit pas seulement du monde « comique » des petits bourgeois, comme dans ce croquis charmant de De Courci raccompagnant sa voisine en robe de chambre et pantoufles[6], mais aussi bien de l'élite parisienne que met en

1. Comme Justine.
2. Fréron, critiquant l'*Acajou et Zirphyle* de Duclos, se plaint, à propos d'une palissade qui sépare deux jardins et deux amants, de ne pas avoir été averti auparavant par le texte que les jardins étaient mitoyens... (éd. J. Dagen, 67, 140).
3. Le Noble raconte dans *La Fausse Comtesse d'Isamberg* comment un escroc se fait livrer dans son hôtel des habits et de la vaisselle, les fait passer en ballots dans la maison voisine « qui perçait dans un de ses appartements », porter au Marais « sans que qui que ce soit s'en aperçût », puis, le coup achevé et « la communication remurée », disparaît de son hôtel (164).
4. Voir plus haut « Pouvoirs. Regards et spectacles ». « Je suis d'avis que nous le menions dans le quartier et vis-à-vis l'endroit où il a été arrêté ; il est bon que ceux qui le virent enlever, et qui pourraient le reconnaître ailleurs, sachent qu'il est innocent » (Marivaux, *Le Paysan parvenu,* 158).
5. *Ingénue Saxancour.*
6. Digard de Kerguette, *Mémoires et aventures d'un bourgeois,* I, 76.

scène Challe, ou d'une émigrée française et de son « junker » de voisin dans un village de Westphalie...[1].

La contiguïté apparaissant dans le mouvement, celui des courses, fuites, poursuites, et évasions, ce sont les séducteurs en campagne[2], les voleurs, les aventuriers de toutes sortes qui font ressortir de la façon la plus spectaculaire cette dimension de l'espace. M. Aubertot aussi, qui en fuyant la sollicitation de M. le Pelletier, nous fait passer de la boutique à l'arrière-boutique, de l'arrière-boutique à l'appartement[3]. Surtout, un mouvement de circulation informe les descriptions d'intérieurs : celui de la découverte (Marianne découvrant l'appartement qui lui est promis)[4], celui du propriétaire fier de son acquisition[5], de l'exploration[6], de l'action prévue, imaginée : « Notre plan était aussi aisé que simple. La fenêtre d'un cabinet attenant à la chambre de Lady Rivers donnait sur une galerie qui n'était séparée de mon appartement que par une petite balustrade... »[7], celui, compliqué, imposé par la discrétion (qui motive la description de la maison de Mme Rémy)[8].

Hors même de toute nécessité d'action, le narrateur se donne des airs de propriétaire, ou d'architecte, et fait visiter. Les appartements de Silling sont « peints » suivant leur « plan », c'est-à-dire que l'on « passe » de la « galerie » au « salon à manger », puis au « cabinet d'assemblée », avec lequel « communique » un cabinet-boudoir, puis on « passe » dans l'aile parallèle, dont l'antichambre « communique » à « quatre très beaux appartements », avant de monter au second étage, puis de redescendre aux rez-de-chaussée, aux cuisines, etc.[9]. Le principe qui guide la description est le même pour la « maisonnette dans les bois » : « Nous montons quatre marches, et nous entrons dans une espèce de vestibule très petit, où nous apercevons au pied de l'escalier deux portes, l'une à droite, et l'autre à gauche. La première nous conduit à la cuisine, et la seconde

1. Mme de Charrière, *Trois femmes*.
2. On a vu combien les libertins en action sont attentifs à la disposition des pièces, au terrain de leurs mouvements : Faublas remarque vite « deux petites chambres à coucher qui se touchaient » (*Fin des amours du chevalier de Faublas,* 1103) et Valmont veut changer un « lieu de rendez-vous » avec Cécile « car un simple cabinet, qui sépare (sa) chambre... de celle de sa mère, ne pouvait lui inspirer assez de sécurité... » (Laclos, *Les Liaisons dangereuses,* CX). L'action de *La Nuit et le moment* est liée elle aussi à la disposition des chambres (57).
3. *Jacques le Fataliste,* 73.
4. *La Vie de Marianne,* 345.
5. Digard de Kerguette, *Mémoires et Aventures d'un bourgeois,* I, 328.
6. Mouhy, *La Mouche,* 214.
7. De la Place, *Les Erreurs de l'Amour-Propre,* I, 45-46.
8. *Paysan parvenu,* 177, 221, 231-232.
9. Sade, *Les Cent vingt journées de Sodome,* 55-57.

dans une salle de douze pieds sur quinze, ornée d'une cheminée, d'une table, de quelques chaises, et d'une bibliothèque assez considérable, etc. »[1] Le bâti est ainsi saisi de préférence de l'intérieur, avec une curiosité ambulatoire, comme succession de pièces dont importe la distribution. En revanche, l'extérieur, comme volume architectural, est toujours évoqué de façon sommaire, plutôt classé que décrit : « ... trois pavillons... Le premier avait un péristyle d'une architecture simple et noble, les deux autres formant deux espèces d'ailes subordonnées et proportionnées dans leur genre à la richesse du milieu. » Ensuite viendront, qualifiées ironiquement d'« aride(s) », et « qu'on n'a pas pu rendre plus clair », plusieurs pages consacrées aux appartements[2]. Le déséquilibre est encore plus marqué pour la *Petite Maison* de Bastide, dont l'architecture extérieure est expédiée en deux lignes sur les « murs d'une décoration simple, qui tiennent plus de la nature que de l'art, représent(ant) le caractère pastoral et champêtre » et les « percées ingénieusement ménagées » (108). Marmontel en revanche, dans sa description du château de Dorimon (« L'Heureux divorce »), fait exception, décrit plus précisément la façade en termes d'architecture, à partir d'intéressantes colonnes : « Ici les colonnes imitent les palmiers unis en berceaux. La naissance des palmes forme un chapiteau plus naturel et aussi noble que le vase de Callimaque. Ces palmes s'entrelacent dans l'intervalle des colonnes, et leurs volutes naturelles dérobent aux yeux séduits la pesanteur de l'entablement. Comme ces colonnes suffisent à la solidité de l'édifice, elles laissent aux murs une transparence continue, au moyen des vides ménagés avec art. On n'y voit point de ces toits redoublés qui écrasent notre architecture moderne ; et l'irrégularité de nos cheminées gothiques se perd dans le couronnement. »[3] Revenons à l'intérieur de la maison de Sir Sidney : outre la « distribution » de ses couloirs, elle comporte tout un équipement de « suspensoirs » cachés dans l'épaisseur des murs, de portes déguisées, coulisses, tubes, soupapes, petits trous dans les trumeaux, permettant une circulation intense et secrète des personnes (chacun peut « se rendre chez tous les autres sans qu'on s'en aperçût »), des regards et des sons. L'espace tâche d'y combiner intimité et contiguïté dans un mouvement incessant, une façon aussi d'échapper à l'omniprésence du maître de maison[4].

1. Ducray-Duminil, *Alexis,* II, 5-9.
2. Nerciat, *Félicia,* 1195.
3. *Contes moraux,* III, 183.
4. Nerciat, *Félicia,* 1196-1206 ; voir plus haut « Pouvoirs. Regards », 83.

Pragmatique : c'est un espace qui se figure dans l'expérience. Expérience sensuelle : celle des plaisirs provoqués dans les boudoirs qui « inspirent », aussi bien que celle de la privation dans l'espace carcéral, de la douleur dans l'espace clos de la violence. Expérience de l'usage : la délectation (secrète) de Jacob chez lui est faite de gestes par lesquels il savoure son nouvel état de maître de maison : « ... je me regardai dans mon appartement, j'y marchai, je m'y assis, j'y souris à mes meubles, j'y rêvai à ma cuisinière, qu'il ne tenait qu'à moi de faire venir, et que je crois que j'appelai pour la voir... »[1] Expérience de la résistance des choses, l'espace n'étant plus si docile, dans certaines séquences d'évasions[2]. Il faut déployer d'ingénieux attirails de crochets, échelles, poulies, draps, lime, fer de briquet pour triompher des murs. Il faut tâter, tâtonner, manipuler, écouter, forcer, dans un rapport très corporel avec l'espace[3].

Au-delà de ces bricolages improvisés, l'invention des machines rend possibles les actes impossibles, voler, franchir les montagnes, tout voir et tout entendre sans être connu, séduire, être servi, rajeunir... Quelques-unes donnent l'impression de fonctionner, témoignent d'un imaginaire à la fois technique et matériel : la machine volante de Rétif de La Bretonne, par exemple, avec ses rouages de buis montés sur acier poli, sa sangle de soie (avec rechange), ou bien la machine à extraire le fluide vital des fesses de deux jeunes enfants, dans *Pauliska,* grande roue de verre et courroies de cuir[4].

1. Marivaux, *Le Paysan parvenu,* 248 ; chez sa « sœur » du roman de Mouhy, l'expérience est celle du regard et de la fermeture des portes : « Dès que je fus seule, je promenai avec plaisir mes regards sur les objets riants qui m'environnaient, les glaces, les dorures ne m'offraient que des images séduisantes, je ne pus résister à la tentation de considérer de plus près les biens qui semblaient m'appartenir ; je me levai, j'étais seule, je tirai les verrous de mes portes et je me satisfis » (*La Paysanne parvenue,* II, 6, 111).
2. Au lieu de l'ellipse désinvolte qui réduit à rien l'espace : « Il sortit par une voie si cachée que l'on ne put comprendre comment il s'était pu sauver... » (Mlle de Scudéry, Célinte, 119) ; voir plus haut « Pouvoirs ; évasions ».
3. « ... Les bois qui les soutenaient aux quatre coins étaient faibles, et avec un peu de force et de patience, je conçus qu'en deux heures, par le secours du petit couteau, je pouvais en venir à bout » (Mouhy, *La Mouche,* II, 161). « ... mon libérateur frappait à petits coups redoublés. Quand le barreau fut ôté, je crus voir le ciel ouvert. Je passai d'abord une jambe, ensuite l'autre, j'empoignai un barreau, j'appuyai le bout de mes pieds sur l'échelle, et quelque mince que fut mon individu, j'eus peine à passer par l'étroite ouverture. J'en vins à bout cependant » (Louvet, *Une Année de la vie du chevalier de Faublas,* 631). « Je cassai mon couteau dont je fis un tournevis, et je travaillai pendant plus d'une heure avec beaucoup de peine, enfin je tirai les vis, et j'enlevai la serrure. La porte ouverte, je n'entendis rien encore... » (De La Solle, *Mémoires de deux amis,* II, 103).
4. Rétif de La Bretonne, *La Découverte australe,* I, II, 40-41 ; Révéroni Saint-Cyr, *Pauliska,* 189-190.

C'est un espace lié à l'expérience d'un faire, créé par l'« industrie ». Même, vers les années 1780, des personnages féminins sont parfois surpris à décorer leur intérieur, à fabriquer de l'espace domestique : « ... elle se procura quelques-uns de ces tableaux de Rubens et des Snyders... et les copiant (...) elle en entoura sa chambre, laissant entre eux de l'espace pour des consoles sur lesquelles devaient être placés des lampes de forme antique et des vases de porcelaine. »[1] Ce type d'espace reste avant tout urbain, privilégie les intérieurs et le bâti. Mais le végétal peut être plié à sa loi : dans *Paul et Virginie,* enclos, bassin, jardin, site fait d'enfoncements, d'arcades et de « courtines » de feuillage (c'est-à-dire de rideaux de lit) même si la matière est végétale, exotique et somptueuse, forment un ensemble d'espaces intimes emboîtés l'un dans l'autre et communicants. De cette activité, on peut voir une image hyperbolique dans cette méticuleuse construction d'une intimité hermétique : « Il restait trois pièces assez belles... Il donna ordre qu'on les revêtit en dedans d'un double mur : à l'égard des fenêtres, il prévit que la nécessité de changer d'air ne pouvant pas se parer, il lui était impossible de les faire murer : il les fit seulement revêtir de fortes grilles de fer en dehors, et en dedans il fit placer des contrevents garnis de paillassons ; et sur tout cela fit passer une boiserie à coulisse bien jointe, dont lui seul avait le secret. Il fit aussi murer, à l'exception d'une dans chaque chambre, les portes qui donnaient, ou dans d'autres pièces, ou sur l'escalier dérobé. Il ne resta donc dans ces trois pièces qu'une issue qui servait à passer de l'une à l'autre, jusqu'à sa chambre à coucher... »[2]

Dans ces conditions on comprend que la frontière entre espaces « nobles » et « bas » soit un peu bousculée. L'investissement de la maison en vient à englober des lieux qui sont utilitaires, triviaux (cheminées, grenier, escaliers, cuisines, bains : « ... elle me cria d'un cabinet, qui était par delà de sa chambre, qu'elle s'était mise dans le bain »[3] Il

1. Mme de Charrière, *Caliste,* 211. Ou bien : « Peu de jours après, l'appartement changea de face. Les cheminées ne furent plus couvertes de ces riches porcelaines... Plus de ces fastueuses superfluités... Une toile de Jouy remplaça... le noyer prit la place de... Les superbes pendules... furent supprimées... » (Gorgy, *Blançay,* 68). Voir aussi comment Mlle de Verneuil dans *Les Chouans* prépare sa chambre pour le Marquis (421).

2. Il s'agit d'élever hors du monde une petite fille (De La Solle, *Mémoires de deux amis,* III, IV, 138-140) ; aussi bien dans les caractéristiques de l'espace (contiguïté, circulation, clôture bien maîtrisées) que dans la façon de décrire ce qui a été *fait,* ces pages sont à l'image de celles qui ouvrent les *Les Cent vingt journées de Sodome.*

3. Mme de Charrière, *Caliste,* 148.

ne faut pas faire de ce « bas » une caractéristique essentielle. Pourtant c'est bien ici que le roman deviendra petit à petit assez fort pour porter une attention sérieuse à l'espace médiocre et quotidien, lui accorder une place entre le rêve de luxe et le coup d'œil voyeur sur les bas-fonds[1].

Cet espace à la fois plus ouvert (vers le « bas ») et plus fermé sur l'intimité, fait à la fois de clôture et de circulation, espace des villes qui se méfie de la ville, est à la fois celui des risques de l'expérience et de la sûreté de la propriété.

C'est par l'expérience qu'il se constitue, par les sens (la vue avant tout, mais aussi le toucher, l'ouïe, le goût). L'homme y est actif et remuant, il y circule, s'y débat, s'y heurte, l'explore, le bricole, manque de recul parfois, ne voyant pas plus loin que le bout de son corps qui l'éprouve. Il en fait ainsi son territoire. Comme toute expérience, elle comporte ses incertitudes, ses surprises : la loi veille derrière la porte, le détail qui saute aux yeux est sanglant, la rue violente et imprévisible, la femme tapie dans son boudoir inquiétante (si son corps n'était pas heureusement morcelé). D'une façon générale l'expérience est assez bien maîtrisée : rares sont les surfaces dont le sens échappe longtemps, les prisons sont rarement définitives et les lieux de plaisir aménageables.

C'est aussi et surtout l'espace d'un propriétaire qui à sa façon exprime son droit sur les choses de ce monde. Il fait visiter, montre, énumère, déploie, déchiffre avec la sûreté de celui qui a les clés et garde la bonne distance par rapport aux murs. Il jouit de tout ce que le luxe offre, de tout ce que la société des privilégiés produit pour son plaisir, affirme sa maîtrise dans la fabrication du faux, du simulacre : « ... une pièce délicieuse. Elle représente un bosquet dont le feuillage, peint de main de maître, se recourbe en coupole jusque vers une ouverture ménagée en haut et d'où vient le jour, à travers une toile légèrement azurée qui complète l'illusion. On voit, sur le fond transparent, les extrémités des feuilles et quelques jets élancés se découper avec une vérité frappante. (...) Le tapis est un gazon factice parfaitement imité... »[2]

1. La figuration de l'espace, accentuée dans les pages écrites pour diriger le graveur des futures estampes de *Julie,* tire Rousseau vers la scène de genre et le « bas » : « le chassé-croisé du roman et de la scène de genre convie à ranger les Sujets d'estampes dans cette catégorie (la vie quotidienne et domestique occupe le territoire) » (Elizabeth Lavezzi, Un rêve pictural : l'illustration de *Julie, Francofonia,* 24, 1993).
2. Nerciat, *Aphrodites,* dans *L'Œuvre libertine du chevalier Andréa de Nerciat,* Éd. d'Aujourd'hui, 1985, 280.

CHAPITRE III

L'ESPACE RESSEMBLANT

Nous avons déjà rencontré, par exemple au bout du désir de retraite, ou comme un savoir de soi que le personnage acquiert, ces espaces-« états d'âme » dont on a fait un symptôme de « préromantisme ». Au-delà de figures du désir ou de la vérité, ces espaces à propos desquels le discours romanesque pose un rapport particulier entre espace et sentiment constituent un type d'espace particulier. En quoi ? En ceci qu'ils établissent, dit ou pas, explicité ou non, un rapport de ressemblance (le mot désignant cette forme faible de l'analogie[1] étant choisi à dessein) entre animé et inanimé. Pour l'établir, il faut décrire certaines des configurations les plus stables qui marquent une explicite connexion entre certains vécus affectifs et certains espaces, et essayer ensuite de distinguer dans ce qui les caractérise la forme que prend en effet la dite connexion.

ESPACES DE...

L'« horreur » est depuis longtemps liée à la représentation de certains espaces. Le mot, qui peut s'appliquer aussi bien au sujet qu'à l'objet, a deux versants dans ses acceptions classiques, celui du « caractère effrayant de certaines choses », de la « profondeur sombre », et celui du « saisissement de crainte et de respect »[2]. Une « horreur » que l'on peut dire modérée, proche du « saisissement de crainte et de respect », se rencontre très tôt associée à des décors élémentaires de forêt,

1. Ch. Hasnaoui, Condillac, chemins du sensualisme, *Langue et langage de Leibniz à l'Encyclopédie*, 1977, 127.
2. Dubois-Lagane, *Dictionnaire de la langue française classique*.

de grotte, de montagne, caractérisés par le caractère « sauvage », la solitude, l'obscurité, le silence, la verticalité des arbres et parfois des rochers : « Un bois de haute futaie faisait ma promenade ordinaire. La solitude et le silence qui y régnaient, y répandaient une certaine horreur conforme à l'état de mon âme... »[1] Comme on va le voir plus loin, cette « horreur » s'alliera aisément à la « mélancolie ». Lorsque, plus tard, semble-t-il, l'« horreur » s'associe à la « terreur » et à l'« effroi », elle est encore celle de la forêt, avec ou sans château, de l'espace montagneux, de la grotte, du souterrain. Elle est « inspirée », « se nourrit » principalement, d'un ensemble de perceptions et de sensations qui font converger vers le corps menaces et agressivité. Elle est ainsi faite :

— d'obscurité (la seule mention de la « nuit », de sa « belle horreur »[2], peut suffire ; la forêt, elle, offre quelques nuances du sombre, depuis l'obscurité impénétrable jusqu'aux lueurs affaiblies, celles par exemple du soleil couchant) ;
— de silence ou de bruits effrayants (tous le deviennent, cris d'oiseaux nocturnes, fracas des torrents, et même le souffle des zéphyrs...) ;
— de verticalité menaçante (celle des arbres, des monts, des précipices et du château) ;
— de la violence de l'eau courante (celle des torrents, des chutes d'eau) ;
— d'animalité hostile ou répugnante (« bêtes sauvages », crapauds, serpents) ;
— de végétaux blessants (ronces, épines) ;
— de désorientation (la forêt devient facilement labyrinthe, comme le souterrain) ;
— d'enfouissement, de descente au sein de la terre (galerie, escalier souterrain).

S'ajoutent parfois des symboles d'un temps destructeur (ruines, feuilles de l'automne), ou des éléments de rites funèbres (croix, têtes de mort, linceuls, glas, tombeau, marbre noir)[3].

1. Mme de Tencin, *Les Malheurs de l'amour,* 289 ; Prévost, *Le Philosophe anglais ou Histoire de M. de Cleveland,* 33.
2. Marivaux *Pharsamon,* 536 ; « Que vous dirai-je ? L'horreur de la nuit, le souffle des zéphyrs dans les feuilles, tout m'entretint dans mon effroi » (Mouhy, *Le Masque de fer,* 161).
3. « Ils s'élancèrent ainsi au clair de la lune jusqu'à la vue des deux rochers élancés, qui formaient comme un portail à l'entrée du vallon dont l'extrémité était terminée par les vastes ruines d'Istakhar. Presque au sommet de la montagne on découvrait la façade de plusieurs sépulcres de Rois, dont les ombres de la nuit augmentaient l'*horreur* » (Beckford, *Vathek,* 202).

Jean Sbogar nous en offrc un bel échantillon, d'un « gothique » tardif, où l'on peut mesurer le chemin parcouru depuis Mme de Tencin, citée plus haut : « Elle... s'élança dans une rampe mal éclairée qui devait la conduire aux souterrains du château. Après d'innombrables détours qu'indiquaient d'espace en espace des lampes pâles cachées dans les creux de la muraille (...) elle arriva au lieu même de la cérémonie ; et, transie de frayeur, elle se glissa comme un spectre entre les hautes colonnes qui soutenaient la voûte à une hauteur prodigieuse... Toutes ces colonnes chargées de faisceaux de lances, de cimeterres et d'armes à feu, formaient une espèce de forêt à travers de laquelle on ne pouvait distinguer que confusément ce qui se passait au centre de cette salle souterraine... (...) le vague que son imagination prêtait à leurs formes incertaines augmentait la terreur de cette scène nocturne... Du côté opposé à l'entrée du souterrain, s'élevait une longue suite d'arcades anguleuses dont les pointes se perdaient dans l'obscurité de la voûte, et qui n'étaient séparées entre elles que par d'autres groupes de colonnes minces, noircies et usées par le temps. Des tentures de deuil coupaient ces arcades à une certaine élévation, et les brigands disséminés sur le fond de cette décoration funèbre ajoutaient à sa *mystérieuse horreur...* » (147-148).

La « terreur » accompagne aussi les manifestations extrêmes de la violence naturelle : orages, tempêtes, et ceci depuis les origines du roman[1]. L'orage (souvent localisé dans la forêt) et la tempête conjuguent avec démesure la violence de l'eau et celle du feu, l'éclair et la foudre[2], le bruit et la lumière. Une confusion des éléments proprement chaotique désoriente profondément le sujet. La mer en tempête, elle, défait, disjoint la paroi qui abrite, tire vers le bas, ensevelit, puis rejette sur la grève un cadavre.

En décrivant l'île de la Gorgone, « effroi de la nature » qui saisit d'« horreur » Pizarre lorsqu'il y aborde, Marmontel, dans les *Incas,* semble vouloir, sur le mode néo-épique, accumuler tous les éléments du

1. Héliodore, *Éthiopiques,* 649 ; Tatius, *Leucippe et Clitophon,* 919.
2. « ... la chute répétée du tonnerre qui siffle en s'éteignant dans les eaux... » (Chateaubriand, *Atala,* 101) ; « ... les cieux qui peu à peu s'étaient obscurcis, se remplirent d'éclairs, la foudre gronda, des torrents tombèrent des cataractes du firmament, et la nuit la plus épaisse couvrit toute la nature. Alexis, ému du spectacle effrayant qui s'offrait à ses regards, sentit chanceler ses genoux, la terreur s'empara de son âme, il se persuada que le ciel irrité de son ingratitude, voulait le réduire en poudre... » (Ducray-Duminil, *Alexis,* II, 71) ; « Les nuages, chargés de vapeurs sulfureuses s'entrouvrant à chaque instant avec un bruit terrible, laissaient échapper de leurs flancs déchirés mille éclairs effrayants, avant-coureurs de la foudre (...) l'eau qui tombait à grands flots avait creusé dans la campagne mille ravins profonds... chaque coup de tonnerre arrachait à Rosalie un cri de terreur... » (Mercier de Compiègne, *Rosalie et Gerblois,* 131).

topos: tonnerres, pluies, grêles perpétuelles, « parmi les foudres et les éclairs », « montagnes couvertes de forêts ténébreuses... dont les branches entrelacées ne forment qu'un épais tissu, impénétrable à la clarté; des vallons fangeux, où sans cesse roulent d'impétueux torrents; des bords hérissés de rochers, où se brisent, en gémissant, les flots émus par les tempêtes; le bruit des vents dans les forêts, semblable au hurlement des loups et au glapissement des tigres; d'énormes couleuvres qui rampent sous l'herbe humide des marais... » (I, 216).

Lorsqu'il voit son frère Patrice dans sa « retraite » (tenture violette, fenêtre à demi fermées, chaises en désordre)[1], le doyen de Killerine ne résiste pas à des « apparences si mélancoliques », il s'assied en soupirant[2]. Exemple rare d'un espace de mélancolie qui soit un intérieur. Dans le roman la mélancolie est plutôt de plein air, et son espace se confond avec celui de l'« horreur » : à la fin du siècle, chez Pauliska, elle est âpre et « profonde » face à un site « sauvage et stérile »[3]. En vérité la « mélancolie » n'est pas facilement associée à un seul espace nettement dessiné. Elle oscille entre deuil et plaisir, mais si le néant se creuse en précipice trop vertigineux, la mélancolie n'est plus la mélancolie, dit Potocki : « ... je passai sur la terrasse dont la vue se portait vers un précipice, au fond duquel roulait un torrent qu'on ne voyait pas, mais qu'on entendait mugir. Quelque triste que parût ce paysage, ce fut avec un extrême plaisir que je me mis à le considérer, ou plutôt à me livrer aux sentiments que m'inspiraient sa vue. Ce n'était pas de la mélancolie, c'était presque un anéantissement de toutes mes facultés... »[4] Et pourtant cette figure penchée[5] nous paraît bien correspondre à l'image du personnage mélancolique.

C'est plutôt une mélancolie « blanche » qui va l'emporter dans le roman, une forme de sensibilité élégiaque, de « tristesse profonde » qui n'assume pas l'héritage complexe du mot « mélancolie ». Elle s'accommode d'une « horreur » tempérée, réduite à l'essentiel : solitude, verti-

1. « Captif du bric à brac », « torpeur et hébétude du désespoir », dit Starobinski, *La Mélancolie au miroir,* 1989, 47, 65.
2. Prévost, *Le Doyen de Killerine,* 337.
3. « Ces forêts sombres, ces torrents, ces sites sauvages, où l'industrie de l'homme jette adroitement quelques semences, ces récoltes rares, sur des coteaux à pic, et qui dans leurs ondulations orageuses au-dessus des rochers semblaient peindre la chevelure hérissée d'une nature irritée contre loi, tout contribuait à me jeter dans une *mélancolie* profonde ; tout me retraçait aussi le souvenir de mes parents infortunés » (Révéroni, *Pauliska,* 150).
4. Potocki, *Manuscrit trouvé à Saragosse,* IX, 128.
5. Starobinski, 48.

calité de l'escarpé, mouvement de l'eau[1]. L'agressivité a disparu, les torrents ne font plus peur, ils diraient plutôt l'écoulement du temps, davantage marqué aussi par ses signes ostensibles, ruines et tombeaux : « D'un côté du bois est un rocher assez escarpé, sur lequel il y a un ermitage ; et le rocher est bordé d'un ruisseau assez large, qui semble en défendre l'entrée. Ce ruisseau se forme d'un torrent, qui tombe de la montagne sur les rochers. Il y fait un bruit, et forme une cascade naturelle, qui, dans le sombre du bois, offre aux yeux le même agrément que les lieux les plus cultivés par l'art. C'est ici ma promenade ordinaire... : j'aime cette secrète *horreur*, ce lieu est propre à nourrir une *douce mélancolie...* »[2] Dans cette direction, l'espace de la mélancolie va s'éloigner de l'horreur et de la terreur, se confondre souvent avec la « tristesse », pour se dire dans un espace qui combine une clôture protectrice et une échappée possible : celui de la grotte ouverte sur l'extérieur[3], celui du nid ombreux, berceau de verdure traversé ou bordé par une eau qui entraîne la pensée ailleurs[4], celui de l'observatoire isolé sur le flanc d'une montagne. Deux « esplanades », deux « lieux sauvages », attirent tous deux le mot « mélancolie », l'un d'où Saint-Preux observe Julie au télescope (I, XXVI) et l'autre, le « Pouce », d'où Paul voit disparaître le vaisseau qui emmène Virgi-

1. Ce sont au fond ces « objets négatifs » que Chateaubriand attribuait aux « écrivains d'un génie mélancolique », « le silence des nuits, l'ombre des bois, la solitude des montagnes, la paix des tombeaux... » (*Génie du christianisme,* 2e partie, II, X ; cité par C. Jacot-Grapa, L'épreuve du négatif, *Figures de la négation, Textuel,* 29, 1995).
2. Mme de Lambert, *La Femme ermite,* 217. A comparer avec : « Le château ruiné... s'élevait au milieu de ses décombres, entourés d'un amas de ronces et d'épines. Plus loin se voyait une chapelle qui se sentait aussi des ravages des temps ; une grande croix plantée en face l'annonçait de loin au voyageur : le voisinage d'un moulin à eau, les mugissements des vents qui se mêlaient au bruit *mélancolique* d'une espèce de cascade qui tombait lugubrement sur son lit de cailloutage, tout répandait une certaine *horreur* sur ces lieux » (Loaisel de Tréogate, *Soirées de mélancolie,* « Empire de la beauté »).
3. Certaines, au XVIIIe siècle, semblent dériver de celle de *Cleveland,* mais sans en avoir la complexité d'orchestration : celle des *Mémoires de Milady B...,* par exemple, ou celle de *La Comtesse d'Alibre.* Voir Jacques Chouillet, La caverne, ses habitants et ses songes : de Platon à Prévost et au-delà, *Cahiers Prévost d'Exiles,* 1, 1984 ; Aurelio Principato, La caverne de Cleveland, *CAIEF,* 46, 1994.
4. « Nous avons fait ces jours passés une promenade sur une petite rivière qui baigne les murs du parc : elle coule à travers une longue allée de peupliers et de frênes qui forment des deux côtés, une voûte impénétrable au jour... Le calme du soir, et l'obscurité formée par l'ombre des arbres favorisent la mélancolie » (Léonard, *Nouvelle Clémentine,* 34) ; « Hier nous avons été à la pointe de l'île ; elle est terminée par une centaine de peupliers, très rapprochés les uns des autres (...) Le jour y pénètre à peine ; le gazon est d'un vert sombre ; la rivière ne s'aperçoit qu'à travers les arbres. Dans cet endroit sauvage on se croit au bout du monde et il inspire, malgré soi, une tristesse dont M. de S*** ne ressentit que trop l'effet, car il dit à Adèle : "Vous devriez ériger ici un tombeau ; bientôt il vous ferait souvenir de moi" » (Mme Souza, *Adèle de Sénange,* 94 ; comparer avec *Paul et Virginie,* 170-172).

nie (155), tous deux isolés par les escarpements du rocher, et ouverts à la fois sur les précipices mortels et sur des lointains qui conduisent le regard vers l'aimée.

L'échappée pointe vers l'objet perdu, et donc vers un passé. Ainsi, une durée destructrice imprègne plus ou moins l'espace mélancolique, d'où la fortune du topos de l'automne : « ... le déclin de l'automne ajoute à la noirceur de mes pensées ; ces feuilles qui tombent de toutes parts, cette campagne flétrie, ces images de deuil et de désolation me remplissent de terreur, je soupire de me trouver seul au milieu des ravages du temps. »[1] Parfois l'espace s'est épuré de tout mouvement, et n'exprime plus que la perception sereine de la durée, ou plus exactement d'une fin proche : « L'air était calme, on n'apercevait aucune voile sur le lac. Tous reposaient, les uns dans l'oubli des travaux, d'autres dans celui des douleurs. La lune parut ; je restai longtemps. Vers le matin elle répandait sur les terres et sur les eaux l'ineffable *mélancolie* de ses dernières lueurs. »[2]

Lorsque la « douce mélancolie » se détache complètement des composantes de la « terreur » et de l'« horreur », elle fait écho à un espace bucolique au relief modéré, où l'escarpé est devenu rond et les eaux se sont assagies, où une « aimable » variété, une présence humaine qui ne laisse pas de vide inquiétant, l'équilibre et la profondeur rappellent le paysage « composé » « classique », celui de Poussin, et de Claude Gellée : « Dans les montagnes de Savoie, non loin de la route de Briançon à Modane, est une vallée solitaire, dont l'aspect inspire aux voyageurs une *douce mélancolie.* Trois collines en amphithéâtre où sont répandues de loin en loin quelques cabanes de pasteurs, des torrents qui tombent des montagnes, des bouquets d'arbres plantés çà et là, des pâturages toujours verts, font l'ornement de ce lieu champêtre. »[3]

Les espaces de mélancolie sont ambigus, au moins autant recherchés que subis, car ils ont leurs « agréments » avoués : « voluptueuse mélancolie », dit Claire d'Albe (XL), tandis que Némorin « éprouve un charme secret à se livrer tout entier à sa profonde tristesse » auprès d'une vieille tombe, écoutant les cris d'un hibou

1. Léonard, *Lettres de deux amants,* LIV ; voir Philippe Van Tieghem, *Le Sentiment de la nature dans le préromantisme européen,* I, IV, 39-48.
2. Sénancour, *Obermann,* IV, 76.
3. Marmontel, *Contes moraux,* « La Bergère des Alpes », II, 217.

solitaire[1]. On se trouve vite aux confins d'espaces franchement euphoriques.

Ceux de la rêverie heureuse devant un bonheur pastoral contagieux, où la même sérénité, la même modération équilibre le paysage et le spectateur. Le sage regarde, avant de regagner sa petite maison et son petit jardin : petite rivière, cascade, moulin, les laboureurs passent, les bergers rappellent leurs troupeaux, avec encore une pincée de mélancolie, inévitable à cause du tic-tac du moulin, et une certaine distance sociale qui donne du confort[2].

Ceux où le désir se manifeste comme une force naturelle qui traverse espace et personnage : topos de l'émoi devant un paysage de printemps, venu de l'églogue, qu'il s'agisse d'un couple ainsi encouragé (voir plus haut « Savoirs », 104) ou du « trouble involontaire » (Florian, *Estelle*, 115) d'un(e) solitaire[3]. Plus moderne, la nuit tropicale exprime elle aussi un désir diffus : elle n'est plus l'obscurité qui annule le regard des autres, laissant libre cours aux violences les plus transgressives, elle est, dans *Paul et Virginie*, un espace peuplé des « petits cris » et des « murmures » des oiseaux qui se caressent, et le spectacle de la « nuit délicieuse » où le reflet des étoiles sur la mer exprime un

1. *Estelle et Némorin*, 150.

2. « ... assis au bord d'une petite rivière ombragée de saules antiques, sa vue embrasse la longueur de cette avenue liquide que bordent des arbres serrés, et dont les têtes chevelues, forment, en se rapprochant, un berceau naturel. La cascade d'une Porte-à-bateaux le jette dans une douce rêverie ; le tic-tac mesuré d'un moulin voisin entretient sa *mélancolie* ; un calme religieux règne autour de lui. Le soleil baisse ; il voit passer des laboureurs chargés d'outils, des femmes, des enfants portant sur leur dos de longs fagots de branchages : il entend dans l'éloignement le cornet du berger qui rappelle ses troupeaux à l'étable : des sons lents et confus frappent son oreille ; une petite flûte aigre et bien discordante se fait entendre de moments en moments ; il aperçoit dans l'obscurité, la flamme scintillante d'un four à plâtre, il la regarde sans la voir, il pense sans réfléchir, ses esprits sont enchaînés : il éprouve trop pour détailler ses sensations !... Il sort enfin de son extase, tout le rappelle à son ermitage ; il y rentre joyeux de revoir sa maison... » (Ducray Duminil, *Alexis*, I, 10) ; voir aussi Boufflers, *La Reine de Golconde*, 222.

3. « Réellement, mon cher Alfred, ces premiers jours du printemps animent les passions, les rendent plus vives, plus flatteuses. Cette secrète intelligence, cette admirable harmonie qui unit, entretient, renouvelle tous les êtres, semble devenir plus sensible ; elle émeut notre cœur, nous porte à réfléchir, éveille en nous un désir indéterminé, et nous avertit de chercher un bien qui nous manque. Ah ce bien est l'amour ! » (Mme Riccoboni, *Lettres de Fanny Butlerd*, XXVII) ; « Déjà le premier né de la nature s'avance, déjà j'éprouve ses douces influences, tout mon sang se porte vers mon cœur, qui bat plus violemment à l'approche du printemps ; à cette sorte de création nouvelle tout s'éveille et s'anime ; le désir naît, parcourt l'univers, et effleure tous les êtres de son aile légère ; tous sont atteints et le suivent ; il leur ouvre la route du plaisir... » (Mme Cottin, *Claire d'Albe*, III) ; « Debout, l'un près de l'autre, sur quelque éminence du terrain, ils sentaient, tout en humant le vent, leur entrer dans l'âme comme l'orgueil d'une vie plus libre, avec une surabondance de forces, une joie sans cause » (Flaubert, *L'Éducation sentimentale*, éd. P. M. Wetheril, 327), voir « Savoirs 2.3 ».

accord fragile (rompu dès que Virginie voit le fanal du navire qui va l'emporter), l'harmonie qui lie les éléments entre eux, et les personnages au cosmos (149)[1].

Même harmonie lorsqu'à l'élévation des monts escaladés répondent, « proportionnés aux objets », les sentiments de « volupté tranquille », d'« inaltérable pureté », (Rousseau, *Julie*, I, XXIII), où « l'homme retrouve sa forme inaltérable, mais indestructible ; il respire l'air sauvage loin des émanations sociales ; son être est à lui comme à l'univers : il vit d'une vie réelle dans l'unité sublime » (Senancour, *Obermann,* VII). Le volcan inverse en revanche ces effets, entre en consonance avec les forces obscures et inquiétantes[2].

CARACTÈRES

Ces espaces sont le plus souvent des topos dont l'ancienneté est avérée. Le « lieu d'horreur » est aussi ancien que le « lieu aimable » auquel il fait pendant[3], et dans le roman grec, la tempête qui terrorise[4], l'éveil du printemps qui bouleverse, sont déjà des topoï. Cela est d'autant plus visible que leur expression est également figée dans une forme où les composantes du paysage sont constantes[5], le qualificatif ornemental (les montagnes toujours inaccessibles, les abîmes toujours effrayants), la botanique littéraire et « noble »[6]. Une évolution se produit pourtant

1. Selon Bakhtine (*Esthétique et théorie du roman,* 367) le « roman-idylle » est caractérisé par un lien « adhésion organique » entre personnage et un lieu natal, qui est aussi celui de la vie quotidienne (et qui ne peut être que loin des villes) : « Ces familles heureuses étendaient leurs âmes sensibles à tout ce qui les environnait » (*Paul et Virginie,* 115).
2. Voir J.-L. Haquette, *Paysages de la fiction,* « Oswald au Vésuve », 277-282.
3. On peut le vérifier par exemple dans les *Métamorphoses* d'Apulée, aussi bien dans la description de la caverne des brigands (voir « Pouvoirs ; Enfermements »), avec ses rochers « inaccessibles », et ses ravins « très profonds », que dans l'évocation de la montagne d'où jaillit le Styx (IV, 6 ; VI, 14).
4. Voir par exemple A. Tatius, *Leucippé et Clitophon,* III, dans *Romans grecs et latins,* 919.
5. Voir A.-M. Perrin-Naffakh, Changement de la perception de la nature et transformation de l'écriture descriptive, *Imaginaire du changement,* II, Cl.-G. Dubois (éd.), Université de Bordeaux, 1985.
6. Cette « horreur » est censée être turque : « ... Il me conduisit à travers des bois et des montagnes inaccessibles, dans une espèce d'habitation qu'il avait entre les rochers. Je frémis à la vue d'un séjour si sauvage, et capable d'effrayer les plus déterminés. D'un côté ma vue se perdait dans des abîmes creusés par des torrents qui s'y jetaient avec un bruit épouvantable ; et de l'autre, à peine mes yeux pouvaient atteindre le sommet des montagnes que nous côtoyions » (Godard d'Aucour, *Mémoires turcs,* 22).

dans le dernier tiers du siècle, qui tend à faire préférer le terme propre. Ce n'est pas une tempête d'épopée ni de roman qui manque de noyer Julie et Saint-Preux mais un coup de « séchard » sur le lac Léman, de même que c'est un orage de grêle qui surprend Alvare à Venise (351), et un ouragan tropical qui naufrage le « Saint-Géran ». Ce qui n'entraîne pas forcément une plus grande précision descriptive. Même spécifiées comme étant celles de la mer de Glace au Mont-Blanc[1], les « belles horreurs » que Florian décrit en ouverture à « Claudine » (1792) ne sortent pas des termes du topos. Et la critique de Sénancour à l'égard du Maître : la description du Valais dans *Julie* « n'a presque rien de caractéristique ; ôtez les noms ou changez-les, vous aurez au besoin une vallée de la Savoie, de l'Oberland, ou des Grisons », est tout à fait fondée, et porte bien au-delà de Rousseau[2]. Comme on l'a vu, Marmontel a beau situer sa vallée savoyarde entre Modane et Briançon il la décrit tout de même à coup de collines, torrents, pâturages toujours verts, et cabanes de pasteurs, qui ont déjà beaucoup servi. Dans ce type d'espaces, le lexique ne s'enrichit et ne dépasse la nomenclature néo-classique qu'en dépaysant le lecteur, en recherchant un effet d'étrangeté, lorsque Sénancour l'entraîne dans les Alpes, Bernardin sur l'Ile-de-France et Chateaubriand au bord du Mississippi.

C'est un espace qui se réfère de préférence à la nature : elle est peuplée d'animaux, traversée de forces bienveillantes ou hostiles. Les souterrains, les châteaux sont décrits comme des concrétions minérales, non comme le résultat d'un faire architectural. Les ruines se confondent avec les rochers[3]. La nature cultivée, elle, oscille entre la fertilité bucolique et une stérilité affirmée[4]. L'homme n'y est repré

1. « J'ai contemplé longtemps en silence ces rochers terribles, couverts de frimas, ces pointes de glace qui percent les nues ; ce large fleuve qu'on appelle une mer, suspendu tout à coup dans son cours, et dont les flots immobiles paraissent encore en fureur ; cette voûte immense formée par la neige de tant de siècles, d'où s'élance un torrent blanchâtre qui roule des blocs de glaçons à travers des débris de rocs. Tout cela m'a frappé de terreur et pénétré de tristesse : j'ai cru voir l'effrayante image de la nature, sans soleil, abandonnée au dieu des tempêtes. En regardant ces belles horreurs, j'ai remercié l'Être tout-puissant de les avoir rendues si rares... » (*Nouvelles*, 193).
2. Du style dans les descriptions, *Obermann*, éd. Vaudoyer, 508.
3. « ... elles ne rappellent pas le travail et la présence de l'homme, elles se confondent avec les arbres, avec la nature » (Mme de Staël, *Corinne*, VIII, IV, 230).
4. « ... je... trouve partout dans les objets la même horreur qui règne au-dedans de moi. On n'aperçoit plus de verdure, l'herbe est jaune et flétrie, les arbres sont dépouillés, le séchard et la froide bise entassent la neige et les glaces ; et toute la nature est morte à mes yeux, comme l'espérance au fond de mon cœur » (Rousseau, *Julie*, I, XXVI) ; « ... la verdure est morte dans la nature, comme l'espérance dans mon cœur » (Mme Cottin, *Claire d'Albe,* XL).

senté que par des hors-la-loi, des victimes esclaves ou bien d'aimables silhouettes de paysans aux heures où ils ne travaillent plus ou pas encore (à l'aube, au crépuscule). Cet espace ne cherche pas à se présenter comme contemporain, mais au contraire situé dans un passé plutôt historique (Moyen Age par exemple) ou plutôt mythique (souvent pour la pastorale).

Le personnage y est un spectateur arrêté, ou une victime impuissante. Il n'est pas à la bonne distance pour agir : l'espace est vu comme un paysage, de trop loin, ou bien le serre de trop près, l'enferme, le contraint, il est la victime. C'est un sujet passif, momentanément dispensé d'initiative, qu'il ait voulu cette retraite, qu'il subisse une souffrance ou jouisse d'un bonheur tranquille.

Il vit une expérience émotive intense qui s'exprime avec excès, dans l'hyperbole, dans l'absence de degré, de nuance, de contradiction. Cette intensité a pour conséquence, du côté des sujets, d'introduire une certaine incertitude, on l'a vu, dans les frontières qui sépareraient l'horreur de la terreur, l'horreur de la mélancolie, la mélancolie douce de la sérénité, mais aussi dans celles qui garantiraient la séparation entre l'animé et l'inanimé, le réel et l'irréel. On voit vite « voltiger »[1] des spectres, des fantômes, des ombres, et l'hallucination menace : « Les frémissements lointains du vent, le cri sinistre d'un oiseau, le sourd retentissement d'une cloche... tout devenait pour elle des spectres effrayants... » Même dans la contemplation du paysage pastoral le moi risque de se dissoudre dans l'extase : « Il regarde sans voir, il pense sans réfléchir, ses esprits sont enchaînés : il éprouve trop pour détailler ses sensations !... »[2] Du côté des objets, ce type inclut donc les espaces bouleversants qui ont figuré traditionnellement parmi les matériaux sur lesquels a travaillé toute la réflexion sur le sublime, de Longin[3] à Kant, dont les illustrations de l'*Analytique du sublime* semblent bien romanesques : « Le surplomb audacieux de rochers menaçants, des nuées orageuses s'amoncelant dans le ciel et s'avançant parcourues d'éclairs et de fracas, des volcans dans toute

1. Sade, *Aline et Valcour,* LXV, 1040-1041.
2. Mme Cottin, *Malvina,* XXXII ; Ducray Duminil, *Maisonnette,* I, 10. A l'opposé donc d'un Vivant-Denon distinguant précisément le moment où : « Plus calmes l'air nous parut plus pur, plus frais... » de celui où, inversement, « La fraîcheur et l'air pur... calmèrent... mon imagination... » (*Point de lendemain,* 87, 97).
3. Édition Francis Goyet, 1995, 125.

leur violence destructrice, des orages semant la désolation... »[1] Ces espaces vont naturellement trouver un emploi dans l'intensivisme aussi bien du roman de terreur que du pastoral renaissant.

Que le sujet s'y reconnaisse, y perçoive ce qu'il vit comme un affect[2], ou que l'espace soit donné comme un agent illusoire (qui entraîne, inspire, fait sentir, etc.), c'est une même qualité qui traverse personnage et espace, désignée, sinon avec précision, du moins sans ambiguïté. Un rapport nouveau s'affirme, postulant une équivalence entre extérieur et intérieur, qui se dit comme une ressemblance. Le lecteur doit donc admettre que l'espace peut être l'image de cette vibration de sensibilité qui habite le personnage, c'est-à-dire qu'un vécu psychologique dans certaines conditions peut se dire en images spatiales, puisque le roman nous raconte en langage de rocher, de forêt, d'arbres, de torrents, de collines, de profondeur, de mouvement, d'air, d'eau, de feu, à quoi ressemblent l'horreur, la mélancolie, le bonheur, etc.

Les analystes modernes de la psyché nous offrent leur caution rationnelle et légitiment le fait qu'un espace représenté comme extérieur puisse être perçu comme l'expression d'une intériorité du personnage, ne serait-ce que par les notions, pour elles ordinaires, de « projection » et d'« image du corps ». La « projection » est, nous dit-on, une « opération, par laquelle le sujet expulse hors de soi et localise dans l'autre, personne ou chose, des qualités, des sentiments, des désirs, voire des objets qu'il méconnaît et refuse en lui »[3]. Alors que le sujet continue de croire le monde objectif distinct de lui-même, s'établit une relation d'identité entre dedans et dehors. L'« image du corps », elle, implique une relation étroite entre structuration de l'espace et celle du corps, la représentation de l'espace étant dépendante de l'image que le personnage se fait de son propre corps[4]. Par ailleurs, l'analyse de l'imaginaire humain à travers les mythes, les religions, les cultures, confirme que des espaces comme la grotte, la forêt, le labyrinthe ont cristallisé fantasmes et rêves depuis l'aube du récit[5].

1. I, B, § 28. Dans son avant-propos à la *Recherche philosophique sur l'origine de nos idées du sublime et du beau,* Baldine Saint Girons note que « Burke est certainement également influencé par le roman de l'époque », celui de Fielding, Smolett, Richardson (n. 2, 34).
2. Voir « Savoirs 1, Se reconnaître ».
3. Jean Laplanche et J.-B. Pontalis, *Vocabulaire de la psychanalyse.*
4. Voir par exemple Sami-Ali, *L'Espace imaginaire,* Gallimard, « Tel », 1974.
5. Pour la grotte par exemple, voir Gilbert Durand, *Les Structures anthropologiques de l'imaginaire,* 274-275 ; Gaston Bachelard, *La Terre et les rêveries du repos,* VI.

On peut donc étendre l'espace ressemblant hors du catalogue des topos identifiables et dire que la fontaine de Virginie ressemble non pas à Virginie mais au désir ambigu et contradictoire qui la lie à Paul, comme l'Élysée aux rapports qui lient Julie Saint-Preux et Wolmar, et l'orage qui se déchaîne dans *Atala* (100) au « tourment que semble éprouver la vierge du désert »[1]. On peut aussi légitimement revenir vers certaines séquences topiques aussi récurrentes que troublantes : par exemple, du côté de l'« horreur », les progressions lentes et douloureuses dans forêts ou souterrains, qui débouchent sur la mort, la souffrance, la torture, ou bien la façon dont les naufrages rejettent de trop belles noyées, séquences qui font que souterrain, orage, ou tempête marine conduisent chaque fois vers un beau cadavre de femme. Le topos, si c'en est un, pourrait bien être issu d'un même scénario fantasmatique qui dirait en termes d'espace figuré quelque chose du personnage dans ses rapports avec les autres, et plus précisément, qu'il y a de la culpabilité, de la sanction, de la mort à propos du corps de la femme[2]. Formulation volontairement générale, car chaque espace ne peut être analysé que dans le tissu d'un texte et la ligne d'un parcours narratif, avec une saine méfiance pour les clés symboliques qui tournent toutes seules.

Les espaces explicitement donnés comme ressemblants doivent être considérés comme des balises signalant l'existence d'un espace analogique beaucoup plus vaste. Ils sont dans le discours narratif un signal, un appel au déchiffrement symbolique.

Et c'est ainsi que le roman maintient le lien entre une machine narrative qui fonctionne à coup de signe et de causalité et cette « ressemblance » préclassique, faite de *convenientia*, d'analogie, de « sympathie », dont Foucault pense qu'elle a été « repoussée » par la « pensée classique » « aux confins du savoir, du côté de ses frontières les plus basses et les plus humbles » et que « là, elle se lie à l'imagination, aux répétitions incertaines, aux analogies embuées »[3]. Le roman lui continue de croire, ou feindre de croire, que les sujets et leurs mots peuvent parfois ressembler aux choses, en quoi évidemment il garde éveillée une

1. J.-L. Haquette, 388-391.
2. Voir Christophe Martin, Tombeaux du féminin. Notes sur l'espace et le corps chez l'abbé Prévost, *Littérature,* n° 103, octobre 1996.
3. *Les Mots et les choses,* 85 ; voir aussi l'exposé de la philosophie « hermétique » de la « sympathie universelle » dans Umberto Eco, *Interprétation et surinterprétation,* 1996, I, 28-34.

forme de sensibilité qui mènera au romantisme profond, à son « cosmomorphisme », « pressentiment d'une intelligibilité solidaire de l'homme et du monde »[1].

L'espace ressemblant semble dire les « états d'âme » avec une clarté rassurante. L'intériorité psychique la plus fiévreuse y est bien balisée par des notions qui ont fait leur preuve (horreur, terreur, mélancolie, tristesse, harmonie, etc.), et la dite ressemblance clairement repérée, formulée, signalée. En vérité cet espace raconte plutôt les corps que les âmes : corps menacés, noyés, perdus, écrasés, tombés, étouffés, agrippés, ou bien bercés, balancés, entourés, comblés... C'est un sujet corporel et sensible, frémissant, vibrant qui est mis en récit et en espace. Il a besoin pour cela d'un espace naturel, c'est-à-dire purifié, nettoyé non pas de toute présence humaine, mais du trouble inhérent aux sociétés humaines, d'un espace où le Bien et le Mal soient traduits en forces impersonnelles, et qui pourtant ne s'occuperont que de lui. Les fantasmes peuvent s'y déployer à leur aise en termes de torrent, de précipice ou de nuit tropicale. Ils sont bien calés dans les formes stables de quelques topoï. Fantasme et topos s'épaulant l'un l'autre pour que rien ne bouge, on se croirait hors de la durée de l'Histoire. Et pourtant cela change : écoutons deux amants mis dans l'impossibilité d'aimer, à trois quarts de siècle de distance : « Nous arrivâmes le troisième jour dans un château bâti auprès des Pyrénées ; on voit à l'entour des pins, des cyprès, des rochers escarpés et arides, et on n'entend que le bruit des torrents qui se précipitent entre les rochers. Cette demeure si sauvage me plaisait par cela même qu'elle ajoutait à ma mélancolie... »[2] ; « J'ai été voir une petite maison qui appartient à mon hôte, et qui me plaît beaucoup. Un torrent, destructeur comme la passion qui me dévore, a renversé près de la maison de hauts pins et de vieux érables ; ces arbres déracinés du rivage opposé se rencontrent dans leur chute, et semblent se rapprocher pour former sur le torrent un pont, sous lequel passe une écume blanche qui s'élève au-dessus des eaux tourmentées. Je me suis arrêté au bord de ce torrent, et j'ai regardé quelques corneilles qui passaient les unes après les autres sur

1. Georges Gusdorf, *Le Romantisme,* 329 ; rappelons que pour Hegel la « vie intime » de l'âme « peut aussi, dans la nature purement extérieure, trouver un écho qui réponde à l'âme, et, dans les objets physiques, reconnaître des traits qui ont de l'affinité avec l'esprit... » (*Esthétique*, 77, à propos de la peinture de paysages).
2. Mme de Tencin, *Mémoires du comte de Comminge,* 43.

ces arbres renversés, et dont les cris lugubres convenaient à l'état de mon âme. »[1] Ce que le discours a gagné en figuration de l'espace s'accompagne d'une envahissante insistance de l'allégorie. Le roman a hélas pris conscience des facilités de l'espace-écho, il abuse de l'emblème, en sème dans tous les coins du paysage. On regrette les harmoniques que Prévost ou Rousseau savaient tirer d'un seul espace revisité, grotte de Rumneyhole, ou site de Meillerie. Le jeu de la ressemblance entre personnage et espace y était un moyen d'accroître les possibilités du discours narratif, non d'annexer l'espace par un discours solipsiste.

1. Mme de Krüdener, *Valérie*, XLIV, 189.

CHAPITRE IV

L'ESPACE EXEMPLAIRE

La représentation de l'espace nous parvient forcément par un discours qui n'est jamais tout à fait dépourvu de commentaire ni de présupposés. Certains demandent notre assentiment, d'autres notre admiration, ou notre compréhension : « C'est mon âme qui est là ! », « Voyez comme c'est beau ! », ou bien : « Dans de tels lieux comment résister ? », etc. Mais ces brefs gestes verbaux n'influent pas sur la forme et le caractère des espaces figurés. Or certains espaces nous arrivent tout entiers dominés par un désir de faire partager une vérité. Ce n'est pas ce désir qui est remarquable en lui-même, mais le fait qu'il informe l'espace.

C'est ainsi que la « vieille tour » d'un « antique château », comme celle que le père de Dolbreuse fait visiter à son fils, n'est plus que le support d'une leçon d'honneur féodal[1]. C'est ainsi qu'un « boudoir », réduit à une catégorie fonctionnelle (« tous les objets propres à... »), peut être pris dans un discours argumentatif où l'art s'oppose à la nature, et le riche au pauvre : « C'était un de ces petits boudoirs où l'homme opulent rassemble tous les objets propres à fixer l'éclair du plaisir, qui s'éteint pour les riches malgré tout leur art. Presque tous ont fané de bonne heure les roses de la santé, pour avoir voulu goûter quelques instants de plus, une volupté dès lors artificielle. Voilà ce qui venge le pauvre et rétablit l'égalité des conditions. »[2] Vivant Denon aussi, dans *Point de lendemain* marquait, par une double remarque de Mme de T***, un certain mépris pour ceux qui ont besoin de « res-

1. Elle s'oppose en outre à la « tour d'architecture gothique » où Dolbreuse séduira une vertueuse Comtesse (Loaisel de Tréogate, *Dolbreuse*, 28-30 et 118).
2. Mercier, *Jezennemours*, I, 29.

sources artificielles», et c'est bien à la «vérité» d'une «nature naïve» que le narrateur est rendu au petit matin. Mais cette idée, outre qu'elle est loin de rendre compte des plaisirs que le narrateur connaît dans le «pavillon» et le «cabinet» secret de la comtesse, ressort d'une traversée de ces espaces artificiels, trajet d'une «initiation» et d'une prise de conscience. C'est le même espace de référence, et peut-être y croise-t-on la même idée, mais, par leur façon d'être intégrés au récit, ce sont deux types d'espace différents, l'un modelé par une action et un trajet, l'autre oblitéré par un dire.

Plus qu'une configuration du savoir c'est un type original d'espace, caractérisé par le rôle proposé au lecteur, l'exemplification, la régularité signifiante, et la détermination.

Désigné par un discours qui le raisonne, l'interprète, l'explique, l'espace apparaît donc ici dans une certaine «scène d'énonciation»[1] où le lecteur est invité à prendre place dans un échange verbal.

Le «Prologue» de *Célinte* nous fait entrer dans une conversation sur le thème de la «curiosité»; ainsi est motivée l'évocation de la «magnifique entrée de la reine»: fallait-il être assez curieux pour se déplacer? Certes oui, «car peut-il y avoir une curiosité mieux fondée que de vouloir voir le plus beau spectacle qu'on ait jamais vu, la plus belle Princesse du monde, et le plus grand Roi de la terre, suivi de ce que la terre a de plus grand et de plus illustre...» (41). L'essentiel de cette métamorphose de l'espace parisien est sans doute dans ce que dit Philinte: «J'avoue qu'elle m'a donné une si grande idée de la puissance royale que j'en suis charmé» (38).

Nous avons vu comment celui qui visite les bibliothèques, les jardins, les collections discute de ce qu'il voit. Ces espaces de civilisation sont objets d'un discours qui les évalue, au nom du «goût», et d'après certains modèles. L'espace est réduit au jugement porté sur les objets qui le composent, mais ce jugement peut être à son tour jugé. Dulaurens, dans le chapitre où le Compère Mathieu et Vitulos visitent Amsterdam, montre bien les limites des doctes échanges verbaux où s'exprime le «goût»; l'orgueil du propriétaire («Un homme tel que moi, qui possède pour plus de trente mille florins de tableaux...»), le fétichisme aveugle du collectionneur dégénèrent vite en une violente

1. Dominique Maingueneau, *Le Contexte de l'œuvre littéraire*, 1993, chap. 6.

intolérance, dévoilant ce que cachaient les débats esthétiques : l'argent, et le culte imbécile de l'objet unique[1].

Tous ces dialogues sont en fait des leçons. Sur le lac, c'est Saint-Preux qui « montre », « fait observer », « fait admirer » à Julie « toutes les parties du superbe horizon », et conclut par le principe qui l'explique : « C'est ainsi que... » Nous sommes Julie, élève du pédagogue[2], nous écoutons la leçon, comme nous sommes amenés à écouter les longues « observations » (plusieurs pages) que Corinne fait à l'intention d'Oswald lorsqu'elle lui fait visiter le musée du Vatican[3]. De même le lecteur est souvent invité à se confondre avec un voyageur auquel certain espace lointain a offert un « spectacle » : « ... la grande rivière de Calucala dont les rives ornées d'une double allée d'orangers, de grenadiers et de citronniers offrent au voyageur le spectacle le plus brillant... » En vérité ce voyageur innocent n'est qu'un masque derrière lequel le géographe nous guide d'une main ferme sur la carte-dissertation : de cette rivière partent les chemins vers les huit provinces, et nous passerons de l'une à l'autre, chacune étant une variation sur le thème d'une fertilité annoncée d'avance[4]. Le rapport quasi pédagogique qui s'instaure avec le lecteur est préfiguré sur le terrain, où le narrateur explorateur, pour pouvoir nous expliquer l'urbanisme des utopies, a besoin lui-même d'un guide qui donne un sens à l'espace qu'il découvre. Ainsi le roi Zamé explique à Sainville ce que Sainville transmet à ses auditeurs-lecteurs : à propos d'un bâtiment ornant la place publique : « Les deux étages du haut, me dit ce philosophe, sont des greniers publics ; c'est le seul tribut que je leur impose... », et il en explique l'utilité : « Le bas de cet édifice est une salle de spectacle. J'ai cru cet amusement nécessaire », et il dit pourquoi[5].

Dans ce type d'espace le rapport entre le tout et les parties est celui de l'exemplification. En effet il se réalise volontiers en vastes entités comme la Nation, réelle ou utopique, la Ville, la Campagne, la Nature, où chaque élément est dit représenter de façon exemplaire l'espace qui le contient. Une Nation est ainsi faite de routes de rues, de bâtiments publics, d'auberges, de maisons particulières, de villes et d'une cam-

1. *Le Compère Mathieu,* III, I.
2. *Julie*, IV, 17.
3. Mme de Staël, *Corinne*, VIII, II.
4. Castilhon, *Zingha*, 226.
5. Sade, *Aline et Valcour,* 688.

pagne, qui se définissent avant tout par leur caractère typique. Une auberge en Espagne avant d'être grande ou petite, confortable ou non, est d'abord un exemple d'auberge espagnole. Un bâtiment public dans le royaume de Zamé est d'abord le signe de l'excellence du régime politique. Ainsi le voyageur ignorant, et surtout le voyageur exotique, que l'on fait débarquer à Paris, qu'il soit chinois, persan, ou iroquois, est-il confronté à un espace constitué pour provoquer sa réflexion, une série d'éléments typiques de cette société. Dans la Ville les théâtres diront la futilité ou la culture[1], les églises et les couvents représenteront la bienfaisance ou la malfaisance de la religion, les salons, les promenades l'état des mœurs, des relations entre les conditions, les ordres, les sexes. La Nature elle-même, comme on l'a vu plus haut[2] offrira des paysages dont les éléments bien rangés disent son excellence, et parfois même l'existence de Dieu. La Campagne sera faite surtout de fêtes, de scènes de bienfaisance illustrant un certain rapport du propriétaire et des paysans.

Cet espace a pour caractéristique d'être constitué d'éléments représentatifs, exemplaires, d'échantillons.

Lorsqu'il est figuré, ce type d'espace a tendance à offrir au regard une structure régulière, et signifiante par cette régularité même.

C'est l'espace des utopies qui le manifeste le mieux. Sa régularité géométrique exprime les hiérarchies et les fonctions. Un urbanisme spectaculaire, « une topographie très sûre d'elle-même »[3] signifient une organisation politique modèle : « Dans toute cité utopique l'organisation de l'espace urbain... se donne à lire comme la transposition rigoureuse, la projection concrète exacte du système institutionnel en vigueur dans le pays. Partout le centre moral et politique de la cité coïncide avec son centre géométrique. »[4] Mercier soumet ainsi l'espace du Paris de 2440 à un ordre raisonné, d'une géométrie portée sur la symétrie : une statue de roi au milieu de chaque pont, deux monuments centraux, l'Hôtel de Ville et le

1. A. Rivara rappelle que la visite au théâtre ou à l'Opéra, topos du roman de mœurs et d'apprentissage, a des significations diverses, par exemple « initiation à l'artifice pour Gaillard de la Bataille, initiation artistique pour Bridard de la Garde » (*Imirce*, 208).
2. « Savoirs 1 ; Vérités exposées ».
3. Judith Schlanger, *L'Enjeu et le débat,* 184.
4. Jacques Decobert, Au procès de l'utopie, un « roman des illusions perdues », Prévost et la « colonie rochelloise », *RSH,* 155, 1974, 500 ; voir aussi, du même, Pour une lecture de la ville en société utopique, *Modèles et moyens de la réflexion politique au XVIIIe siècle,* II, Lille, 1978.

Louvre face à face, des terrasses qui font de la capitale un vaste jardin, modèle d'espace maîtrisé[1].

Lorsqu'il se réfère au réel existant, l'espace aimera se partager en deux, la binarité étant la forme de régularité signifiante la plus facile à manier. La ville vient ainsi s'opposer ostensiblement à la campagne (« Quel contraste frappant entre le silence de la campagne et l'agitation des villes ! » s'écrie le narrateur de *La Maisonnette dans les bois,* entre une description idyllique d'un paysage champêtre et une « vue sur cette bruyante capitale », son « brouillard épais et noirâtre », et son « bourdonnement »)[2], la pauvreté à la prospérité, l'érotisme coupable à l'érotisme conjugal (dans *Dolbreuse*), le Nord au Midi[3], la France à l'Angleterre, la Patagonie à l'Europe[4] : les diptyques sont innombrables. Ainsi l'espace du couvent, lorsqu'il est l'objet d'un discours critique, est toujours raisonné en fonction de celui du « monde », son opposé : on lui reproche, soit de n'être que le prolongement caché de ce que le monde a de pire, soit de s'opposer à ce que le monde a de bon.

La juxtaposition des éléments exemplaires de la « collection » est une autre façon de rendre l'espace signifiant. Les livres côte à côte, ou les tableaux, les végétaux dans les jardins, les composantes du paysage édifiant constituent un espace parlant dans leur multiplicité régulière. Il faut comparer le désordre de ce que le Page émerveillé voit dans le « cabinet magnifique » de sa maîtresse[5] avec les amphithéâtres de verdure qui offrent à l'œil l'ensemble des végétaux d'un jardin, ou bien les vues panoramiques « qui déploient l'image de tout ce qui a été créé depuis la zone glaciale jusqu'à la zone torride, pour l'usage des hommes » : « Du côté de l'Amazone, on découvrait des chameaux... et du côté du sommet des glaces on apercevait des traîneaux... en moins de six lieues se développait la végétation entière qui brille sur la surface du globe... »[6] On voit combien la mise en ordre du savoir laisse une trace dans l'espace romanesque. Même dans les sites que le Prince de Ligne imagine pour le bonheur final de ses héros, les temples de différentes religions, les plantes de diffé-

1. Mercier, *L'An 2440.*
2. Ducray-Duminil, *Alexis ou la Maisonnette dans les bois,* I, 12.
3. « Qu'il me fait mal cet air de l'enivrante Italie ! Il me tue ; il tue jusqu'à la volonté du bien. Où êtes-vous, brouillards de la Scanie ? » (Mme de Krüdener, *Valérie*, 145).
4. Voir *L'île taciturne et l'île enjouée* de Bricaire de la Dixmérie, et *La Découverte australe* de Rétif de La Bretonne.
5. Tristan l'Hermite, *Le Page disgracié,* 84.
6. Berdardin de Saint-Pierre, *L'Amazone* (301).

rents climats témoignent de la volonté de déployer dans l'espace la diversité du monde, à la fois pour le plaisir intellectuel du tableau et pour l'exercice de la tolérance[1].

Ville, Campagne, Nature, Nation, caractérisent le sujet, le forment ou le déforment, le gardent pur ou le corrompent, le rendent pauvre ou riche, heureux ou malheureux, c'est-à-dire d'une façon douce ou ferme le déterminent. Ce type d'espace tend à s'imaginer comme déterminant, ayant le pouvoir de changer, d'influencer, de modeler.

La mise en œuvre d'un rapport de détermination est explicite, et dogmatique dans les récits où un personnage est soumis à un processus d'expérimentation pédagogique qui joue essentiellement sur l'espace où il se trouve plongé[2]. La première étape est celle d'une séquestration dans un espace réduit au minimum, imaginé pour assurer la seule survie. Puis sont réintroduits dans le champ de perception du personnage-cobaye un certain nombre d'éléments spatiaux exemplaires soigneusement choisis : Imirce ainsi fait connaissance avec le jour, puis avec l'orage, puis avec la nuit, etc. Tout le processus, et le récit avec lui, est fermement maîtrisé par un expérimentateur-pédagogue qui ne laisse rien au hasard.

Mais, hors de ces démonstrations, il faut remarquer que les jardins deviennent dans les romans un espace dont on débat à partir du moment où il est admis que l'important n'est pas de montrer le pouvoir de l'homme sur la nature, ce qui est considéré désormais comme tyrannie et artifice, mais de contrôler, de canaliser le pouvoir de la nature sur l'homme. Les bibliothèques deviennent des espaces problématiques lorsqu'elles sont imaginées comme pléthore étouffante et dangereuse. L'espace qui corrompt les jeunes vierges était traditionnellement celui des loisirs de l'élite urbaine : les bals, les spectacles, les assemblées, c'est ce que le Doyen de Killerine craint pour sa sœur Rose[3]. Dans la seconde moitié du siècle, il s'étend aux bouges et aux « petites maisons », à toutes les « liaisons » qu'on peut y faire, à la Ville tout entière. On a vu d'ailleurs[4] que Ville et la Campagne, à la fin du siècle, en viennent à caractériser la narration ;

1. *Contes immoraux,* 150-151, 166.
2. Comme dans *L'Élève de la Nature* de Guillard de Beaurieu, l'*Imirce* de Dulaurens, ou l'épisode de Tiami dans les *Mémoires de deux amis* de De la Solle.
3. Prévost, *Le Doyen de Killerine,* 66.
4. Voir plus haut « Désirs, récits », 15-16.

certains romanciers prennent soin de prévenir le lecteur qu'ils ont écrit sous cette influence déterminante : l'air de la campagne ou de la ville induit un style.

Quant à l'espace de la nation, le roman depuis longtemps fait comme s'il déterminait les caractères des personnages. A la fois historique et géographique il colore les personnages, donne naissance à des types nationaux. C'est ainsi que sont modelés des Anglais, des Espagnols, etc., « modèles nationaux » au « caractère flou et topique », dont on peut montrer qu'ils sont là pour faire ressortir « le moi national » français[1]. La nation fait le caractère et le caractère fait les histoires : « ... il n'y a pas même un déjeuner, ni une petite demoiselle du château qui fasse le thé. Il n'y aura pas même une taverne ni une hôtellerie sur un grand chemin, encore moins rien de pis, ni un homme brusque, ni de ces originaux dont les traits grossiers sont faciles à dessiner : la scène ne se passe pas en Angleterre. » Dans la première des « conversations de Bélial »[2] sont ainsi énumérés avec ironie les clichés littéraires attachés à l'image de l'Allemagne, de l'Italie, du Portugal, de l'Orient enfin. La satire des romans pamphlets politiques s'en nourrit[3]. Mais tout n'est pas dans ce domaine application mécanique ou ironique de stéréotypes. Le roman de Mme de Staël thématise de façon complexe l'influence déterminante que les espaces du Midi et du Nord ont sur Corinne et Oswald, sur leur rapport avec le monde : « En s'approchant de l'Angleterre [...] il se retrouvait lui-même... il reprenait une sorte de fixité dans les idées, que le vague enivrant des beaux-arts et de l'Italie avait fait disparaître. »[4]

Cet espace exemplaire est un espace clair et raisonné car il est en adéquation avec le langage et la pensée qui le découpent, le rangent, le comprennent. Espace donc univoque et limpide, qui s'explique et se

1. Types nationaux européens dans des œuvres de fiction françaises (I. Herrero et L. Vasquez, *DHS*, 25, 1993).
2. Prince de Ligne, *Contes immoraux*, 84.
3. Voir Jacques Rustin, Un Pamphlet romanesque contre les Anglais dans la guerre de Sept ans : *Les Sauvages de l'Europe* (1760) de R.-M. Lesuire, *Recherches et Travaux*, n° 49, Hommage à Jean Sgard, Grenoble, 1996.
4. A opposer à : « ... en approchant de Naples, vous éprouvez un bien-être si parfait, une si grande amitié de la nature pour vous, que rien n'altère les sensations agréables qu'elle vous cause. Tous les rapports de l'homme dans nos climats sont avec la société. La nature dans les pays chauds, met en relation avec les objets extérieurs, et les sentiments s'y répandent doucement au-dehors... » (Mme de Staël, *Corinne*, XVI, IV, 447, et IX, I, 287 ; L'âme de la terre passe dans l'homme, V. Hugo, *Quatrevingt-treize*, III, I, VI).

comprend. Le hasard n'y a pas de place, et les apparences n'y sont pas trompeuses : au contraire, elles sont un chemin vers la raison des choses. Il correspond à un désir de maîtriser en l'expliquant un monde tenu ainsi à distance et en ordre. L'homme s'y découvre cadré, englobé dans de grandes entités lointaines qui façonnent lentement, doucement son identité, au lieu qu'il soit livré au hasard des sensations de rencontre C'est aussi une façon d'apprivoiser l'Histoire. C'est un espace intégrateur et rassurant. Il appartient plutôt au roman du dernier tiers du siècle.

ÉPILOGUE

Lire le roman comme « espace-fiction »[1] nous a peut-être parfois donné l'impression de plonger dans le plus brut, le plus machinal parfois du discours romanesque : des gestes, des mouvements, des postures élémentaires au plus près des corps et des choses. Il est sans doute bon que cet éclairage rasant corrige l'image (par ailleurs tout à fait pertinente) d'abstraction et de raffinement que le roman du XVIIIe siècle s'est attaché. Ce n'est pas une raison pour fabriquer et favoriser l'illusion d'une sorte de substrat spatial élémentaire. Il est évident que, même enfermés entre quatre murs, même ayant tous deux une certaine pratique de la robe de chambre, le petit paysan qui s'approprie comme un plaisir honteux celui de posséder un chez-soi à Paris, et l'officier aux arrêts, rêveur et ironique, ne sont pas véritablement dans le même espace, que Jacob n'est pas Xavier[2].

Le roman a affirmé sa vocation qui est de mettre en contact le lecteur, non pas exactement avec ce qui n'est pas lui, mais avec des modèles imaginaires de rapport avec ce qui n'est pas lui. Et cette altérité s'impose à lui comme une loi, ou comme ce qu'il imagine autre et lointain, ou comme ce qui le dépasse et agit sur lui. Ce questionnement[3] fondamental, une pratique perfectionnée de l'espace dans le discours romanesque a permis de le formuler autrement et avec plus de force. Voyons où il en est.

1. H. Mitterand, « Le lieu et le sens : l'espace parisien dans *Ferragus* de Balzac », 190.
2. Marivaux, *Le Paysan parvenu* ; Xavier de Maistre, *Voyage autour de ma chambre.*
3. « Il me semble qu'il n'existe fondamentalement que trois types de questionnement narratif : ils concernent le faire, le vivre, l'être » (A. Kibédi-Varga, *Discours, récit, image,* P. Mardaga éd., Liège-Bruxelles, 1989).

Altérité comme loi qui s'impose : on pourrait s'en tenir à la prégnance de l'« espace proche »[1] au rôle qu'elle peut jouer pour figurer des modèles de comportement devant ce qui est permis ou interdit dans l'espace familier (salon, chambre...), ou bien aux tableaux-modèles de l'« espace exemplaire » ; mais l'éventail des réponses du sujet-personnage à la question de la loi est plus ouvert : il y a le compromis et l'esquive, la révélation et l'acceptation, le débat, tous solidaires d'espaces et de postures devant l'espace.

Altérité comme distance et différence, comme « ailleurs » : l'espace exotique a cessé d'être l'origine d'un regard critique, les Indiens, convertis au christianisme, ne traversent plus l'Océan ; en revanche le regard romanesque se transporte jusqu'à cette nature lointaine (non cultivée, végétale) sur la splendeur de laquelle il va s'exercer, se régénérer, se laver, pour ensuite retourner vers le plus proche.

Altérité comme origine, de celui qui vient d'ailleurs : le roman a entamé le récit interminable du parcours qui conduit le(la) hors-venu(e) à être initié(e), digéré(e), territorialisé(e), et à quel prix, avec l'aide de quels bons parents, parcours centripète du paysan, de la paysanne, du provincial, de l'indien ; le récit qu'il vient d'aborder à peine, c'est au contraire celui du parcours centrifuge nouveau : celui du banni du révolté qui est rejeté seul et loin.

Altérité comme agent : à l'espace privé familier de l'homme inventif, actif et libre, Robinson affairé de l'intime, du secret, du rêve utopique ou de la propriété, en rose ou en noir, s'opposent les espaces vastes englobants, flous, qui le déterminent, et de plus en plus le corrompent.

Reste la négation de l'altérité : celle de l'espace rural, obstinément soumis aux moules d'une idéalisation, celle de l'inanimé « naturel », obstinément mythifié, si l'on accepte que l'« espace mythique » a pour caractéristique de vouloir tout rendre intelligible en rendant tout analogue[2]. Enfin, ce qu'on appellera fantastique commence à aborder prudemment l'altérité inexplicable du quotidien.

On ne pourra plus écrire l'espace comme, par exemple, Mme Gomez vers 1730[3] avec une économie qui le réduit aux signes minimaux du « commerce » des élites : allées et venues entre ville et

1. Pour reprendre nos appellations, malgré ce qu'elles ont de réducteur.
2. Raymond Ledrut, L'Homme et l'espace, *Histoire des mœurs,* I, 1990, 85.
3. Par exemple encore dans cette nouvelle intitulée « L'Amour plus fort que la nature », qu'on peut lire dans *Nouvelles françaises du XVIIIe siècle,* I.

campagne, porte ouverte ou non pour les visites, éloignements rapprochements et rencontres, appartement et cabinet, ombre du cloître, et c'est tout.

Le roman a gagné le droit à la myopie, celui de raconter de près une section réduite de l'espace[1] quelle qu'elle soit, à laquelle il donne un sens ; il a retrouvé l'usage de la ressemblance, avec une tendance marquée à faire de l'espace un écho rassurant[2] ; il sait assurer sa diégèse sur un territoire : marquer dans l'espace chacune des étapes de l'action, comme chacun des éléments qui constituent le personnage, et le récit avance ainsi.

Allons-nous tout droit vers le modèle « réaliste » ? Non, car il faut compter aussi avec la réserve, même si elle n'est pas engagée de suite dans la bataille, avec les histoires décentrées, les errances sinueuses, les voyages sans itinéraires, les échecs spectaculaires à s'approprier un espace, l'effet dissolvant des contemplations, des descriptions extasiées (soit *Jacques le Fataliste, Oberman, René, Le peintre de Saltzbourg,* par exemple...).

Il ne faut décidément pas essayer de donner une image unitaire de l'espace romanesque que le roman au tournant du siècle lègue au XIXe postnapoléonien. Ce n'est pas un espace romanesque constitué, donné à continuer, mais une poétique exercée formant un ensemble où tous les possibles ont déjà été au moins esquissés sinon explorés à fond. Nous avons essayé de le montrer en décrivant des configurations et des types qu'il faut imaginer comme se croisant, se contaminant, se recouvrant, s'enchevêtrant. Ils font que l'espace-fiction est devenu un langage complexe, qui a sa grammaire et ses styles, est capable de tout dire.

Et par exemple, qu'il se soit produit des changements irréversibles dans la manière dont le discours narratif traite du détail, d'une perception fine de l'extérieur, du rapport entre animé et inanimé, et des objets naguère réputés « bas », nous permet de répondre sans hésitation à la question posée dans nos premières lignes. Oui, tous comptes faits, *Mlle de Clermont* a bien paru en 1803 : non tellement parce que Chantilly est « le plus beau lieu de la nature » et « offre à la

1. Chateaubriand a beau dire, dans la préface d'*Atala,* son mépris pour « les détails fastidieux », il a, sur ce point, perdu la partie.
2. Je suis heureuse les oiseaux chantent, je suis malheureuse les feuilles tombent : c'est souvent ainsi, chez Mme Cottin par exemple.

fois tout ce que la vanité peut désirer de magnificence et tout ce qu'une âme sensible peut aimer de champêtre et de solitaire» ; mais plutôt parce que, sur le chemin nocturne de son mariage secret, un «pan de robe accroché à l'un des ornements du piédestal de la statue du grand Condé» cause une frayeur extrême; parce qu'il tombe «une petite pluie» dans la forêt après l'accident mortel de M. de Melun; parce que, seule dans la nuit d'une cour, sous les fenêtres de la chambre où son époux secret agonise, une princesse s'y assied «sur une pierre».

Bibliographie des œuvres citées

Antiquité

Apulée, *Métamorphoses.*
Chariton d'Aphrodise, *Chéréas et Callirhoé.*
Héliodore, *Éthiopiques.*
Longus, *Daphnis et Chloé.*
Tatius, *Leucippée et Clitophon,* dans *Romans grecs et latins,* textes présentés, traduits et annotés par P. Grimal, Gallimard, « Pléiade », 1958.

XVIIe siècle

D'Assoucy (Charles Coypeau ou Coupeau, sieur de), *Les Aventures de M. d'Assoucy,* 2 vol., 1677.
D'Aulnoy (Marie-Catherine Le Jumel de Barneville, baronne d', dite Mme d'), *Histoire d'Hyppolite, comte de Duglas* (1670), préf. de R. Godenne, Genève, Slaktine Reprints, 1979.
Bernard (Catherine), *Le Comte d'Amboise* (1689).
— *Inès de Cordoue* (1696) dans *Œuvres,* t. I : *Romans et nouvelles,* éd. F. Piva, Fasano-Paris, Schena-Nizet, 1993.
Bussy-Rabutin (Roger de Rabutin, comte de Bussy), *Histoire amoureuse des Gaules,* éd. de J. et R. Duchêne, Gallimard, « Folio », 1993.
Courtilz de Sandras (Gatien de), *Les Apparences trompeuses ou les amours du Duc de Nemours et de la Marquise de Poyanne,* éd. F. Gevrey, Toulouse-Le Mirail, 1988.
— *Mémoires de la Marquise de Frêne,* Amsterdam, 1702.
— *Mémoires de M. d'Artagnan,* Cologne, 1700.
Desmarets de Saint-Sorlin (Jean), *L'Ariane,* 1639.
Durand (Catherine Bédacier, Mme), *Les Petits Soupers de l'été ou aventures galantes de l'année 1699* (1702), 1738.
— *La Comtesse de Mortane* (1699), 1737.

Fénelon (François de Salignac de La Mothe-), *Les Aventures de Télémaque*, éd. J.-L. Goré, Garnier-Flammarion, 1968.

Foigny (Gabriel de), *Les Aventures de Jacques Sadeur dans la découverte et le voyage de la Terre australe* (1676), éd. P. Rouzeaud, STFM, 1990.

Fontenelle (Bernard Le Bovier de), *Lettres diverses de M. le chevalier d'Herr****, Lyon, 1683.

Furetière (Antoine), *Le Roman bourgeois,* dans *Romans du XVIIe siècle,* éd. A. Adam ; Gallimard, « Pléiade », 1958.

Lafayette (Marie-Madeleine Pioche de La Vergne, comtesse de), *Zaïde.*

— *La Princesse de Montpensier.*

— *La Princesse de Clèves,* dans *Romans et nouvelles,* éd. A. Niderst, Garnier, 1989.

La Force (Charlotte-Rose de Caumont de), *Histoire secrète des amours de Henri IV, roi de Castille surnommé l'impuissant,* La Haye, 1695.

Le Noble (Eustache), *Les Aventures provinciales. La Fausse Comtesse d'Isamberg,* 1697.

Murat (Henriette de Castelnau, comtesse de), *Mémoires de Madame la Comtesse de M*** avant sa retraite* (1697), nouv. éd., 1711.

Préchac (Jean de), *La Valise ouverte,* 1680.

— *L'Héroïne mousquetaire, histoire véritable,* 1677.

— *L'Illustre Parisienne* (1679), éd. F. Gevrey, STFM, 1993.

Pure (Michel de), *La Prétieuse* (1656-1657), éd. E. Magne, Genève, Droz, 1939.

Rosset (François de), *Histoires mémorables et tragiques de ce temps* (1619), éd. A. de Vaucher Gravili, Livre de poche, 1994.

Saint-Réal (César Vichard, abbé de), *Dom Carlos* (1672), éd. R. Guichemerre, Gallimard, « Folio », 1995.

Scarron (Paul), *Le Roman comique* (1651), éd. J. Serroy, Gallimard, « Folio », 1985.

Scudéry (Madeleine de), *Clélie, histoire romaine,* 1654.

— *Ibrahim ou l'illustre Bassa,* 1641.

— *La Promenade de Versailles,* 1699.

— *Célinte, nouvelle première* (1661), éd. A. Niderst, Nizet, 1979.

Segrais (Jean Regnault de), *Les Nouvelles françaises ou les divertissements de la Princesse Aurélie* (1656), I, éd. R. Guichemerre, Société des Textes français modernes, 1990.

Subligny (Adrien Thomas Perdroux de), *La Fausse Clélie, histoire française, galante et comique,* Nimègue, 1680.

Sorel (Charles), *Histoire comique de Francion,* dans *Romans du XVIIe siècle,* éd. A. Adam, Gallimard, « Pléiade », 1958.

Tristan L'Hermite (François), *Le Page disgracié* (1643), éd. J. Prévot, Gallimard, « Folio », 1994.

Urfé (Honoré d'), *L'Astrée,* éd. H. Vaganay, Lyon, 1925-1928. Textes choisis et présentés par J. Lafond, Gallimard, « Folio », 1984.

Villedieu (Marie-Catherine Desjardins, Mme de), *Les Désordres de l'amour,* éd. M. Cuénin, Genève, Droz, 1970 (nouv. éd. 1995).

— *Mémoires de la vie de Henriette-Sylvie de Molière* (1671), éd. M. Cuénin, Presses Universitaires de Tours, 1977.

XVIIIe siècle

Argens (Jean-Baptiste de Boyer, marquis d'), *Le Solitaire philosophe, ou mémoires de M. le Marquis de Mirmon,* La Haye 1736.
— *Mémoires de M. le Marquis d'Argens* (1735), éd. Y. Coirault, 1993.
Baculard d'Arnaud (François-Thomas-Marie Baculard, dit), *Les Époux malheureux* (1745), *Œuvres*, IX, X, éd. de 1803, Genève, 1972.
— *Sidney et Volsan, histoire anglaise*, 1764.
— *Fanny, histoire anglaise* (1764), dans *Histoires anglaises,* éd. M. Delon, Zulma, 1993.
— *Liebman* (1770), *Les Épreuves du sentiment* III, Paris, 1795.
— *Germeuil* (1777), *Les Épreuves du sentiment* IV, Paris, 1795.
— *Varbeck*, Paris, 1774, dans *Nouvelles historiques, Œuvres*, éd. de 1803, Genève, 1972.
Barthélemy (Jean-Jacques), *Voyage du jeune Anacharsis en Grèce dans le milieu du quatrième siècle avant l'ère vulgaire*, Paris, 1788.
Bastide (Jean-François de), *Les Ressources de l'amour,* Amsterdam, 1752.
— *La Petite Maison* (1758-1763), éd. M. Delon, Gallimard, « Folio », 1995.
Beauchamps (Pierre-françois Godart de), *Les Amours d'Ismène et d'Isménias* (1729), La Haye, 1743.
Beauharnais (Marie-Anne Françoise, comtesse de), *L'Abailard supposé, ou le sentiment à l'épreuve*, Paris, 1780.
Beaumarchais (Antoine de La Barre de), *La Retraite de la Marquise de Gozanne,* Amsterdam, 1734.
Beckford (William), *Vathek, conte arabe* (1787), Paris, J. Corti, 1970.
Bernard (Pierre Joseph Justin, dit Gentil-Bernard), *Les Heureux malheurs ou Adélaïde de Wolver,* Valade, 1773.
Besenval (Pierre-Victor de), *Le Spleen* (1757), éd. P. Testud, Zulma, 1992.
Bibiena (Jean Galli de), *Le Petit Toutou,* Amsterdam, 1746.
— *La Poupée,* La Haye (1747), éd. H. Lafon, Paris, 1987 (rééd. 1996).
Billardon de Sauvigny (Edme-Louis), *Histoire amoureuse de Pierre Le Long et de sa très honorée dame Blanche Bazu*, Londres, 1765.
Boufflers (Stanilas-Jean, marquis de), *La Reine de Golconde*, Paris, 1761, dans *Anthologie du conte.*
Bourdot de Richebourg (Claude Étienne), *Évandre et Fulvie, histoire tragique,* Paris, 1728.
Boursault (Edme), *Treize lettres amoureuses d'une dame à un cavalier* (1700), éd. B. Bray, 1994.
Bricaire de La Dixmerie (Nicolas), *Toni et Clairette*, Paris, 1773.
— *L'Ile taciturne et l'île enjouée, ou voyage du génie Alaciel dans ces deux îles* (1759), éd. de D. Gambert, La Rochelle, 1994.
Bridard de la Garde (Philippe), *Les Lettres de Thérèse ou les mémoires d'une jeune demoiselle de province pendant son séjour à Paris,* La Haye, 1739.
Brunet de Brou, *La Religieuse malgré elle, histoire galante, morale et tragique* (1720), Amsterdam, 1740.
Castilhon (Jean-Louis), *Zingha, reine d'Angola, histoire africaine* (1769), éd. P. Graille et L. Quillerié, Bourges, Ganymède, 1993.
Catalde, *Le Paysan gentilhomme, ou les aventures de M. Ransau, avec son voyage aux îles jumelles,* Paris, 1737.

Caylus (Anne-Claude Philippe de Tubières de Grimoard de Pestels de Levis, comte de), *Histoire de M. Guillaume, cocher* (1737), Paris, 1970.
Cazotte (Jacques), *Ollivier* (1763), dans *Œuvres choisies et badines*, Paris, an VI.
— *Le Lord impromptu, nouvelle romanesque* (1767), dans *Œuvres badines et morales*, II, Paris, 1776.
— *Le Diable amoureux, nouvelle espagnole* (1772), dans *Romanciers du XVIIIe siècle*, II.
Charpentier, *Nouveaux contes moraux ou historiettes galantes et morales*, Amsterdam, Liège, 1767.
Charrière (Belle de Zuylen, Isabelle de), *Lettres neuchâteloises* (1784), *Œuvres complètes*, VIII.
— *Lettres de Mistress Henley publiées par son amie* (1784), *Œuvres complètes*, VIII.
— *Lettres écrites de Lausanne* (1785), *Œuvres complètes*, VIII.
— *Trois femmes* (1796-1798), *Œuvres complètes*, IX.
— *Honorine d'Userche* (1798), *Œuvres complètes*, IX et Toulouse, 1992.
— *Lettres trouvées dans des portefeuilles d'émigrés* (1793), *Œuvres complètes*, VIII et éd. Piau-Gilot, 1993.
Challe (Robert), *Les Illustres Françaises* (1713), éd. F. Deloffre et J. Cormier, Genève, 1991.
Cottin (Sophie Ristaud, Mme), *Claire d'Albe* (1799), éd. J. Gaulmier, Paris, 1976.
Crébillon (Claude-Prosper Jolyot de), *Lettres de la Marquise de *** au comte de R**** (1732), éd. E. Sturm, Paris, 1970.
— *Les Égarements du cœur et de l'esprit* (1736-1738), éd. J. Dagen, Garnier-Flammarion, 1985.
— *La Nuit et le moment* (1755), éd. H. Coulet, Paris, 1983.
Delacroix (Jacques-Vincent), *Le Danger des romans* (1770), dans *Anthologie du conte.*
Delisle de Sales, *Éponine ou la république* (1793), éd. P. Malandain, 1990.
Denon (Vivant, baron Dominique), *Point de lendemain* (1777 1812), éd. M. Delon, Gallimard, « Folio », 1995.
Diderot (Denis), *Les Bijoux indiscrets* (1748), éd. J. Proust, Paris, 1972.
— *La Religieuse* (1760), éd. R. Mauzi, Paris, 1972.
— *Madame de La Carlière, Ceci n'est pas un conte, Mystification, les Deux amis de Bourbonne* (1770), dans *Quatre contes*, éd. J. Proust, Paris, 1964.
— *Jacques le Fataliste*, éd. S. Lecointre et J. Le Galliot, Genève-Paris, 1977.
Digard de Kerguette (Jean), *Mémoires et aventures d'un bourgeois qui s'est avancé dans le monde,* La Haye, 1750.
Dorat (Claude-Joseph), *Les Sacrifices de l'amour* (1771), éd. A. Clerval, Le Promeneur, 1995.
— *Les Malheurs de l'inconstance,* Paris (1772), éd. A. Clerval, Desjonquères, 1983.
Duclos (Charles Pinot), *Histoire de madame de Luz* (1741), éd. J. Brengues, Saint-Brieuc, 1972.
— *Les Confessions du comte de **** (1741), dans *Romanciers du XVIIIe siècle*, II.
— *Mémoires pour servir à l'histoire du XVIIIe siècle* (1751), éd. H. Coulet, Paris, 1986.
— *Acajou et Zirphile* (1744), éd. J. Dagen, Desjonquères, 1993.
Ducray-Duminil (François-Guillaume), *Alexis ou la maisonnette dans les bois,* Grenoble, 1789.
Dulaurens (Henri-Joseph), *Imirce ou la fille de la nature* (1761), éd. A. Rivara, Saint-Étienne, 1993.
— *Le Compère Mathieu, ou les bigarrures de l'esprit humain* (1766), Malte, 1776.

Dupré d'Aulnay (Louis), *Les Aventures du faux chevalier de Warwick* (1750), éd. P.-L. Jacob, 1880.
Durosoi (Barnabé Farmian de Rozoi, dit), *Clairval philosophe, ou la force des passions, mémoires d'une femme retirée du monde,* La Haye, 1765.
Florian (Jean-Pierre Claris de), *Estelle et Némorin* (1788), Paris, 1845.
— *Nouvelles* (1792), éd. R. Godenne, Paris, 1974.
Fougeret de Monbron (Louis-Charles), *Margot la ravaudeuse* (1750), dans *Romans libertins du XVIIIe siècle*, éd. R. Trousson, 1993.
Fromaget (Nicolas), *La Promenade de Saint-Cloud, ou la confidence réciproque,* Paris, 1736.
— *Le Cousin de Mahomet, ou la folie salutaire, histoire plus que galante,* Leyde, 1742.
Gaillard de La Bataille (Pierre-Alexandre), *Histoire de la vie et des mœurs de mademoiselle Cronel dite Frétillon, écrite par elle-même, actrice de la comédie de Rouen,* La Haye, 1740.
— *Jeannette seconde ou la nouvelle paysanne parvenue,* Amsterdam, 1744.
Gérard (Philippe-Louis), *Le Comte de Valmont, ou les égarements de la raison* (1774), 1778.
Gimat de Bonneval (Jean-Baptiste), *Fanfiche, ou les mémoires de mademoiselle de* ***, à Peine, 1748.
— *Le Voyage de Mantes, ou les vacances de 17...*, Amsterdam, 1753.
Godard d'Aucour (Claude), *Mémoires turcs* (1743), éd. A. Quantin, notice d'O. Uzanne, Paris, 1883.
— *Thémidore ou mon histoire et celle de ma maîtresse* (1745), dans *Romans libertins.*
Gomez (Marie-Angélique Poisson, dame Gabriel de), *Histoire de Charles Brachy, Le Bonheur imprévu, les Amants cloîtrés,* dans les *Cent nouvelles nouvelles*, V, Paris.
Gorgy (Jean-Claude), *Blançay* (1788), Londres, 1789.
— *Victorine,* Londres, 1789.
Graffigny (Françoise d'Issembourg d'Happoncourt, dame de), *Lettres d'une Péruvienne* (1747), dans *Lettres portugaises, Lettres d'une Péruvienne et autres romans d'amour par lettres,* éd. B. Bray et I. Landy-Houillon, Paris, 1983.
Guiart de Sévigné, *Les Sonnettes ou mémoires du marquis D**** (1749), éd. G. Apollinaire, Paris, 1967.
Guillard de Beaurieu, *L'Élève de la nature,* Amsterdam, 1766.
Hamilton (comte Antoine), *Les Quatre facardins, Zéneyde* (1730-1731), Paris, 1873.
— *Mémoires de la vie du comte de Gramont* (1713), dans *Romanciers du XVIIIe siècle,* I.
Hélaine (abbé), *Les Amants vertueux, ou les lettres d'une dame écrites de la campagne, à son amie à Londres,* Londres, 1774.
Henriquez (L. M.), *Les Aventures de Jérôme Lecocq, ou les vices du despotisme et les avantages de la liberté, présentées à la convention nationale,* Paris, 1794.
Histoire de Dom B... portier des Chartreux, écrite par lui-même (1741), texte de 1771, éd. P. Pia, Paris, 1969.
Jonval, *Les Erreurs instructives, ou mémoires du Comte de ***,* Paris, 1765.
Jourdan (Jean-Baptiste), *Le Guerrier philosophe,* La Haye 1744.
Laclos (Pierre-Ambroise-François Choderlos de), *Les Liaisons dangereuses ou lettres recueillies dans une société et publiées pour l'instruction de quelques autres* (1782), dans *Œuvres complètes,* éd. L. Versini, Paris, Gallimard, « Pléiade », 1979.
La Guesnerie (Charlotte Marie-Anne Charbonnier de), *Mémoires de Milady B... Par Madame R...,* Paris, 1760.
Lambert (Anne-T., marquise de), *La Femme ermite, nouvelle nouvelle,* Paris, 1747.

Lambert (Claude-François), *Mémoires et aventures d'une dame de qualité qui s'est retirée du monde* (1741), La Haye, 1767.
La Morlière (Charles-Jacques-Louis-Auguste Rochette, chevalier de), *Angola, histoire indienne, histoire sans vraisemblance* (1746), éd. J.-P. Sermain, Desjonquères, 1991.
La Place (Pierre-Antoine de), *Les Erreurs de l'amour-propre, ou les mémoires de milord* ***, Londres, 1754.
La Solle (Henri-François de), *Mémoires de deux amis, ou les aventures de messieurs Barnival et Rinville,* Londres, 1754.
Léonard (Nicolas-Germain), *Lettres de deux amants habitant Lyon,* Paris, 1780.
— *La Nouvelle Clémentine, ou lettres de Henriette de Berville,* La Haye, 1774.
Lesage (Alain-René), *Aventures du chevalier de Beauchêne* (1732), 1980.
— *Histoire de Gil Blas de Santillane* (1715-1735), dans *Romanciers du XVIIIe siècle,* I.
Lesuire (Robert-Martin), *L'Aventurier français,* 1782.
— *Le Crime, ou lettres originales concernant les aventures de César de Perlencour,* Paris, 1789.
— *Charmansage, ou mémoires d'un jeune citoyen faisant l'éducation d'un ci-devant noble,* Paris, 1792.
Ligne (Charles-Joseph, prince de), *Contes immoraux* (1801), éd. M. Couvreur et R. Mortier, Desjonquères, 1995.
Loaisel de Tréogate (Joseph-Marie), *Florello, nouvelle américaine* (1776), Paris, an III.
— *Le Crime puni* (1777), dans *Soirées de mélancolie* (Paris, 1777) et dans *Anthologie du conte.*
— *L'Empire de la beauté,* dans *Soirées de mélancolie,* Paris, 1777.
— *La Comtesse d'Alibre, ou le cri du sentiment, anecdote française,* Paris, 1779.
— *Dolbreuse ou l'homme du siècle ramené à la vérité par le sentiment et par la raison, histoire philosophique* (1783), préf. de R. Gimenez, texte de 1785, 1993.
Louvet de Couvray (Jean-Baptiste), *Une Année de la vie du chevalier de Faublas* (1787), *Romanciers du XVIIIe siècle,* II.
— *Six semaines de la vie du chevalier de Faublas* (1788), *Romanciers du XVIIIe siècle,* II.
— *La Fin des amours du chevalier de Faublas* (1790), *Romanciers du XVIIIe siècle,* II.
— *Émilie de Varmont ou le divorce nécessaire, et les amours du curé Sévin* (1791), Paris, 1792.
Luchet (Jean-Pierre Louis de La Roche Du Maine, marquis de), *La reine de Bénin, nouvelle historique,* Paris, 1766.
Lussan (Marguerite de), *Les Veillées de Thessalie,* Paris, 1741.
Maistre (Xavier, comte de), *Voyage autour de ma chambre* (1794), J. Corti, 1984.
— *Expédition nocturne autour de ma chambre* (1825), éd. M. Covin, 1990.
Marivaux (Pierre Carlet de Chamblain de), *La Voiture embourbée* (1714), *Œuvres de jeunesse,* éd. F. Deloffre, Paris, 1972.
— *Les Aventures de *** ou les effets surprenants de la sympathie* (1713-1714), *Œuvres de jeunesse,* éd. F. Deloffre, Paris, 1972.
— *Pharsamon ou les nouvelles folies romanesques* (1737), *Œuvres de jeunesse,* éd. F. Deloffre, Paris, 1972.
— *Le Télémaque travesti* (1736), *Œuvres de jeunesse,* éd. F. Deloffre, Paris, 1972.
— *La Vie de Marianne ou les aventures de la Comtesse de* *** (1731-1742), éd. Deloffre, Paris, Garnier, 1963.
— *Le Paysan parvenu ou les mémoires de M**** (1734-1735), éd. Deloffre, Paris, Garnier, 1969.

Marmontel (Jean-François), *Contes moraux*, Amsterdam, 1766.
— *Les Incas ou la destruction du Pérou* (1777), Paris, 1793.
Maubert de Gouvest, *Lettres iroquoises,* s.l., 1752.
Méheust (Mme), *Histoire d'Émilie ou les amours de mademoiselle ****, Paris, 1732.
— *Mémoires du chevalier de ****, Paris, 1734.
*Mémoires de madame la Comtesse de *** écrits par elle-même* (1744), préface de P.-J. Rémy, Paris, 1980.
Mercier (Louis-Sébastien), *L'An deux mille quatre cent quarante, rêve s'il en fut jamais* (1770), éd. R. Trousson, Paris, 1971.
— *Jezennemours, roman dramatique,* Paris, 1776.
Mercier de Compiègne (Claude-François-Xavier), *Ismael et Christine, nouvelle historique,* Paris, 1795.
— *Rosalie et Gerblois, nouvelle historique* (1792), Paris, 1796.
Mirabeau (comte de), *Le Libertin de qualité ou ma conversion* (1783), Paris, 1962.
— *Le Rideau levé ou l'éducation de Laure* (1786).
Montesquieu (Charles-Louis de Secondat, baron de La Brède et de), *Lettres persanes* (1721), éd. J. Roger, Paris, 1964.
Mouhy (Charles de Fieux, chevalier de), *La Paysanne parvenue ou les mémoires de madame la marquise de L. V.,* Paris, 1735-1736.
— *Lamekis ou les voyages extraordinaires d'un Égyptien dans la terre intérieure avec la découverte de l'île des Sylphides,* Paris, 1735-1738.
— *Paris, ou le Mentor à la mode,* 1735-1736.
— *La Mouche, ou les espiègleries et aventures galantes de Bigand* (1736), Paris, 1777.
— *Mémoires d'une fille de qualité qui ne s'est pas retirée du monde,* Amsterdam, 1747.
— *Le Masque de fer* (1747), éd. A. Rivara, Paris, Desjonquères, 1983.
Nerciat (André-Robert Andréa, chevalier de), *Félicia, ou mes fredaines* (1775), dans *Romans libertins du XVIIIe siècle.*
— *Les Aphrodites* dans *L'Œuvre libertine du chevalier Andréa de Nerciat,* Éd. d'Aujourd'hui, 1985.
Nougaret (Pierre-Jean-Baptiste), *Lucette ou les progrès du libertinage* (1765-1766), dans *Œuvres anonymes du XVIIIe siècle. L'Enfer de la Bibliothèque nationale,* Paris, 1986, II. 4.
— *La Paysanne pervertie ou les mœurs des grandes villes, mémoires de Jeannette R...,* Paris, 1777.
Potocki (Jean), *Manuscrit trouvé à Saragosse,* éd. R. Radrizzani, Paris, 1992.
Prévost (Antoine-François), *Mémoires et aventures d'un homme de qualité* (1728-1731), dans *Œuvres de Prévost,* éd. J. Sgard, Grenoble, 1978-1986, I.
— *Le Philosophe anglais ou histoire de M. Cleveland* (1731-1739), dans *Œuvres de Prévost,* Grenoble, 1978-1986, II.
— *Le Doyen de Killerine* (1735-1740), dans *Œuvres de Prévost,* Grenoble, 1978-1986, III.
— *Mémoires pour servir à l'histoire de Malte* (1741), dans *Œuvres de Prévost,* Grenoble, 1978-1986, IV.
— *Campagnes philosophiques, ou mémoires de M. de Montcal* (1741), dans *Œuvres de Prévost,* Grenoble, 1978-1986, IV.
— *Mémoires d'un honnête homme* (1745), dans *Œuvres de Prévost,* Grenoble, 1978-1986, VI.
— *Le Monde moral* (1760), dans *Œuvres de Prévost,* Grenoble, 1978-1986, VI.

Prévost (Antoine-François), *Histoire d'une Grecque moderne* (1740), éd. R. Mauzi, Paris, 1965.
— *Histoire du chevalier Des Grieux et de Manon Lescaut* (1731), éd. F. Deloffre et R. Picard, Paris, 1965.
Ramond de Carbonnières (Louis Frédéric Élisabeth), baron, *Les Dernières aventures du jeune d'Olban,* Yverdon, 1777.
Regnault-Warin (Jean-Baptiste Joseph Innocent Philadelphe), *Le Cimetière de la Madeleine,* Paris, 1800.
Restif de La Bretonne (Nicolas-Edme), *Le Pied de Fanchette, ou le soulier couleur de rose* (1769), Paris, 1976, conforme à l'éd. A. Quantin, Paris, 1881.
— *Le Paysan perverti* (1775), éd. D. Baruch, Paris, 1978.
— *La Vie de mon père* (1779), éd. G. Rouger, Paris, Garnier, 1970.
— *Les Contemporaines,* anthologie en 3 vol., Les Yeux ouverts, Paris, 1962.
— *La Découverte australe par un homme-volant ou le Dédale français, nouvelle philosophique* (1781), éd. J. Lacarrière, Paris, 1977.
— *Sara, ou la dernière aventure d'un homme de quarante-cinq ans* (1783), éd. D. Baruch, Paris, 1984.
— *La Paysanne pervertie, ou les dangers de la ville* (1784), éd. B. Didier, Paris, 1972.
— *Ingénue Saxancour, ou la femme séparée* (1789), éd. G. Lely, Paris, 1965.
— *La Semaine nocturne* (1790), éd. B. Didier, Paris, 1978.
— *Les Nuits de Paris,* t. VIII (1794).
— *L'Anti-Justine, ou les délices de l'amour* (1798), éd. G. R., Paris, 1969.
Révéroni Saint-Cyr (baron Jacques-Antoine de), *Pauliska, ou la perversité moderne, mémoires récents d'une Polonaise* (1798), éd. B. Didier, Paris, 1976.
— *Sabina d'Herfeld, ou les dangers de l'imagination,* Paris, 1797.
— *Le Torrent des passions, ou les dangers de la galanterie,* Paris, 1818.
Riccoboni (Marie-Jeanne Laboras de Mézières, Mme), *Lettres de Mistriss Fanni Butlerd à Milord Charles Alfred de Caitombridge* (1757), éd. Joan Hinde Stewart, Paris, 1979.
— *Histoire de Monsieur le marquis de Cressy* (1758), Paris, 1772.
— *Lettres de mylady Juliette Catesby, à milady Henriette Campley son amie* (1759), Paris, 1769.
Robert (Marie-Anne de Roumier, Mme), *La Paysanne philosophe, ou les aventures de madame la comtesse de ***,* Amsterdam, 1761-1762.
Robert (Louise Félicité Guinement de Kéralio, dame), *Adélaïde ou les mémoires de la marquise de M***, écrits par elle-même,* Neufchâtel, 1782.
Rosny (Antoine Joseph Nicolas de), *Les Infortunes de M. de La Galetière,* Paris, 1797.
Rousseau (Jean-Jacques), *Julie, ou La Nouvelle Héloïse, lettres de deux amants habitant d'une petite ville au pied des Alpes* (1761), éd. H. Coulet, 1993.
Sade (Donatien-Alphonse-François, marquis de), *Justine ou les malheurs de la vertu* (1791), *Œuvres,* II, éd. M. Delon, Gallimard, « Pléiade », 1995.
— *Aline et Valcour, ou le roman philosophique* (1795), *Œuvres,* I, éd. M. Delon, 1990.
— *La Nouvelle Justine ou les malheurs de la vertu, suivie de l'histoire de Juliette sa sœur, ou les prospérités du vice* (1797), *Œuvres, II.*
— *Les Cent vingt journées de Sodome, ou l'école du libertinage, Œuvres, I.*
— *Eugénie de Franval* (1800).
— *Ernestine* (1800), dans *Les Crimes de l'amour,* éd. M. Delon, Gallimard, « Folio », 1987.

Saint-Lambert (Jean-François, marquis de), *L'Abénaki* (1765), dans *Anthologie du conte.*
— *Sarah T...*, *Ziméo* (1765, 1769) dans *Contes,* Paris, 1883.
Saint-Léger (Anne-Hyacinthe de, dame de Colleville), *Lettre du chevalier de Saint-Alme et de mademoiselle de Melcourt,* Amsterdam, 1781.
Saint-Pierre (Jacques-Henri Bernardin de), *Paul et Virginie* (1788), éd. P. Trahard, revue par E. Guitton, Paris, 1989.
— *La Chaumière indienne* (1790), à la suite de *Paul et Virginie,* Paris, 1863.
— *La Pierre d'Abraham,* dans *Œuvres complètes,* t. XII, Paris, 1818.
— *L'Amazone*, présentation de R. Trousson, Paris-Genève, 1980.
Sénac de Meilhan (Gabriel), *L'Émigré* (1797), dans *Romanciers du XVIIIe siècle,* II.
Souza (Adélaïde-Marie Émilie Filleul, comtesse de Flahaut, puis marquise de), *Adèle de Sénange, ou lettres de lord Sydenham* (1794), dans *Œuvres complètes,* I, Paris, 1821.
Tencin (Claude-Alexandrine Guérin, marquise de), *Mémoires du comte de Comminges* (1735), éd. M. Delon, Desjonquères, 1985.
— *Le Siège de Calais : nouvelle historique* (1739), préf. de P.-J. Rémy, Desjonquères, 1983.
— *Les Malheurs de l'amour,* Amsterdam, 1747.
Terrasson (abbé Jean), *Séthos, histoire, ou vie tirée des anecdotes de l'ancienne Égypte, traduite d'un manuscrit grec* (1731), Paris, an III de la République
Tiphaigne de La Roche (Charles-François), *Amilec ou la graine d'hommes qui sert à peupler la planète,* s.l., 1753.
— *Giphantie,* Paris, 1760.
— *Sanfrein ou mon dernier séjour à la campagne,* Amsterdam, 1765.
Tressan (Louis Élisabeth de La Vergne, comte de), *Le Petit Jehan de Saintré* (1780), dans *Œuvres du comte de Tressan,* VIII, Paris, 1822.
Tyssot de Patot (Simon), *Voyages et aventures de Jaques Massé* (1714-1717 ?), éd. A. Rosemberg, 1993.
Ussieux (Louis d'), *Jean sans peur, Duc de Bourgogne, nouvelle française ; Raymond et Marianne, nouvelle portugaise ; Berthold, anecdote historique,* dans *Le Décaméron français,* I, II, Paris, 1774-1775.
Villeneuve (Gabrielle-Suzanne Barbot Gallon, dame de), *La Belle et la bête,* dans *La Jeune Américaine et les contes marins,* Paris, 1740.
— *La Jardinière de Vincennes ou les caprices de l'amour et de la fortune,* Paris, 1753.
Voisenon (Claude-Henri de Fusée, abbé de), *Le Sultan Misapouf et la princesse Grisemine, ou les métamorphoses* (1746), Paris, 1927 (aussi dans *Contes parodiques et licencieux*).
Voltaire (François-Marie Arouet de), *Zadig ou la destinée, histoire orientale* (1747), *Candide ou l'optimisme* (1759), *L'Ingénu, histoire véritable* (1767), *La Princesse de Babylone* (1768), *Les Lettres d'Amabed* (1769), *Histoire de Jenni, ou l'athée et le sage* (1775), dans *Romans et contes,* éd. H. Bénac, Paris, 1953.
Yon (Rosalie), *Les Femmes de mérite, histoires françaises,* Paris, 1759.

Anthologies

Anthologie du conte en France 1750/1799, éd. A. Martin, 1981.
Contes parodiques et licencieux du XVIIIe siècle, éd. R. Robert, Nancy, 1987.
Il était une fois les fées, éd. R. Robert, Nancy, 1984.
Nouvelles françaises du XVIIIe siècle, éd. J. Hellegouarch, 1994.

XIXe siècle

Balzac (Honoré de), *Les Chouans* (1829), préf. de P. Gascar, notes de R. Pierrot, Gallimard, « Folio », 1972.
— *Ferragus* (1834).
— *La Duchesse de Langeais* (1834).
— *La Fille aux yeux d'or* (1834-1835), préf. et comm. de G. Gengembre, Presses-Pocket, 1992.
Chateaubriand (Alphonse de), *Atala, René* (1801-1802), éd. P. Reboul, Garnier-Flammarion, 1964.
Constant (Benjamin), *Adolphe* (1816), éd. A. Roulin, Gallimard, « Folio », 1982.
Cottin (Sophie Ristaud Mme), *Claire d'Albe* (1799), préf. de J. Gaulmier, Régine Desforges, 1976.
— *Malvina* (1800), 3 t., Lebigre, 1836.
Duras (Claire Louise de Kersaint, Mme de), *Édouard* (1825), postface de G. Gengembre, Autrement, 1994.
Genlis (Stéphanie Félicité Ducrest de Saint-Aubin, marquise de Sillery, comtesse de), *Les Chevaliers du Cygne, ou la cour de Charlemagne* (1795), Paris, 1805.
— *Mademoiselle de Clermont* (1802), postface de G. Gengembre, Autrement, 1994.
— *Inès de Castro* (1817), Ombres, 1995.
Krüdener (Julie Vietinghoff, Mme de), *Valérie* (1803), éd. D. Jouaust, Librairie des Bibliophiles, 1884.
Nodier (Charles), *Le Peintre de Saltzbourg* (1803).
— *Jean Sbogar* (1818).
— *Thérèse Aubert* (1819), Charpentier, 1840.
Pigault-Lebrun (Charles Antoine Guillaume Pigault de l'Épinoy dit), *L'Enfant du carnaval* (1796), préf. de R. Virolle, Desjonquères, 1989.
— *Le Garçon sans souci* (1818), Barba, 1818.
Sand (George, Amandine Aurore Lucile Dupin dite), *Indiana* (1832), éd. P. Salomon, Garnier, 1983.
Senancour (Étienne Pivert de), *Obermann* (1804), préf. de J.-M. Monnoyer, Gallimard, « Folio », 1984.
Staël (Anne Louise Germaine Necker, baronne de), *Corinne ou l'Italie* (1807), éd. S. Balayé, Gallimard, « Folio », 1985.

Analyses[1]

Aronson (Nicole), Voyage et roman héroïque (Gomberville, Scudéry, La Calprenède), *XVIIe French Studies*, 7, 1985.
Auerbach (Erich), *Mimesis, la représentation de la réalité dans la littérature occidentale*, Gallimard, 1968.

1. Cette bibliographie est volontairement limitée aux ouvrages et articles touchant à la question de la représentation de l'espace dans le roman des XVIIe et XVIIIe siècles. Les abréviations courantes ont été utilisées. *DHS* pour *Dix-Huitième Siècle*, *RHLF* pour *Revue d'histoire littéraire de la France*, *RSH* pour *Revue des sciences humaines*, *CAIEF* pour *Cahiers de l'Association internationale des études françaises*, *SVEC* pour *Studies on Voltaire and the Eighteenth Century*.

Baccar (Alia), Les Marines dans les romans de Madeleine de Scudéry, *Les Trois Scudéry, colloque du Havre*, 1991, éd. A. Niderst, 1993.
Bachelard (Gaston), *La Poétique de l'espace,* PUF, 1970.
— *La Terre et les rêveries du repos*, J. Corti, 1948.
Balayé (Simone), Corinne et la ville italienne, ou l'espace extérieur et l'impasse intérieure, *Mélanges Simone (Franco), France et Italie dans la culture européenne*, Genève, Slaktine, 1980-1984, t. III, 1984.
Bakhtine (Mikhaïl), *Esthétique et théorie du roman,* trad. Gallimard, 1978.
— *Esthétique de la création verbale,* trad. 1984, Gallimard.
Baltrusaïtis (Jurgis), Jardins, pays d'illusion, dans *Jardins en France, 1760-1820*, Édition de la Caisse nationale des monuments et des sites, 1978.
Béguin (François), *Le Paysage,* Flammarion, 1995.
Berthier (Philippe), René et ses espaces, *Saggi e ricerche di Letteratura Francese,* vol. XXVIII, 1989.
Bertrand (Denis), *L'Espace et le sens : Germinal d'Émile Zola*, Hadès-Benjamins, 1985.
— Le Langage spatial dans *La Bête humaine*, dans *Mimesis et sémiosis, littérature représentation. Miscellanées offertes à H. Mitterand,* Nathan, 1992.
Benrekassa (Georges), Bibliothèques imaginaires : honnêteté et culture, des lumières à leur postérité, *Romantisme,* 44, 1984.
Blanc (André), Le Jardin de Julie, *XVIIIe siècle*, 14, 1982.
Bourneuf (Roland), L'Organisation de l'espace dans le roman, *Études littéraires*, avril 1970.
Brochier (Jean-Jacques), La Circularité de l'espace, *Le Marquis de Sade, Colloque d'Aix-en-Provence*, Colin, 1968.
Butor (Michel), L'Espace du roman, Philosophie de l'ameublement, *Essais sur le roman,* Gallimard, 1992.
Certeau (Michel de), *L'Invention du quotidien : 1. Arts de faire*, Gallimard, 1990.
Coman (Colette), Le Monde inanimé dans *Adolphe* : « bons » et « mauvais » objets, *Romanic Review,* LXXVII, n° 1, janvier 1986.
Corbin (Alain), *Le Territoire du vide, L'Occident et le désir du rivage, 1750-1840*, Champs-Flammarion, 1990 (1re éd., Aubier, 1988).
Coutin (Jean), Enquête sur l'imaginaire du roman pornographique (1739-1789) : les bibliothèques, Faire catleya au XVIIIe siècle : lieux et objets du roman libertin, *Études françaises,* 32-2, 1996.
Coulet (Henri), *Le Roman jusqu'à la Révolution*, A. Colin, 1967.
— L'Espace et le temps du libertinage dans *Les Liaisons dangereuses*, *Laclos et le libertinage, 1782-1982. Actes du Colloque de Chantilly organisé par l'Université de Picardie*, PUF, 1983.
Cuénin (Micheline), Châteaux et roman au XVIIe siècle, *XVIIe siècle,* 118-119, janvier-juin 1978.
Cusset (Catherine), Loi du père et symbolique de l'espace dans *Manon Lescaut*, *Eighteenth Century Fiction,* vol. 5, n° 2, janvier 1993.
— Lieux du désir, désirs du lieu, dans *Point de lendemain* de Vivant Denon, Faire catleya au XVIIIe siècle : lieux et objets du roman libertin, *Études françaises,* 32-2, 1996.
Dalla Valle (Danielle), Le Merveilleux et le vraisemblable dans la description des romans baroques : *La Promenade de Versailles* de Madeleine de Scudéry, *XVIIe siècle*, 152, juillet-septembre 1986.

Decobert (Jacques), Pour une lecture de la ville en société utopique, *Modèles et moyens de la réflexion politique au XVIIIe siècle. Actes du Colloque intern. des Lumières,* Lille, 1973, t. II : *Utopies et voyages imaginaires,* Lille, 1978.
Delon (Michel), Le Décor médiéval chez Loaisel de Tréogate, *Europe*, 703-704, 1987.
— Faublas à la fenêtre. La nostalgie de l'unité dans le roman de Louvet, *Seminari Pasquali di analisi testuale, 10. Les Amours du Chevalier de Faublas,* Pisa, Edizioni ETS, 1995.
DeJean (Joan), *Literary Fortifications : Rousseau, Laclos, Sade*, Princeton University Press, 1984.
Démoris (René), *Ut poesis pictura ?* Quelques aspects du rapport roman-peinture au siècle des Lumières, *Dilemmes du roman. Essays in honor of Georges May*, éd. par Catherine Lafarge, *Stanford French and italian studies,* 65, 1989.
Deneys (Anne), Structure de l'imaginaire urbain dans les romans de Marivaux, *Cahiers de Fontenay*, juillet 1983.
Desprechins (Anne), Les jardins de Clélie, *Les Trois Scudéry, colloque du Havre,* 1991, éd. A. Niderst, 1993.
Didier (Béatrice), Le Paysage chez Mme de Staël, *RHLF,* janvier 1966.
— Lieux et espaces dans *La Vie de Marianne*, *Stanford Fench Review,* XI, spring, 1987.
— La Fête champêtre dans quelques romans de la fin du XVIIIe siècle, de Rousseau à Senancour, *Les Fêtes de la Révolution,* Société d'Études robespierristes, 1977.
Duchet (Michèle), Clarens, le lac d'amour où l'on se noie, *Littérature,* 21, février 1976.
Durand (Gilbert), *Les Structures anthropologiques de l'imaginaire* (1960), 11e éd., Dunod, 1993.
— Le Voyage et la chambre dans l'œuvre de Xavier de Maistre, *Romantisme*, 4, 1972.
Fabre (Jean), *Paul et Virginie*, pastorale, *Lumières et romantisme,* Paris, 1963.
— Prévost et le roman noir, *L'Abbé Prévost, Colloque d'Aix, 1963*, Aix, 1965.
— Sade et le roman noir, *Marquis de Sade, Colloque d'Aix, 1966*, Aix, 1968.
Fernandez-Zoïla (Alfonso), *Espace et psychopathologie*, PUF, 1987.
Filteau (Claude), Le Pays de Tendre, l'enjeu d'une carte, *Littérature,* 36, décembre 1979.
Frappier-Mazur (Lucienne), La Description mnémonique dans le roman romantique, *Littérature*, 38, 1980.
Frye (Northrop), *Le Grand code. La Bible et la littérature*, Seuil, 1984.
— *La Parole souveraine. La Bible et la littérature II*, Seuil, 1994.
Fussillo (Massimo), *Naissance du roman,* Seuil, 1991.
Gevrey (Françoise), *L'Illusion et ses procédés, de la Princesse de Clèves aux Illustres Françaises*, J. Corti, 1988.
Gilot (Michel), Quelques aspects du sentiment de solitude au XVIIIe siècle, *Langue, littérature du XVIIIe siècle. Mélanges offerts à Frédéric Deloffre*, SEDES, 1990.
Gimenez (Raphael), *L'Espace de la douleur chez Loaisel de Tréogate,* Minard, 1992.
Giraud (Yves), La Ville du bout du monde, *Studi di letteratura francese*, XI, 1985.
Glacken (Clarence J.), *Traces on the Rhodian shore ; nature and culture in western thought,* U. of California, Berkeley and Los Angeles, 1967.
Goldschmidt (G. H.), Les Lieux de l'identité et le cercle de soi, *Jean-Jacques Rousseau ou l'esprit de solitude,* Phébus, 1978.
Goulemot (Jean M.), Du lit et de la fable dans le roman érotique, Faire catleya au XVIIIe siècle : lieux et objets du roman libertin, *Études françaises,* 32-2, 1996.

Gourgaud (Yves), Le Voyage dans la *Justine* de Sade, *Acta Universatis Lodziensis, folia litteraria*, 33, 1992.

Grimsley (R.), Rousseau et l'imagination de l'espace, *Annales Jean-Jacques Rousseau,* XXXIX, 1972-1977.

Habermas (Jürgen), *L'Espace public*, Payot, 1978.

Hamon (Philippe), *Du Descriptif,* Hachette, 1993.

— *Expositions. Littérature et architecture au XIXe siècle,* J. Corti, 1989.

Haquette (Jean-Louis), *Les Paysages de la fiction : création romanesque et arts du paysage au tournant du siècle des Lumières,* thèse de doctorat (dir. Jean Gillet), Univ. de la Sorbonne Nouvelle Paris III, 1995.

Harrisson (Robert), *Forêts, essai sur l'imaginaire occidental,* Flammarion, 1992.

Hénaff (Maurice), Sade, l'espace du tableau et l'imaginable, *Revue romane*, 11, 1976.

Hipp (Marie-Thérèse), Une Topique romanesque, dans *Mythes et réalités, enquête sur le roman et les mémoires (1660-1700),* Klincksieck, 1976.

— *Jardins en France, 1760-1820*, Édition de la Caisse nationale des monuments et des sites, 1978.

Kozul (Mladen), *Le Corps dans le Monde. Espace et récit dans l'œuvre du marquis de Sade,* thèse de doctorat (dir. Michel Delon), Univ. de Paris X-Nanterre, 1996.

Kush (Manfred), The River and the garden ; basic spatial models in *Candide* and *La Nouvelle Héloïse*, *Eighteenth century studies,* vol. 12, n° 1, 1978.

Lafon (Henri), Voir sans être vu : un cliché, un fantasme, *Poétique,* n° 16, 1973.

— Le Territoire d'Ursule et Edmond, *Études rétiviennes,* n° 4-5, décembre 1986.

— *Les Décors et les choses dans le roman du XVIIIe siècle,* Voltaire Foundation, Oxford, 1992.

— L'Espace, le désir et la loi dans *Les Illustres Françaises*, dans *Leçons sur les Illustres Françaises, Actes de la table ronde de Créteil,* Univ. de Paris XII, diff. Champion-Slatkine, 1993.

Laugaa (Maurice), La Description dans *Ibrahim*..., *Les Trois Scudéry, colloque du Havre,* 1991, éd. A. Niderst, 1993.

Leguen (Brigitte), L'Espace dans *Candide*, *Narrativa Francesa en el s. XVIII,* sous la direction d'Alicia Yllera, Madrid, 1988.

Lestringant (Frank), L'Utopie amoureuse : espace et sexualité dans la *Basiliade* de Morelly, dans *Eros philosophe*, Champion, 1984.

Loiseaux (Georges), L'Espace et le temps dans *Adolphe*, *Le Réel et le texte*, A. Colin, 1974.

Lombard (Jean), Les Indications de lieu et d'espace dans *Les Liaisons dangereuses* et leur signification, *Espaces romanesques,* PUF.

Marin (Louis), L'Effet sharawadji ou le jardin de Julie, *Traverses,* n°s 5-6, août 1976.

Létoublon (Françoise), *Les Lieux communs du roman, stéréotypes grecs d'aventure et d'amour,* E. J. Brill, Leiden-New York-Köln, 1993.

Macherey (Pierre), Figures de l'homme d'en bas, *Hermès,* n° 2, décembre 1988, repris dans *A quoi pense la littérature ?,* PUF, 1990.

Martin (Christophe), Tombeaux du féminin. Notes sur l'espace et le corps chez l'abbé Prévost, *Littérature,* 103, 1996.

Martinet (Marie-Madeleine), *Art et nature en Grande-Bretagne au XVIIIe siècle,* Aubier-Montaigne, 1980.

Mat (Michèle), Espace, décor et temps dans les romans de Marivaux, *Studi francesi,* 58, 1976.

Mauzi (Robert), Le Thème de la retraite dans les romans de Prévost, *L'Abbé Prévost, Colloque d'Aix (1965)*, Aix, 1967.
Melançon (Benoît), Faire catleya au XVIIIe siècle, Faire catleya au XVIIIe siècle : lieux et objets du roman libertin, *Études françaises,* 32-2, 1996.
Merleau-Ponty (Maurice), *Phénoménologie de la perception,* Gallimard, « Tel », 1945.
Mitchell (W. J. T.), Spatial form in literature ; toward a general theory, *Critical Inquiry,* printemps 1980.
Mitterand (Henri), Le Lieu et le sens, l'espace parisien dans *Ferragus* de Balzac, dans *Discours du roman,* PUF, 1980.
— Chronotopies romanesques, *Poétique* 81, février 1990.
Morlet-Chantalat (Chantal), Évolution d'un lieu romanesque : le cabinet enchanté dans les romans de Mlle de Scudéry, *Les Trois Scudéry, colloque du Havre*, 1991, éd. A. Niderst, 1993.
— *La Clélie de Mlle de Scudéry : de l'épopée à la gazette, un discours féminin de la gloire,* H. Champion, 1994.
Mortier (Roland), *La Poétique des ruines,* Droz, 1974.
Muhleman (Simone), La Genèse d'un espace littéraire : la ville dans l'œuvre de Marivaux, *La Ville au XVIIIe siècle*, Edisud, Aix, 1975.
Perez Pérez (Concepcion), Sade : funcion del espacio en la dialèctica actancial de *La Marquise de Gange*, *Narrativa Francesa en el s. XVIII*, sous la dir. d'Alicia Yllera, Madrid, 1988.
Perrin (Jean-François), La Scène de reminiscence avant Proust, *Poétique*, n° 102, avril 1995.
Pitte (Jean-Robert), *Histoire du paysage français,* Tallandier, 1983.
Poulet (Gaston), *L'Espace proustien,* rééd. Gallimard, 1988.
Principato (Aurelio), La Caverne de Cleveland, *CAIEF*, n° 46, mai 1994.
Racault (Jean-Michel), Système de la toponymie et organisation de l'espace romanesque dans *Paul et Virginie*, *SVEC,* 242, 1986.
Richard (Jean-Pierre), *Microlectures,* Seuil, 1979.
Richard (Paule), Ut pictura poesis. Le paysage dans la description au début du XIXe siècle, *RSH*, 209, 1988.
Roudaud (Jean), *Les Villes imaginaires dans la littérature française*, Hatier, 1990.
Rousset (Jean), *Leurs yeux se rencontrèrent. La scène de la première vue dans le roman,* Corti, 1981.
Rustin (Jacques), Problèmes de structure et inventaire de l'espace dans la *Religieuse* de Diderot, *Études sur le XVIIIe siècle*, Faculté des lettres modernes, Strasbourg, 1980.
— (avec Jean-Paul Schneider), Le Motif de l'arrivée à Paris dans les romans français du XVIIIe siècle, des *Lettres persanes* à la *Nouvelle Héloïse*, *Études sur le XVIIIe siècle, III,* Faculté des lettres de Strasbourg, 1984.
— La Séquence de l'arrivée à Paris dans les romans français de la seconde partie du XVIIIe siècle, *Rétif de La Bretonne et la ville,* Presses Universitaires de Strasbourg, 1993.
Saisselin (Remy G.), Room at the top of the Eighteenth Century : From sin to aesthetic pleasure, *The Journal of Aesthetics,* vol. 26, printemps 1968.
— The Space of seduction in the eighteenth century french novel and architecture, *SVEC,* 319, 1994.

Sami-Ali, *L'Espace imaginaire,* Gallimard, 1974.

Siemek (Andrej), L'espace mondain dans l'écriture romanesque du XVIIIe siècle, *Le Siècle de Voltaire, hommage à R. Pomeau,* Oxford, 1987.

Schneider (Jean-Paul), voir à Rustin (Jacques), 1984.

Starobinski (Jean), Diderot dans l'espace des peintres, *Diderot et l'art, de Boucher à David. Hôtel de la Monnaie, 1984-1985,* éd. des Musées nationaux, 1984.

Stump (Jordan), La Place du lieu dans les « Infortunes de la vertu », *Romance Quarterly,* 39, novembre 1992.

Terrasse (Jean), Le tableau, la fête, l'utopie, *Jean-Jacques Rousseau et la société du XVIIIe siècle, Actes du colloque organisé à l'Université McGill, octobre 1978,* Éditions de l'Université d'Ottawa, Ottawa, 1981.

Thomas (Keith), *Dans le jardin de la nature,* Gallimard, 1986.

Van Zuylen (Gabrielle), *Tous les jardins du monde,* Gallimard, 1994.

Varey (Simon), *Space and the eighteenth-century English novel,* Cambridge Universitary Press, 1990.

Vernière (Paul), Les incidences philosophiques et politiques de l'art des jardins lors de la querelle du XVIIIe siècle, *Lumières ou clair-obscur ?,* PUF, 1987.

Viorne (Simone), *Rite, roman, initiation,* Presses Universitaires de Grenoble, 1987 (1re éd., 1973).

Vouilloux (Bernard), Diderot, Jacques, le Maître, le Spectateur et l'Amateur. Raconter le tableau, argumenter le goût, *Argumentations,* n° 7, 1993.

Wagner (Nicolas), L'Utopie de *La Nouvelle Héloïse, Roman et Lumières au XVIIIe siècle,*, Éditions Sociales, 1970.

Weisgerber (Jean), *L'Espace romanesque,* L'Age d'homme, 1978.

Zumthor (Pierre), L'Espace du chevalier errant, de Perceval à Don Quichotte, *Poétique,* n° 87, septembre 1991.

— *La Mesure du monde,* Seuil, 1993.

Table des matières

DEUXIÈME PARTIE

TYPES

Imprimé en France
Imprimerie des Presses Universitaires de France
73, avenue Ronsard, 41100 Vendôme
Juin 1997 — N° 43 994

PERSPECTIVES LITTÉRAIRES

COLETTE ARNOULD
La satire, une histoire dans l'histoire

JEAN-LOUIS BACKÈS
Musique et littérature

BERNARD BEUGNOT
Le discours de la retraite au XVIIe *siècle*

EMMANUEL BURY
Littérature et politesse

LOUIS VAN DELFT
Littérature et anthropologie

JEAN-MARIE FRITZ
Le discours du fou au Moyen Age

ANDRÉ GENDRE
Évolution du sonnet français

HENRI LAFON
Espaces romanesques du XVIIIe *siècle*

DIDIER MASSEAU
L'invention de l'intellectuel dans l'Europe du XVIIIe *siècle*

DANIEL MÉNAGER
La Renaissance et le rire

CLAUDE MILLET
Le légendaire du XIXe *siècle*

GEORGES MOLINIÉ, ALAIN VIALA
Approches de la réception

FRANCINE MORA-LEBRUN
L' « Enéide » médiévale et la naissance du roman

FRITZ NIES
Imagerie de la lecture

ARNALDO PIZZORUSSO
Eléments d'une poétique littéraire au XVIIe *siècle*

DOMINIQUE RABATÉ
Figures du sujet lyrique

ARMAND STRUBEL, CHANTAL DE SAULNIER
La poétique de la chasse au Moyen Age

FRIEDRICH WOLFZETTEL
Le discours du voyageur